LANGUES ET APPRENT

Collection dirigée par
École normale supérieure
CREDIF

Aptitude et affectivité dans l'apprentissage des langues étrangères

Paul Bogaards

HATIER-CREDIF

à Ingrid

Sommaire

Avant-propos

Dans le présent ouvrage, j'essaie de faire le point sur une problématique qui m'occupe depuis bientôt dix ans et qui se résume dans la question suivante : **Quels facteurs sont mis en jeu dans l'apprentissage d'une langue étrangère à l'école, dans quelle mesure et éventuellement à travers quels autres facteurs exercent-ils leur influence ?**
Pour répondre à cette question, j'ai consulté un grand nombre d'ouvrages de psychologie et de didactique des langues et j'ai entamé des recherches expérimentales, dans le but de parvenir à une vue d'ensemble du sujet. C'est le fruit de ces efforts que je présente maintenant aux collègues professeurs et didacticiens des langues étrangères.

Parmi les ouvrages consultés, il y a un nombre important qui sont rédigés dans d'autres langues. Pour citer *in extenso* les passages qui m'ont semblé d'une importance toute particulière, j'ai cru bon de procéder à des traductions en français. J'espère avoir réussi à ne pas trahir les intentions des auteurs de ces textes.

Je tiens à remercier ceux et celles qui m'ont été d'un soutien appréciable et hautement apprécié. Je suis très reconnaissant envers M. Johan Matter de l'Université Libre d'Amsterdam et M. Daniel Gaonac'h de l'Université de Poitiers, qui ont bien voulu faire des remarques à propos de versions précédentes de ce texte ; leurs conseils m'ont beaucoup encouragé à poursuivre mes travaux. Je remercie vivement Mme Anne Galy ; ses multiples suggestions m'ont toujours stimulé à mieux rendre mes pensées. Je remercie également Mme Danielle de Ruyter-Tognotti de ses conseils en matière de style. Enfin, j'exprime ma reconnaissance envers Mme Albertine Posthumus qui m'a beaucoup aidé sur le plan matériel.

1. Introduction

Les deux termes **aptitude** et **affectivité** figurant dans le titre du présent livre semblent être antonymes plutôt que synonymes. Pourtant, dès qu'on cherche à définir ces termes de façon précise, on se heurte à une circularité difficilement contournable : l'affectivité est décrite comme une certaine aptitude, tandis que parmi les aptitudes, on rencontre aussi celle au bonheur. Enfin, dans ces définitions, le mot **disposition** ne peut guère être évité. Mot à double sens ou mot ambigu, comme on veut, **disposition** rappelle utilement que le cognitif, suggéré par le terme **aptitude**, et l'affectif, qui englobe les émotions et les sentiments, ne s'opposent pas nécessairement, mais entretiennent des liens profonds.

Dans ce livre, ces liens apparaîtront plusieurs fois. Ainsi, pour ne citer que quelques exemples, les styles cognitifs seront étudiés dans la section consacrée à la personnalité, domaine par excellence de l'affectivité, et, en traitant des aspects cognitifs de l'intervention de l'enseignant, l'on s'intéressera aux attitudes à l'égard des erreurs commises par les apprenants.

Cependant, il ne suffit pas de rendre compte des complexités inhérentes aux objets étudiés. Il faut aussi analyser les phénomènes, en isoler des parties, dissocier des éléments, quitte à oublier momentanément l'ensemble pour mieux étudier le détail. Dans ce travail, il serait impardonnable — est-il besoin de le répéter ? — de séparer ce qui n'est qu'à distinguer ou de détacher de façon trop définitive les divers éléments composant le tout.

La conscience de la complexité des rapports entre unité et diversité, cohésion et dispersion, synthèse et analyse sous-tendra la réflexion présentée dans cet ouvrage. On y trouvera la ligne de pensée suivante.

Malgré toutes sortes de différences personnelles, il existe des éléments communs à tous les individus de notre espèce ; d'ailleurs, il ne pourrait pas en être autrement, les variations ne se mesurant qu'en fonction de l'invariant. C'est dans les éléments constants, c'est-à-dire dans les phénomènes et les processus étudiés en psychologie cognitive, que ce livre prend son point de départ : le chapitre 2 commence par une brève description du fonctionnement de la mémoire humaine. En effet, avant de s'intéresser aux particularités individuelles, il est nécessaire de connaître les dispositifs permettant à l'homme d'apprendre, de retenir ce qu'il a appris et d'utiliser cet acquis dans la communication avec ses prochains.

Pendant ces dix à quinze dernières années, la psychologie cognitive ainsi que la psycholinguistique ont fait des progrès que la linguistique appliquée n'a pas toujours su mettre à profit. Aussi n'est-il pas étonnant de devoir constater que le décalage entre ces deux sciences et la didactique des langues reste pour le moment considérable. Les lacunes sont loin d'être comblées par le présent livre ; tel n'est pas son but. Les données concernant la structure de la mémoire servent de base à l'élaboration d'une définition explicite de la notion générale d'apprentissage et de référence dans le choix d'une théorie cohérente de l'apprentissage des langues non maternelles. Ensuite, elles reviennent de temps à autre dans la discussion des facteurs individuels intervenant dans cet apprentissage.

Le but du chapitre 2 étant d'expliciter un certain nombre de notions fondamentales et de justifier les options théoriques retenues dans ce livre, l'on y trouvera, après la présentation des données signalées ci-dessus, des sections consacrées à la prétendue opposition entre apprentissage et acquisition et à un examen critique de la notion de *skill*. Ce chapitre se terminera sur une discussion de quelques questions de terminologie.

Après ces préparatifs, il sera possible d'attaquer le véritable sujet de cet ouvrage : **l'étude détaillée des facteurs susceptibles d'exercer une influence sur le processus d'apprentissage des langues étrangères.** Pour imposer un certain ordre à ces facteurs, très nombreux, ceux-ci seront présentés selon leur appartenance à l'une des trois instances suivantes : **l'apprenant, l'enseignant** et **la situation d'apprentissage.** Ce choix est basé sur l'idée que, bien évidemment, ce ne sont pas tout simplement des systèmes cognitifs purs qui sont confrontés à l'autre langage, mais des individus en chair et en os se trouvant dans une situation déterminée et subissant, dans la mesure où il s'agit d'un apprentissage guidé, l'influence d'un enseignant donné. Tout en prenant leur source dans certains types d'opérations cognitives fondamentales, les mêmes dans tous les cas, les processus d'apprentissage se déroulent différemment d'un individu à l'autre et selon les variations infinies des situations d'enseignement, ce qui mène, quant aux résultats, à la diversité que l'on sait.

Ce livre adopte le point de vue de la psychologie différentielle et essaie de l'appliquer à l'apprentissage des langues étrangères. Loin de s'opposer aux principes de la psychologie cognitive, ce point de départ permet justement de mettre en valeur l'acquis de cette approche et de le compléter par des données expliquant des résultats qui, malgré l'homogénéité structurale de leur source, ne manquent pas, en règle générale, d'être très hétérogènes.

Comme on le sait, la psychologie différentielle s'intéresse aux particularités individuelles ou de groupes d'individus. Parmi celles-ci on est habitué à compter aussi les facteurs sociaux. Il y a lieu, cependant, de s'interroger sur le statut de ce type de variables. Il va de soi, bien sûr, que tout individu est toujours marqué dans une certaine mesure par ses origines et sa condition sociale. Et il est tout aussi évident qu'aucun individu ne peut être détaché de son contexte social. Si, malgré cela, je me réfère ici assez peu aux paramètres sociaux, ce n'est pas pour nier leur importance, bien au contraire, mais pour maintenir un seul et même niveau d'analyse. Mon analyse se situe au niveau des facteurs psychologiques susceptibles de fournir une explication des variations individuelles se manifestant dans le processus d'apprentissage des langues étrangères (1). A mon avis, les variables sociales ne participent à ce niveau que dans la mesure où elles ont été intériorisées par les sujets étudiés. Ce ne sont que les valeurs sociales réellement adoptées par les apprenants qui entrent en ligne de compte. Or, ces valeurs-là ne peuvent pas manquer de se manifester dans les variables étudiées dans ce livre. C'est donc par ce biais que la composante sociale sera toujours présente, bien que, le plus souvent, de façon implicite. Il serait, bien sûr, fort intéressant de doubler cette étude d'un travail de type plutôt sociologique, mais cela dépasserait largement les limites imposées à ce livre. Par ailleurs, on ne peut que regretter que les chercheurs manquent souvent de fournir les données nécessaires à un tel travail (cf. aussi la section 3.7).

Des trois instances à traiter ici : l'apprenant, l'enseignant et les conditions d'apprentissage, c'est la première qui tient le rôle principal. Comme c'est, en fin de compte, l'apprenant qui décide de son apprentissage, c'est à lui que sera consacré le chapitre le plus long (chap. 3). Les deux autres éléments, qu'on ne peut qualifier que de secondaires par rapport à ce facteur central, occuperont moins de place. Selon certains, ces deux dernières instances ne constituent d'ailleurs qu'un facteur unique. Dans ce livre, elles seront étudiées à part, et cela pour une raison bien simple. Si, à la rigueur, on peut considérer les interventions de l'enseignant et de la situation d'apprentissage comme également importantes et actives, il faut néanmoins être sensible aux différences existant sur le plan de l'intentionnalité : le professeur *a pour tâche* d'enseigner une langue ; il serait insensé d'en dire autant à propos de la situation (cf. chap. 5).

---

(1) Cf. ce qu'affirme Reuchlin (1976 : 132) : « Certaines données statistiques (...) suggèrent l'idée que la profession du père constitue l'une des causes des inégalités du développement intellectuel. Le psychologue ne pourra considérer que la cause réside dans la profession du père en tant que telle. Il cherchera quelles conditions de vie, associées à la profession, peuvent jouer effectivement ce rôle (niveau de culture, type de loisirs, habitudes éducatives, etc.) ».

Comme le lecteur pourra le constater bien vite, cet ouvrage soulève beaucoup de questions et propose relativement peu de réponses. Aussi son but n'est-il pas de servir de répertoire de solutions aux problèmes pratiques : malgré son statut de science appliquée, la didactique des langues n'en est pas encore — ou faut-il dire : n'en est plus ? — là ! Le but de ce livre est plutôt d'offrir un état présent de la recherche concernant les différences individuelles dans l'apprentissage des langues et de stimuler la réflexion dans ce domaine. Ceci dans l'espoir qu'une telle réflexion aboutira à de nouvelles recherches empiriques et, par là même, à une extension des connaissances dans ce domaine. Car c'est par le biais de l'élaboration de théories cohérentes et de vérifications de celles-ci dans des expériences dûment contrôlées, que la linguistique appliquée peut nourrir l'espoir de pouvoir fournir un jour les réponses pratiques que, il n'y a même pas vingt ans, elle était parfois trop encline à donner. Il est en effet important de reconnaître le dogmatisme (et la légèreté !) qui a caractérisé une certaine phase de l'évolution de notre science. Ce n'est qu'en osant poser des questions que l'on peut espérer éviter la récidive et atteindre le niveau des applications pratiques.

Présenter l'état présent d'une question exige que l'on fasse le tour des théories et des pratiques. Dans les chapitres suivants, ces deux éléments reviendront souvent et, dans la mesure du possible, en se complétant. Car, en tant que science appliquée, la didactique des langues étrangères a pour mission de trouver des solutions explicites et opératoires aux problèmes qui se posent dans la pratique. Elle ne peut se permettre ni de rester au niveau des problèmes pratiques ni de se cantonner dans la description d'expériences vécues et non contrôlées, ni, non plus, de ne développer que de belles théories ou de présenter des réflexions personnelles et dépourvues de preuves expérimentales. La didactique des langues est appelée à utiliser les deux types de données, de les combiner dans des théories cohérentes et de mettre celles-ci à l'épreuve.

Qu'il soit permis, pour éclairer l'esprit dans lequel il faut comprendre la place assignée ici à la vérification expérimentale, de citer les deux enseignements que le Ny (1979 : 17) retient du développement historique de la psycholinguistique, dont le premier est : « une notion théorique doit toujours pouvoir, fût-ce à long terme, faire l'objet d'une validation expérimentale », et le second : « on ne peut se satisfaire de notions qui prétendent coller trop étroitement aux observations empiriques ». Et voici le commentaire qu'ajoute Le Ny : « Ainsi, bien que nous reconnaissions la méthode expérimentale comme la méthode d'élection pour l'accroissement de nos connaissances en psychologie, ne nous sentons-nous aucunement tenus de n'accepter que celles qui sont directement sorties du laboratoire. Procéder ainsi serait considérer l'expérimentation comme autre chose que ce qu'elle est, à savoir précisément une méthode qui est au service de l'analyse conceptuelle ».

Dans cet ouvrage, je me propose de présenter pour chaque sujet une description aussi précise que possible des notions en question et une analyse critique des recherches expérimentales. Là où cela semble être indiqué, j'essaierai de rattacher les notions retenues à des théories ou à des principes plus généraux. Pour le reste, la présentation peut varier d'une section à l'autre. Parfois il est possible de clarifier d'abord les notions en question et de présenter ensuite les résultats expérimentaux. Dans d'autres cas, il est plus pratique de décrire le développement historique ou de suivre une certaine évolution logique. Plutôt que d'imposer le même moule à tous les sujets abordés, j'ai pensé qu'une telle variation pourrait rendre plus agréable la lecture.

Les trois chapitres qui constituent le corps de mon ouvrage (chap.3, 4 et 5), auront un caractère nettement analytique. C'est dans le dernier chapitre (6 *Conclusion*) que je tenterai d'apporter des éléments pour une approche plus synthétique des questions abordées ici. J'y rendrai compte de quelques tentatives pour intégrer en un seul modèle le plus grand nombre possible de facteurs intervenant dans l'apprentissage des langues étrangères. Sans fournir, pour le moment, de solutions définitives, les efforts déployés dans ce domaine semblent justifier certains espoirs : c'est au moyen d'études intégrées basées sur une analyse détaillée des facteurs isolés qu'on peut espérer obtenir des résultats théoriquement satisfaisants et applicables dans la pratique.

2. L'apprentissage d'une langue étrangère

« Les gens de qualité savent tout sans avoir jamais rien appris ».
Voilà l'opinion de Mascarille dans *Les Précieuses Ridicules* de
Molière. Cependant, ce qui peut être vrai des gens de qualité, ne
vaut pas pour tout le monde. Le commun des mortels a bien des
choses à apprendre, et notamment une langue. Bien sûr, on a abandonné, et à juste titre, l'idée que l'enfant à sa naissance ne serait
qu'une table rase. L'enfant n'acquiert pas sa langue par simple imitation, mais grâce à sa faculté de langage, qui est innée. Cependant,
faculté de langage n'est pas langue, et entre les deux il y a nécessairement un processus d'apprentissage.

Comme je l'ai déjà dit, c'est l'apprenant qui, dans ce processus,
occupe la place centrale, celles de l'enseignant et de la situation étant
secondaires. Les autres éléments intervenant dans le processus
d'apprentissage sont la matière à apprendre, et le but de l'apprentissage. Dans la pratique moderne de l'enseignement des langues,
le but à atteindre se laisse définir facilement ; il est conçu en termes
de communication, ce qui revient à dire que l'on vise un savoir-
faire plutôt qu'un savoir (voir pour cette distinction 2.3). Mais que
faut-il faire au juste pour en arriver à ce savoir-faire ? Il n'est pas
aisé de répondre à cette question. Il convient en effet de déterminer
d'abord ce qu'on entend par apprendre.

Dans le processus d'apprentissage, la mémoire occupe une place
centrale. Apprendre, c'est stocker des informations dans la mémoire.
Il faudra donc s'intéresser à ce qui est connu en psychologie cognitive à propos du fonctionnement de la mémoire humaine. Qu'il suffise pour l'instant de situer l'apprentissage des langues étrangères
dans ce cadre cognitif. J'ajoute tout de suite, cependant, qu'on ne
peut décrire le déroulement concret d'un processus d'apprentissage
sans prendre en compte en même temps les aspects affectifs. S'il
s'agit d'expliquer pourquoi tel élément de la langue est stocké dans
la mémoire et tel autre non, il faudra tenir compte de l'intervention de facteurs affectifs tels que la personnalité et l'attitude.

Ainsi, je présenterai l'apprentissage des langues comme un processus comportant des aspects cognitifs et des aspects affectifs. Dans le présent chapitre, qui a pour but d'éclaircir un certain nombre de notions fondamentales, je traiterai d'abord le côté cognitif sous forme d'un bref aperçu de la recherche concernant le fonctionnement de la mémoire (2.1). En définissant ensuite des termes comme apprentissage et acquisition (2.2), savoir et savoir-faire (2.3), langue étrangère et langue seconde (2.4), je déblayerai le terrain pour attaquer dans les chapitres suivants le sujet proprement dit de ce livre : les différences individuelles dans l'apprentissage des langues à l'école.

2.1 Apprentissage et mémoire

Le behaviorisme a conçu l'homme comme un système uniquement capable de former des relations associatives entre des stimuli et des réponses. Selon les tenants de cette théorie, l'apprentissage se faisait sous l'effet de la présence simultanée et répétée d'éléments divers.

Depuis les années 60, on a une conception beaucoup plus active du rôle de l'apprenant. Celui-ci est considéré comme un système de traitement de l'information, comparable à l'ordinateur. Le nombre des modèles élaborés est pléthorique, mais il est possible de dégager ce qu'on a appelé un « modèle modal ». Ce modèle a servi jusque vers 1970 et a été remplacé ensuite par d'autres modèles plus aptes à expliquer un nombre croissant de résultats expérimentaux allant à l'encontre du « modèle modal ».

Bien qu'il s'agisse d'un modèle vieilli, je commencerai par décrire ce « modèle modal », et cela pour deux raisons. D'une part, ce modèle a l'avantage de présenter de façon claire et simple quelques caractéristiques fondamentales du fonctionnement de la mémoire. D'autre part, toutes les innovations récentes se sont articulées sur ce modèle ; il est indispensable de le connaître si on veut apprécier les critiques et les reformulations.

2.1.1 Le « modèle modal »

Le « modèle modal » se présente globalement comme suit (voir figure 2.1.1). L'information entre dans le système par les cinq sens, qu'on appelle ici des registres sensoriels (RS). La vue et l'ouïe ont été le mieux étudiées. On sait par exemple que les sons restent disponibles pendant 250 millisecondes. Pour les images, on connaît moins exactement le temps de rétention dans le registre sensoriel : les estimations vont de 130 millisecondes jusqu'à plusieurs secondes.

Pendant ce temps, l'information nécessaire à l'interprétation de l'input est récupérée dans la mémoire à long terme (MLT). Ensuite les parties de l'input qui sont reconnues comme pertinentes, sont traitées dans le dispositif de traitement ou processeur. La mémoire à court terme (MCT) joue ici un rôle important parce que c'est là que sont stockés provisoirement les éléments dont on n'a plus ou pas encore besoin. Ces éléments sont répétés dans une sorte de boucle qu'on peut se représenter comme une petite bande magnétique sans fin. Chaque fois, on peut enregistrer quelques éléments nouveaux, tout en effaçant une partie de la bande. La capacité de cette bande répétitive de la MCT est limitée à environ sept éléments. Ces éléments peuvent être des lettres, des phrases, des chiffres, des nombres, etc. (voir Miller 1974).

Figure 2.1.1 : Le « modèle modal » de la mémoire.

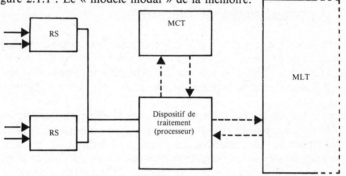

RS = registre sensoriel   MCT = mémoire à court terme   MLT = mémoire à long terme

Un exemple peut servir à éclaircir mon propos. Quelqu'un dit : *J'aimerais mieux que tu reviennes une autre fois pour finir ce travail, disons lundi matin à dix heures.* Les sons sont perçus par l'oreille et reconnus comme du langage. La MLT envoie au processeur les éléments et les programmes linguistiques nécessaires à l'interprétation de cette phrase. Puisque la phrase est trop longue pour être analysée d'un seul trait, certaines parties entrent dans la MCT pour y être récupérées en temps utile. Le tout est transformé en un code interprétable par la MLT et c'est là que l'information codée est emmagasinée.

Ce que je viens de dire présente les choses d'une façon nettement trop simple. Dans ce qui suit, j'entrerai un peu plus dans le détail de chacun des éléments du modèle, tout en signalant au passage les modifications les plus importantes qui y ont été apportées.

2.1.2 Les registres sensoriels

Les informations captées par les registres sensoriels se présentent toutes au dispositif de traitement, mais beaucoup d'entre elles ne sont pas traitées. Il y a constamment sélection. Où s'opère celle-ci ? Shiffrin (1975 : 199) est arrivé à la conclusion suivante : « l'attention sélective n'est pas opérante pendant le processus perceptif ; les informations entrées par tous les canaux sont déversées dans la MCT [en termes du « modèle modal » : dans le processeur]. Quand les informations sont entrées dans la MCT [*id.*], des mécanismes de sélection sont mis en œuvre ». L'individu doit donc faire un choix parmi les nombreuses informations qui se présentent. Ce choix ne se fait pas à l'entrée, mais est pris en charge par le phénomène de l'attention. Seules les informations affectées par l'attention sont traitées, encodées et stockées dans la MLT ; les autres tombent dans l'oubli. Je reviendrai plus loin sur les mécanismes présidant à l'intervention de l'attention (2.1.5).

2.1.3 La mémoire à long terme

La MLT est souvent comparée à une bibliothèque où les livres sont rangés d'une façon systématique. Les livres les plus généraux se trouveraient sur des rayons plus élevés que les ouvrages concernant des sujets plus spécifiques, selon une hiérarchie bien établie. Cette image, qui date déjà d'Aristote, a été remplacée récemment par celle de la carte perforée. Chaque carte contiendrait certaines informations concernant les livres de la bibliothèque, et au moyen de l'ordinateur, on pourrait tout de suite obtenir des informations d'un type donné.

Bien qu'utiles, ces images sont fondamentalement fausses pour plusieurs raisons.

• Tout d'abord, il n'est pas nécessaire de prospecter toute la MLT ou de descendre systématiquement dans la hiérarchie quand on recherche une information spécifique. Aucun rapport linéaire n'a été constaté entre le temps de recherche et le nombre d'éléments parmi lesquels il faut choisir. Un exemple : pour dire s'il a visité tel endroit, quelqu'un qui a beaucoup voyagé n'a pas nécessairement besoin de plus de temps qu'une personne ayant fait peu de voyages.

• Ensuite, les perforations dans les cartes de la MLT n'ont pas besoin d'être aussi strictement situées que dans le cas de cartes réelles. On peut aller à la recherche d'une information mal définie et il y a des cas où une information ressemblant à celle qu'on cherche se présente spontanément. La MLT ne connaît pas seulement des relations strictes, formelles, mais encore des relations associatives. Dans notre exemple : si on demande à une personne ayant visité Châteauneuf si elle connaît Neufchâteau, elle risque de répondre par l'affirmative à cause de la ressemblance entre les deux noms de ville. Une telle erreur est inexistante avec les ordinateurs.

• En troisième lieu, il est possible en MLT d'ajouter très rapidement des livres à la bibliothèque ou d'augmenter le nombre de perforations dans les cartes. L'item *mouton* ne comportera pas, en règle générale, d'indications sur le poids de cet animal. Pourtant, si on demande à quelqu'un s'il est capable de soulever un mouton, il fournira assez vite l'information désirée.

• Enfin, les perforations dans les cartes peuvent s'effacer. Les informations peu utilisées deviennent de moins en moins accessibles, sans pour autant se perdre vraiment, à ce qu'il paraît. Quand on a oublié quelque chose, c'est que l'information en question est difficilement retrouvable dans la bibliothèque, tout comme un livre mal rangé ; elle n'a pas vraiment disparu.

Que peut-on dire à propos des éléments contenus dans la MLT ? En général, on présente celle-ci comme un système de concepts. Les concepts sont des unités sémantiques contenant des informations élémentaires et entretenant des relations de types différents avec d'autres concepts. La MLT consiste en un réseau complexe où les concepts forment les nœuds. Dans un premier temps, on peut comparer la MLT à un dictionnaire unilingue où tous les mots sont définis au moyen d'autres mots et par les relations qu'ils entretiennent avec le reste du vocabulaire (cf. Le Ny 1979).

Ici encore, un exemple concret peut clarifier ce que je viens d'affirmer. A la question :

(1) *Est-ce qu'un tournesol est une plante ?,*

on trouvera une réponse affirmative grâce à l'existence d'une relation entre le mot *tournesol* et le mot *plante*. Une telle relation n'existant pas entre *tournesol* et *poisson*, la réponse sera, en ce cas, négative. Mais ce ne sont pas seulement la présence ou l'absence de relations qui entrent en jeu, la distance joue également un rôle important. Comparez les deux questions suivantes :

(2) *Est-ce qu'un tournesol a des graines ?*
(3) *Est-ce qu'une carotte a des graines ?*

Il est facile de répondre tout de suite à la question (2), puisque une des caractéristiques les plus frappantes du tournesol est justement d'avoir des graines. Pour la question (3), on hésitera peut-être avant de répondre : il est nécessaire, avant de pouvoir donner une réponse affirmative, de se rendre compte qu'une carotte est une plante et qu'elle doit donc avoir des graines. La notion de *tournesol* est liée plus directement à celle de *graines* que la notion de *carotte*, où la relation passe par la notion de *plante*. En d'autres termes, la distance plus ou moins importante entre deux concepts se manifeste par des temps de réaction plus ou moins longs.

A côté de cette conception, où la MLT est représentée comme un réseau de concepts, on a proposé un modèle dans lequel les éléments de base sont des ensembles de traits (*bundles of features*). Ici les différences dans les temps de réaction sont expliquées par le nombre plus ou moins grand d'attributs identiques caractérisant des concepts différents. Malgré certaines différences, on peut considérer ces deux conceptions comme isomorphes.

Il reste à souligner une chose importante, à savoir que les concepts ne sont pas des mots. Faute de mieux, on se sert de mots pour parler de concepts ; je me suis conformé à cet usage dans les exemples que je viens de citer. On peut définir les concepts comme des catégories sémantiques, tantôt globales, tantôt spécifiques, qui se sont mises en place au cours de l'expérience vécue. Un mot renvoie à des concepts tels que « animal », « gris », « lourd », « avec trompe », etc. L'ensemble de ces concepts constitue ce qu'on appelle la mémoire sémantique, qui contient la connaissance du monde.

Dans l'introduction à ce chapitre, j'ai dit qu'apprendre, c'est stocker des informations dans la mémoire. Maintenant il est possible de préciser un peu plus et de remplacer la première définition, très globale, de l'apprentissage par une deuxième, elle aussi provisoire : apprendre une langue étrangère, c'est stocker des informations dans la mémoire sémantique, et notamment établir des relations entre des concepts et des éléments de la langue à apprendre.

2.1.4 La mémoire à court terme

Pour se faire une meilleure idée du processus d'apprentissage, il faut revenir sur le statut du « processeur » et de la MCT. C'est surtout contre ces deux éléments que se sont tournées les critiques.

En 1972, Craik et Lockhart ont proposé leur modèle des niveaux de traitement (*levels of processing*). Dans ce modèle, la MCT est constituée à chaque fois par un certain nombre d'éléments de la MLT qui, sous l'effet de l'attention, sont temporairement dans un état d'activation. La MCT, définie de cette façon, fonctionne comme un dispositif de traitement pouvant opérer à différents niveaux et dans divers codes à la fois. Plus le niveau de traitement est profond, et plus fortes et plus durables seront les traces laissées dans la mémoire. Pour ce qui est de la profondeur, on considère par exemple le niveau sémantique comme plus profond que le niveau phonétique. Plus tard, on a établi que la seule notion de profondeur ne suffisait pas à expliquer tous les résultats expérimentaux ; c'est pourquoi on a fait intervenir d'autres notions, telles que l'élaboration ou le degré de différenciation de l'encodage. Malheureusement, il n'y a pour le moment pas de conclusions très précises à tirer de ces débats. Sans s'avancer trop, il est possible de soutenir cependant qu'un traitement significatif et élaboré d'éléments bien définis mène en général à des résultats satisfaisants. C'est qu'un tel traitement crée un nombre important d'indices (*cues*) dans le réseau sémantique, ce qui facilite le rappel des éléments ainsi traités dans d'autres circonstances.

2.1.5 Mémoire et différences individuelles

Les modèles décrits ici prétendent à une validité générale ; ils décrivent le fonctionnement de la mémoire tel qu'il se présente pour tout être humain. Ils n'expliquent donc pas, dans un premier temps, les différences qu'il y a entre les individus. Comme ce sont justement les différences entre les apprenants qui nous intéressent dans ce livre, il convient d'étudier comment on peut rattacher ces différences aux modèles généraux de la structure de la mémoire.

Tout d'abord, il est utile de revenir sur le fonctionnement de l'attention. Ne sont retenues pour être traitées que les informations sur lesquelles se porte l'attention. Qu'est-ce qui fait que l'attention se porte sur telle information plutôt que sur telle autre ? Un premier élément de réponse est fourni par le fait que la perception est fortement influencée par le contenu de la MLT. Les objets de la réalité environnante qui correspondent à des catégories ou à des schémas de la MLT, sont reconnus plus facilement que d'autres. Ce phénomène se manifeste d'une façon très claire dans le comportement d'un individu qui veut prononcer les phonèmes d'une langue inconnue ou étrangère. Surtout au début, les schémas de la prononciation en langue maternelle interfèrent avec les sons de la langue étrangère. Noizet (1980 : 23) parle dans ce cadre d'un *système de réponse* dont il affirme qu'il « est susceptible d'exercer un contrôle sur l'activité perceptive en imposant certaines particularités au recueil et au traitement de l'information ». Comme les systèmes de réponse ne sont pas forcément identiques d'un individu à l'autre, ceci peut expliquer en partie les différences individuelles dans les résultats d'un groupe d'apprenants.

Stevick (1976 : 38) rend compte d'une expérience où des sujets devaient apprendre des trigrammes (des groupes de trois lettres, vides de sens) appariés à des noms de personnages publics. Les trigrammes qui étaient retenus le mieux étaient ceux qui avaient été présentés avec des noms de personnalités appréciées ; ensuite ceux associés à des personnages peu aimés. Les trigrammes dont on se souvenait le moins bien étaient ceux qui appartenaient à des personnages neutres. Une autre expérience, rapportée par Reuchlin (1981 : 176), va dans le même sens. « On propose à deux groupes de sujets, l'un favorable et l'autre hostile à une certaine idéologie, deux textes à apprendre. L'un de ces deux textes est favorable et l'autre défavorable à cette idéologie. On constate que l'accord entre l'attitude du sujet et l'orientation du texte accélère l'apprentissage et améliore la rétention, et que le désaccord a des effets opposés ». Ce même auteur fait remarquer un peu plus loin (Reuchlin 1981 : 180) que la mémoire sémantique ne comporte pas seulement des informations objectives (des dénotations), mais encore des informations plus personnelles comme des attitudes favorables ou défavorables (des connotations). De ces données on peut tirer la conclusion que l'attention est influencée par des facteurs affectifs tels que l'attitude (voir aussi 3.3).

Plus haut, j'ai signalé que la capacité de la MCT était limitée à quelque sept éléments. Mais ce nombre est sujet à des variations individuelles. L'empan en MCT est nettement plus restreint chez les enfants, n'atteignant que 2 éléments à l'âge de trois ans et 5 éléments à l'âge de huit ans. Chez le débutant en langue étrangère, l'empan est également plus restreint (5.9 éléments, voir Cook 1977 : 7).

A la différence quantitative entre enfants et adultes s'ajoutent des différences qualitatives, relatives à la façon de catégoriser. Dans une expérience avec une technique d'association en choix fermé, Noizet (1980 : 71) a pu démontrer « une nette préférence paradigmatique chez les enfants et syntagmatique chez les adultes » (on trouve cependant des résultats contraires chez Cook 1977). D'un autre côté, Boekaerts (1977) a constaté que la catégorisation associative évolue chez les enfants entre l'âge de 6 et de 12 ans : d'abord ils préfèrent des catégories émotionnelles ou perceptives (« animaux dont j'ai peur » ; « petits animaux »), ensuite des catégories factuelles (« animaux tropicaux » ou « animaux qui mangent de l'herbe ») et enfin des catégories structurales (« mammifères »). L'âge joue donc (peut-être par le biais de la scolarisation ?) un rôle *et* dans le nombre d'éléments que peut contenir la MCT *et* dans la façon de catégoriser.

Il y a encore un autre élément qui doit entrer en ligne de compte et qui dépend, en partie, également de l'âge : je veux parler de l'expérience préalable. On a pu démontrer que les joueurs d'échecs expérimentés retiennent beaucoup mieux la situation sur un échiquier qu'ils n'ont vu que très brièvement que des joueurs moins expérimentés (du moins s'il s'agit de situations réelles). Grâce à leur expérience plus grande, les premiers captent beaucoup plus d'informations que les seconds. Dans le même ordre d'idées, Ehrlich a constaté que, dans une tâche où des sujets, enfants et adultes, doivent retenir des mots qu'ils peuvent catégoriser selon plusieurs critères, ce sont les adultes qui retiennent le plus de mots. Reuchlin (1981 : 180), qui rapporte cette expérience, donne le commentaire suivant :
« On peut supposer que la structuration, au cours d'une expérience de ce type, utilise des structures mentales acquises antérieurement de façon durable par les sujets, notamment au cours des activités verbales ; ces structures seraient beaucoup moins puissantes chez les enfants que chez les adultes ».
Ceci revient à dire que l'expérience qu'un individu a pu accumuler dans un certain type de tâches le rend plus apte à accomplir de nouvelles tâches du même genre et, de manière plus générale, que l'expérience préalable joue un rôle dans tout apprentissage. En fait, on retrouve ici ce qui a été dit au début de ce paragraphe à propos du fonctionnement de l'attention et des systèmes de réponse. L'expérience passée, emmagasinée dans la MLT, met en place une structure permettant de relever et de traiter certaines informations plutôt que d'autres et rendant les individus sensibles à des éléments très divers de la même réalité objective.

Dans ce bref aperçu des recherches sur la mémoire, je n'ai mentionné que les éléments qui me paraissent indispensables à une bonne compréhension de l'apprentissage en général et de l'apprentissage des langues étrangères en particulier. Comme on a pu le constater, l'état actuel des recherches dans ce domaine ne permet pas encore de tirer des conclusions bien pratiques, mais les résultats de la psychologie cognitive jettent une lumière nouvelle sur des questions que chercheurs et praticiens se sont posées depuis longtemps. Pour plus amples détails concernant le fonctionnement de la mémoire, on peut se reporter à Florès 1982, Baddeley 1976, Eysenck 1977 et Wolters 1983 ; pour ce qui est de la psychologie cognitive appliquée à l'apprentissage des langues, je renvoie à Gaonac'h 1987.

2.2 Apprentissage et acquisition

Jusqu'ici je n'ai pas fait de distinction entre apprentissage et acquisition. Pourtant il s'agit d'une distinction, et selon certains même d'une opposition, qu'on rencontre de plus en plus souvent dans les travaux sur le processus qui doit mener à la maîtrise d'une langue.

En regard d'acquisition, le terme apprentissage évoque plusieurs choses. D'abord, ce dernier terme fait penser à un cadre institutionnel : c'est à l'école qu'on apprend ; un apprenant présuppose normalement l'existence d'un enseignant. Ensuite, l'apprentissage suggère un processus explicite et conscient : c'est de façon explicite et consciente qu'on apprend les règles de la grammaire ou les éléments du vocabulaire. Enfin, la notion d'effort semble être impliquée dans le terme apprentissage. Par contre, le terme acquisition évoque plutôt l'idée d'un comportement inconscient ayant lieu dans un milieu naturel et ne demandant pas d'effort spécial. Dans la langue courante, on oppose ainsi **l'acquisition** de la langue maternelle à **l'apprentissage** d'une langue étrangère.

Qu'en est-il donc ? Est-ce qu'acquisition et apprentissage s'opposent vraiment ? Ou est-il permis d'y voir deux manifestations de processus fondamentalement identiques ?

2.2.1 La *Monitor Theory* de Karshen

Dans la *Monitor theory* de Krashen, les notions d'acquisition et d'apprentissage sont nettement opposées. Cette théorie utilise le terme acquisition pour renvoyer à « la manière de s'approprier » de façon naturelle « des aptitudes linguistiques » (Krashen 1077 : 152). Un tel comportement serait caractéristique d'enfants se familiarisant avec leur langue maternelle. Ces enfants disposeraient de stratégies universelles et développeraient leurs connaissances grâce à un processus de construction créative, ce qui se traduirait par des étapes successives de maîtrise communes à tous ceux qui acquièrent cette langue. L'acquisition serait un processus subconscient.

Par contre, dans le cadre de cette théorie, l'apprentissage est : « Un processus résultant soit d'une situation d'apprentissage formel de la langue, soit d'un programme d'apprentissage en autonomie. Les situations d'apprentissage formel sont caractérisées par la présence de feedback ou de correction d'erreurs, phénomènes qui manquent dans les situations d'acquisition, et par « l'isolement de règles », c'est-à-dire par la présentation de contextes linguistiques artificiels n'introduisant qu'un seul aspect grammatical à la fois » (Krashen 1977 :153). Les deux systèmes, l'acquis et l'appris, sont présentés comme totalement indépendants l'un de l'autre.

En se basant sur des recherches neurolinguistiques, Krashen situe le passage de l'acquisition à l'apprentissage à la puberté (voir 3.5.1). Il croit cependant que, malgré ce passage, les adultes peuvent, sous certaines conditions, acquérir des éléments linguistiques. L'auteur présente le « modèle » suivant (voir figure 2.2.1).

Figure 2.2.1 : Le modèle du *monitor* pour la performance en langue seconde chez des adultes, de Krashen (1977).

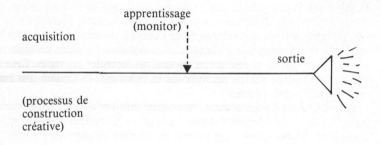

Quand un adulte veut s'exprimer oralement dans une langue étrangère, il se réfère tout d'abord à son système acquis. Si les conditions le permettent, il peut ensuite faire intervenir le système appris (le *monitor*) et ainsi changer la forme syntaxique de l'énoncé avant que celui-ci soit extériorisé (cf. Krashen 1977 : 154).

Le *monitor* est donc une instance de contrôle qui peut exercer une certaine influence sur ce qui provient du système acquis du locuteur. Le *monitor* peut intervenir sous deux conditions : quand le locuteur dispose d'assez de temps et quand son attention est portée sur la forme plutôt que sur le contenu de l'énoncé. Évidemment, pour pouvoir appliquer une règle, il faut que l'individu ait une représentation mentale correcte de cette règle.

La *Monitor theory* de Krashen a provoqué des critiques parfois assez véhémentes. La critique la plus fondamentale concerne le statut de la théorie en tant que telle. Une bonne théorie doit mener à des hypothèses vérifiables ou invalidables. Or, Krashen n'en a jamais formulé. Il s'est contenté, jusqu'ici, d'expliquer un grand nombre de faits dans le cadre de sa « théorie », mais il s'est abstenu de la mettre vraiment à l'épreuve dans des recherches expérimentales. C'est pourquoi on peut préférer mettre des guillemets quand on parle de la « *Monitor theory* ».

Une recherche vraiment expérimentale dans le contexte du *Monitor theory* a été menée par Hulstijn (1982). Cet auteur commence par replacer les idées de Krashen dans le cadre de la psychologie cognitive et notamment dans celui des théories concernant la production de phrases. Ensuite, il demande à trente-deux étrangers apprenant le néerlandais de reproduire une histoire présentée sur bande. Grâce à la variation de deux facteurs, temps et attention, il y a quatre conditions expérimentales : l'attention est fixée soit sur la forme (1) soit sur le contenu (2), avec (3) ou sans (4) limitation du temps disponible pour la reproduction. Les résultats montrent que le facteur attention a une influence restreinte mais significative sur la correction des énoncés, mais que le facteur temps n'entraîne pas de différences significatives. En outre, Hulstijn n'a pas pu constater de différences dans l'emploi du *monitor* entre les apprenants qui avaient une connaissance explicite des règles en question et ceux qui ne savaient pas formuler ces règles. Cette recherche montre clairement que les hypothèses de Krashen sont loin d'être confirmées.

Selon Krashen, l'opposition entre acquisition et apprentissage est basée sur le fait que le premier processus est subconscient et le second conscient. McLaughlin, qui donne un compte-rendu très critique de la *Monitor theory*, fait remarquer à juste titre que Krashen n'essaye pas de définir ce qu'il entend par (sub)conscient (McLaughlin 1978 : 317). Krashen se contente d'opérationnaliser cette notion en distinguant deux façons qu'ont les locuteurs de porter des jugements de grammaticalité : s'ils se basent sur leur intuition linguistique, c'est qu'ils partent de ce qu'ils ont acquis ; s'ils se réfèrent à une règle, ils se basent sur leur système appris. Selon McLaughlin, cette méthode ne peut jamais mener à des résultats fiables : dans beaucoup de cas, le locuteur ne sait pas avec certitude s'il se base sur une règle plutôt que sur son intuition.

Dans sa réponse à cette critique, Krashen (1979 : 152) convient de la difficulté signalée par McLaughlin, mais il ajoute que si, pour le moment, il est impossible de mesurer la différence entre acquisition et apprentissage, faute d'instrument physiologique adéquat, cela ne prouve en rien que l'opposition n'existe pas. Raisonnement qu'on ne peut qualifier que de faible.

Pour éviter les difficultés concernant la distinction entre le conscient et l'inconscient, McLaughlin (1978 : 318) propose de remplacer ces termes par ceux introduits par Shiffrin et Schneider : processus contrôlé *vs* processus automatisé. Dans le cadre de la distinction entre savoir et savoir-faire, je reviendrai sur cette opposition (voir 2.3.2). Qu'il suffise pour le moment d'annoncer que je me range volontiers du côté de McLaughlin, pour la bonne raison que, dans la distinction établie par Shiffrin et Schneider, il s'agit de termes bien définis et opérationnels.

En somme, il me semble que les travaux de Hulstijn et de McLaughlin ont suffisamment démontré que l'opposition acquisiton-apprentissage, telle qu'elle a été proposée par Krashen, n'est pas assez bien fondée et mène à des hypothèses qui résistent mal aux épreuves expérimentales (cf. aussi Bibeau 1983, Gregg 1984).

2.2.2 Le point de vue intégratif de Wode

Dans le troisième chapitre de son livre *Learning a second language* (Apprendre une langue seconde), H. Wode passe en revue les arguments les plus importants concernant l'hypothèse de l'identité et l'hypothèse de l'interférence. Selon la première hypothèse, l'acquisition de la langue maternelle et celle d'une langue seconde constituent des processus semblables. Les tenants de ce point de vue font valoir des ressemblances entre les énoncés incorrects chez des enfants apprenant leur langue maternelle et chez des sujets qui apprennent cette langue comme langue seconde ; en outre, ils mettent en lumière les stratégies utilisées de la même manière par l'un et l'autre groupe. Ceux qui soutiennent l'autre hypothèse mettent l'accent sur les fautes dues à l'interférence dans le cas des langues secondes. Wode (1981 : 51) conclut de ce débat que ni l'une ni l'autre des deux hypothèses ne peut être acceptée sans modification et qu'il vaut mieux essayer de développer une théorie permettant d'intégrer les arguments et les résultats expérimentaux des deux options.

Ensuite il rend compte d'un certain nombre de recherches qu'il a menées avec des enfants apprenant soit leur langue maternelle, soit une langue seconde en milieu non institutionnel, soit encore une langue étrangère à l'école. En étudiant la négation ainsi que certains phénomènes phonologiques et morphologiques, il en arrive à formuler quelques éléments d'une théorie intégrée de l'acquisition des langues. Il retient deux principes : celui de la **séquence développementale** et celui de la **décomposition**. Selon le premier principe, le développement linguistique est considéré comme une succession d'étapes ordonnées chronologiquement. Les apprenants peuvent passer plus ou moins vite d'une étape à l'autre, et ils sont dans une certaine mesure libres de choisir leur chemin pour atteindre l'étape suivante, mais l'ordre des étapes est fixe (Wode 1981 : 66). Le principe de la décomposition met en lumière le fait que les structures de la langue ne sont pas acquises d'un seul coup. L'apprenant décompose pour ainsi dire la structure à acquérir en éléments qu'il regroupe ensuite (Wode 1981 : 303).

Ces deux principes se retrouvent dans toutes les formes d'acquisition/apprentissage des langues étudiées par Wode, mais à des degrés divers et avec des variations individuelles. Ce qui importe dans le présent paragraphe, c'est de constater qu'il n'est question ni d'une opposition bien tranchée entre acquisition et apprentissage, ni d'une identité absolue. Certains traits sont communs aux deux processus, d'autres phénomènes ne se rencontrent que dans l'un des deux.

Dans ce livre, j'utiliserai les deux termes dans un sens non technique. Quand je me sers du terme acquisition, celui-ci renvoie plutôt « aux activités mentales mises en œuvre par un individu face aux matériaux linguistiques qui se présentent dans son environnement de manière plus ou moins naturelle », tandis que le terme apprentissage renvoie plutôt au « résultat d'activités plus ou moins formalisées et systématisées et s'exerçant le plus souvent en milieu institutionnalisé » (Gaonac'h 1982 : 2). Pour une discussion plus complète des arguments pour ou contre une opposition entre acquisition et apprentissage, je renvoie à Pica (1983 a et 1983 b).

2.3 Savoir et savoir-faire

Actuellement, les objectifs de la plupart des cours de langue se formulent plutôt en termes de *skills* qu'en termes de connaissances. Le but n'est plus un savoir, mais un savoir-faire. On ne demande plus aux élèves de formuler les règles de la grammaire ; ce qu'on leur demande désormais, c'est de s'exprimer et de comprendre, soit oralement soit par écrit. Il semble donc utile de considérer ce savoir-faire et ces aptitudes langagières dans le cadre d'une théorie générale des aptitudes ou *skills*. Celle de Levelt (1976) me paraît convenir le mieux à notre sujet, parce qu'elle est l'une des plus complètes et, en outre, appliquée aux aptitudes linguistiques.

2.3.1 La théorie des *skills* de Levelt

Dans la théorie des *skills* de Levelt 1976), la notion de tâche complexe, dont les activités linguistiques constituent un exemple de choix, occupe une place centrale. Une tâche est dite complexe quand elle exige l'exécution intégrée d'une variété d'opérations à plusieurs niveaux. L'exécution d'une telle tâche se caractérise par quatre phénomènes : la structure hiérarchique, l'automatisation, l'anticipation et le *feedback*. Commençons par regarder de plus près ces quatre phénomènes.

La notion de structure hiérarchique fait ressortir le fait qu'une tâche complexe comprend un certain nombre de « sous-tâches », qui, à leur tour, peuvent comprendre des « sous-sous-tâches », et ainsi de suite. L'exécution d'une tâche complexe exige dès lors l'exécution de plusieurs autres tâches qui lui sont subordonnées. Pour que l'exécution de la tâche soit effectuée avec aisance et rapidité — deux caractéristiques essentielles de ce qu'on appelle un *skill* — il faut que certaines « sous-tâches » soient automatisées. Si les « sous-tâches » sont insuffisamment automatisées, il sera nécessaire de prêter explicitement attention à leur exécution. Comme la capacité de l'attention est restreinte, l'exécution d'une tâche demandant explicitement l'intervention de l'attention doit attendre jusqu'à ce que les autres tâches soient exécutées. La notion d'automatisation renvoie justement au cas contraire, c'est-à-dire au cas où on accomplit une tâche sans y faire attention. Une tâche automatisée est une tâche exécutée selon des plans ou des programmes pré-établis (voir aussi 2.3.2). Une personne entraînée à un certain type de tâches est capable de prévoir les effets de ses activités, ou en d'autres termes, elle est à même d'anticiper sur ce qui va suivre et d'en tenir compte dans l'exécution de la tâche. Le *feedback*, enfin, est une instance de contrôle qui permet d'évaluer l'exécution même de la tâche et les réactions de l'environnement.

Les éléments caractéristiques d'une tâche complexe se laissent facilement décrire à l'aide d'un exemple concret, comme celui de la conduite d'une voiture. En conduisant, on doit exécuter parallèlement un certain nombre d'actions : tenir le volant, choisir sa direction, accélérer, freiner, débrayer, etc. Pour que ces actions mènent au but posé, il faut que certaines d'entre elles soient automatisées. Si on consacre beaucoup d'attention au maniement des vitesses, on risque fort d'entrer en collision. Un conducteur expérimenté anticipe sur ce qui peut arriver : il évalue la vitesse des autres voitures et il accélère ou ralentit à temps. Enfin, il contrôle ce qu'il fait en comparant la direction dans laquelle il roule à celle qu'il s'était proposée ; en plus, si besoin en est, les autres usagers de la route lui fournissent, par le biais de klaxons, le *feedback* nécessaire.

Ces mêmes caractéristiques se retrouvent dans l'exécution d'une tâche langagière, comme celle de parler. Quand on veut dire quelque chose, il faut d'abord déterminer l'idée qu'on veut exprimer et ensuite l'organiser en termes de topique et de commentaire (« qu'est-ce que je vais dire à propos de quoi ? »), chercher le vocabulaire désiré et les programmes syntaxiques appropriés, former les sons etc. Si, par exemple, la recherche d'un mot prend trop de temps, l'exécution de la tâche manquera de souplesse. Le locuteur doit aussi anticiper sur le reste de son énoncé afin de le mener à bonne fin. L'existence d'une telle anticipation se montre dans un certain type de lapsus où l'on prononce un son appartenant à un mot qui doit venir plus tard (penser aux contrepèteries involontaires). Enfin, le locuteur doit contrôler ce qu'il a déjà dit : ainsi il se reprend pour tourner sa phrase autrement ou pour corriger une erreur. Il peut se répéter ou dire la même chose avec d'autres mots quand il voit que son interlocuteur ne le comprend pas, ou s'arrêter quand celui-ci montre qu'il a déjà compris.

Que peut-on retirer de cette théorie des *skills* pour l'apprentissage des langues ? Avant de répondre à cette question, je me permets de donner une citation assez longue de Levelt (1976 : 57-58) : « L'acquisition d'un *skill* consiste essentiellement dans l'automatisation de plans ou d'unités d'activités de bas niveau. Au début, l'exécution d'une telle unité d'activité demande beaucoup d'effort mental, parce que cette unité doit encore être créée (comme dans le cas de la construction d'une phrase négative en français à partir de la connaissance des règles de la négation). L'exécution répétée de l'activité mène cependant à la disponibilité en MLT de plans finis, destinés à de telles activités. A ce moment-là, l'activité peut avoir lieu sans qu'on y consacre beaucoup d'attention. Il est à noter que l'automatisation-par-répétition n'implique pas que l'activité partielle qui en résulte soit rigide. Ce qui est disponible dans la mémoire, c'est le plan ou le programme et non pas le cliché de l'activité elle-même ». L'apprentissage d'une langue, vu comme un processus devant mener à l'exécution souple et rapide de tâches linguistiques précises, comporte donc l'entraînement et l'automatisation d'un certain nombre de plans et de programmes de bas niveau. Dans la section suivante, il sera question d'un ensemble de recherches concernant l'apprentissage d'automatismes.

2.3.2. Processus contrôlés et processus automatisés

Dans un long article en deux parties (Schneider & Shiffrin 1977 et Shiffrin & Schneider 1977), Shiffrin et Schneider présentent une théorie, étayée d'un grand nombre d'expériences, où ils distinguent processus contrôlés et processus automatisés. Pendant leurs expériences, les sujets devaient reconnaître des chiffres ou des lettres. Ces symboles se trouvaient placés soit parmi des symboles de même nature (chiffres-chiffres ou lettres-lettres), soit parmi des symboles d'un autre type (des chiffres présentés dans un ensemble de lettres ou l'inverse). Dans ce dernier cas, les résultats étaient d'un haut niveau, aussi bien pour la rapidité que pour la correction, et cela indépendamment du nombre de symboles à reconnaître. Les auteurs parlent ici de **détection automatique**. Dans le premier cas, par contre, quand il fallait reconnaître des chiffres ou des lettres parmi d'autres chiffres ou d'autres lettres, les sujets réagissaient beaucoup moins vite et d'une façon relativement inefficace. En outre, le nombre de symboles à reconnaître jouait ici un rôle important. A ce propos, les auteurs parlent de **recherche contrôlée**.

Shiffrin et Schneider interprètent ces résultats dans le cadre d'une théorie sur le fonctionnement de la mémoire. Ils définissent la MCT comme une partie de la MLT momentanément en activité (cf. 2.1.4). Un processus automatisé est présenté comme une séquence de nœuds s'activant en réponse à un stimulus d'un certain type. Cette activation se passe du contrôle ou de l'attention spéciale de l'individu. La séquence de nœuds en question est un ensemble d'éléments entretenant de façon permanente des relations associatives. La mise en place d'une telle séquence demande un temps d'entraînement considérable. Une fois appris, il est difficile de supprimer ou de changer un processus automatisé.

Un processus contrôlé emploie une séquence de nœuds active seulement sous le contrôle de l'individu. Les nœuds ne forment que temporairement une séquence et chaque nouvelle activation de cette séquence demande l'attention spéciale de l'individu. Celui-ci ne peut contrôler qu'une seule séquence à la fois et la limitation de la capacité en MCT se fait donc nettement sentir. Les processus contrôlés ont l'avantage d'être très souples ; ils s'adaptent facilement à des situations nouvelles.

Il est important de relever deux autres éléments de la théorie de Shiffrin et Schneider. Tout d'abord, les auteurs affirment que l'apprentissage n'a lieu que grâce à un processus contrôlé. Mais, ajoutent-ils, processus contrôlé n'implique pas obligatoirement processus conscient. Ils distinguent deux classes de processus contrôlés, l'un « accessible » (à la conscience) et l'autre « voilée ». Ensuite, ils font remarquer que ce qui, dans un premier temps, demande l'attention spéciale de l'individu, peut, par la suite, et grâce à l'entraînement, se modifier en processus automatisé. Ce dernier fait n'a pas été pris en compte par Krashen, malgré la critique et les suggestions de McLaughlin (1978 : 318-319 ; cf. 2.2).

Ce que je viens d'affirmer à propos des processus automatisés risque d'évoquer des souvenirs de pratiques audio-linguales ayant pour but d'inculquer des automatismes aux élèves. Pourtant, il ne s'agit pas de la même chose. Pour indiquer la différence, je passe volontiers la parole à Bouton (1979 : 114-115) : « On ne peut pas fonder l'acquisition d'une langue étrangère sur de simples processus de mimétisme et de répétition, si efficaces soient-ils. Une telle manière de faire méconnaît une des règles les plus constantes de tout apprentissage intéressant des « conduites » et non seulement des gestes isolés, et selon laquelle la nouvelle conduite doit être d'une manière ou d'une autre intellectuellement assimilée. L'intelligence humaine est structurante et tout sujet, pour organiser une activité nouvelle, doit tirer, par un acte de pure réflexion intellectuelle qu'il oublie ensuite, un schéma moteur qui restructure la totalité de son comportement en fonction de cette nouvelle acquisition. En ce qui concerne le type particulier d'apprentissage qui nous intéresse ici, à partir de modèles linguistiques qui sont fournis par l'enseignement à l'élève, celui-ci doit donc :
– comprendre d'abord les principes de leur fonctionnement ;
– déduire de ces modèles des « matrices » verbales ;
– apprendre ensuite à produire, à volonté, à partir de ces matrices des énoncés fort différents de ceux qui lui ont été donnés initialement ».

Cette incursion dans la théorie de l'automatisation et des *skills* a montré que la mémoire ne joue pas seulement un rôle primordial quand il s'agit des connaissances (du savoir), mais encore quand il s'agit des *skills* (du savoir-faire). Elle permet de donner une forme plus complète, et pour ma part définitive à la définition de l'apprentissage d'une langue étrangère : **apprendre une langue étrangère, c'est stocker des informations dans la mémoire sémantique ; dans ce stockage interviennent deux phénomènes : d'une part, la création de relations entre des concepts (déjà existants ou nouvellement créés) et des éléments de la langue à apprendre ; d'autre part, la mise en place de séquences de nœuds en vue de la création d'automatismes.**

2.4 Langue étrangère et langue seconde

La situation dans laquelle un individu apprend une autre langue n'est pas sans importance. Dans cette section, il sera question d'une distinction dans laquelle cette situation joue un rôle prépondérant, à savoir celle entre langue étrangère et langue seconde. **On parle de langue seconde quand l'apprentissage se fait au contact des locuteurs natifs de la langue à apprendre, et de langue étrangère quand ce genre de contact manque.** Précisons tout de suite que langue seconde n'est pas synonyme de deuxième langue. On peut apprendre une deuxième langue, ou ensuite une troisième, une quatrième etc., soit en situation de langue seconde, soit en situation de langue étrangère. Il s'agit donc d'une distinction faite à partir des conditions d'apprentissage et où le nombre de langues apprises n'intervient aucunement ; en principe, cette distinction ne dit rien non plus sur les caractéristiques des processus d'apprentissage. Par la suite j'utiliserai les sigles suivants : **Ls pour langue seconde** et **Lé pour langue étrangère.**

Ls et Lé ne forment pas une opposition bien tranchée. Il y a beaucoup de cas où on n'est pas tout à fait certain d'avoir affaire à Ls ou à Lé. En outre, les cas d'apprentissage d'une Ls ou d'une Lé peuvent présenter de grandes différences. Ls et Lé sont plutôt des points de référence sur un continuum. Essayons d'abord de bien définir ces points en décrivant des cas typiques.

En ce qui concerne l'apprentissage d'une Ls, il est illustré par le cas type suivant : Jean Dutronc, 7 ans, né en France, part en Angleterre avec ses parents français. Il fréquente une école anglaise et au bout de quelque temps il parle anglais avec son institutrice et avec ses camarades de classe, sans avoir suivi aucun enseignement spécial.

Le cas type de l'apprenant d'une Lé est fourni par l'exemple de Marie Dutac, 13 ans, née en France de parents français. Elle suit des cours d'allemand à l'école. N'ayant ni amis ni parents allemands et n'écoutant pas la radio allemande, elle n'a l'occasion d'apprendre cette langue que pendant les cours.

Il est très facile de s'imaginer des situations moins typiques, qui n'en sont pas pour autant moins normales ou moins fréquentes. Un Jean Dutronc qui, arrivé en Angleterre, ne fréquente pas une école anglaise mais française, où il suit des cours d'anglais, et une Marie Dutac correspondant avec un ami allemand et lisant des livres allemands constituent déjà des exemples. Le cas de Jef Devlaminck, francophone vivant à Bruxelles dans un milieu francophone, ayant des contacts suivis avec des néerlandophones et prenant des cours de néerlandais, en est un autre. On multiplierait aisément les exemples de cas moins extrêmes (cf. aussi 5.2).

Ce qui caractérise avant tout le cas typique de l'apprentissage d'une Ls, ce sont les contacts directs et authentiques avec les locuteurs de l'autre langue. C'est ce genre de contacts qui manque à l'apprentissage des Lé. Même si on peut disposer de plus en plus de médias (livres, télé, radio, vidéo etc.), il est pratiquement impossible d'atteindre le niveau d'interaction authentique caractéristique de la situation en Ls (cf. d'Anglejan 1978).

Une autre différence distinguant les deux cas typiques découle de la première. Puisque le cas typique de l'apprentissage d'une Lé comporte un cadre institutionnel, une variété normalisée de la langue est quasiment toujours imposée. C'est la langue telle qu'elle a été codifiée dans la grammaire, les dictionnaires et les manuels qui est présentée aux apprenants. En situation de Ls, par contre, les échantillons de langue sont le plus souvent beaucoup plus variés et peuvent parfois s'écarter considérablement de la norme officielle. Mais ici encore, ces différences de normes n'existent telles quelles que dans les cas que j'ai appelés typiques. Dans la pratique, les extrêmes se trouvent heureusement beaucoup plus près l'un de l'autre. Les apprenants en Lé peuvent de plus en plus disposer de documents authentiques et ceux qui apprennent une Ls sur le tas sont le plus souvent confrontés à la langue normalisée de la radio-télévision et des journaux.

Malgré tous ces cas d'apprentissage ne ressortissant ni entièrement de la catégorie Ls, ni totalement de la catégorie Lé, il est utile de distinguer, dans la mesure du possible, les deux situations. Sinon, on risque de préconiser pour l'enseignement des Lé des méthodes qui ont été élaborées et pratiquées dans l'enseignement des Ls. Puisque les besoins linguistiques immédiats des apprenants sont totalement différents dans les deux cas, chacune des deux situations demande nécessairement ses propres techniques et ses propres méthodologies. Il en est de même pour la recherche. Ici encore, il est important de toujours bien spécifier si les apprenants qu'on étudie se trouvent en situation de Ls ou de Lé, afin d'éviter des généralisations abusives ou des explications fortuites de cas non prévus par la théorie (pour un exemple concret, voir 3.3).

Dans le cadre de la distinction entre Ls et Lé, il est utile, ne serait-ce que pour bien définir les termes, de prêter quelque attention à deux cas assez particuliers, à savoir **l'immersion** et **la submersion**. Swain, qui a beaucoup étudié les programmes d'immersion au Canada définit comme suit ces deux types d'enseignement : « L'immersion renvoie à une situation dans laquelle des enfants provenant du même milieu linguistique et culturel et n'ayant pas encore eu de contacts avec la langue de l'école, sont groupés dans des classes où la langue seconde est utilisée comme langue d'instruction. (...) La submersion en langue seconde renvoie à la situation où certains enfants doivent changer de langue entre la maison et l'école, tandis que d'autres sont déjà capables de fonctionner dans la langue de l'école. Dans la même classe on trouve alors des enfants n'ayant aucune connaissance de la langue de l'école, des enfants se situant à des niveaux divers dans la langue de l'école en raison de leurs contacts avec des groupes plus nombreux de la communauté, et des locuteurs natifs de la langue de l'école » (Swain 1978 : 238-240).

Comme exemple de l'immersion elle donne les programmes établis à la demande de groupes de parents d'enfants canadiens anglophones et qui consistent à employer le français comme langue d'instruction. Dans ces programmes, les élèves ont le droit de se servir de leur langue maternelle. Ce n'est qu'à partir de la troisième année qu'on introduit des cours en langue maternelle. Le cas de la submersion est illustré par des enfants de travailleurs immigrés et par des enfants provenant des classes sociales inférieures ou parlant un dialecte. Aux États-Unis, on se sert indifféremment du terme immersion pour parler de ces deux cas. La submersion correspond, de façon plus ou moins exacte selon le cas, à ce qu'on appelle Ls. L'immersion, par contre, constitue un type d'apprentissage suffisamment particulier pour qu'il soit utile de le mentionner à part, à côté donc de Ls et de Lé.

Là où la distinction entre Ls et Lé ne semble pas être pertinente et là où les circonstances d'apprentissage ne sont pas connues, je me servirai du sigle L2 pour « langue non maternelle », qui couvre ainsi comme terme général Ls, Lé et immersion.

3. Caractéristiques de l'apprenant

Le présent chapitre sera consacré aux aspects les plus importants du personnage qui tient le rôle principal dans la pièce qui s'appelle « apprentissage des langues étrangères ». Je commencerai par traiter les facteurs qui se rangent traditionnellement du côté cognitif des conduites humaines, à savoir l'aptitude (3.1) et l'intelligence (3.2). Ensuite, je m'occuperai de quelques facteurs affectifs qu'on désigne par les termes attitude et motivation (3.3) et personnalité (3.4). Seront traitées en dernier lieu les variables individuelles qui ne rentrent pas dans l'une ou l'autre de ces catégories : l'âge (3.5), le sexe (3.6), le milieu (3.7) et les stratégies (3.8).

3.1 Aptitude

Est-ce qu'il faut être doué pour l'apprentissage des langues ? Doit-on disposer d'aptitudes spéciales, de dons spéciaux ? Et si oui, quelle est la nature de ces dons ou de ces aptitudes ? Comment peut-on les mesurer ? Voilà le genre de questions que je me propose de traiter dans cette section.

Pour bien exposer les problèmes dont il s'agit ici, il me semble utile de suivre l'ordre chronologique du développement des tests d'aptitude et de distinguer trois périodes : 1920-1930, 1945-1965 et 1970 à maintenant. Pendant chacune de ces périodes, la réflexion concernant l'aptitude à l'apprentissage des L2 présente des particularités que j'essaierai de mettre en lumière.

3.1.1 Première étape :
les tests pronostiques des années 20

L'histoire des tests d'aptitude en L2 semble commencer peu après le début du XXe siècle, les premiers tests publiés datant des années 20. Ceux-ci sont destinés à prédire les résultats scolaires en latin et portent surtout sur des analogies linguistiques et sur la connaissance de mots en langue maternelle (Lm) ; ils comportent souvent des leçons élémentaires de latin.

Les données concernant ces tests traduisent une conception traditionnelle de l'enseignement du latin, celle où la grammaire explicite et la traduction occupent une place prépondérante. Pour prévoir le succès qu'auront les élèves dans l'apprentissage du latin, on évalue leurs connaissances lexicales et grammaticales en Lm.

A côté de ces tests sur le latin, on voit surgir presque en même temps des tests portant sur les langues modernes. Henmon (1929 : 24-28) cite plusieurs tests parmi lesquels ce sont les examens de l'université d'Iowa qui ont connu l'application la plus large. Il est à noter que ces tests (Stoddard 1925 : 27) ne constituent qu'une partie d'un ensemble plus grand où des tests évaluant l'acquis scolaire de l'étudiant et des tests d'un caractère plus affectif ont également leur place. La partie destinée à mesurer l'aptitude aux L2 comporte les sous-tests suivants :
1. test de grammaire anglaise (Lm) : parties du discours et flexion ;
2. test de déduction du sens en espéranto ;
3. test d'application de trois règles grammaticales de l'espéranto ;
4. test de traduction et d'analyse grammaticale.

Dans un autre test bien connu, celui de Luria & Orleans (1928), on trouve également des parties concernant les connaissances grammaticales et lexicales en Lm, de petites leçons en L2 (ici des leçons de français ou d'espagnol) et des tests de traduction, mais, contrairement au test de Stoddard, l'élève n'a pas besoin de maîtriser la terminologie grammaticale, sauf pour des termes simples comme pluriel ou masculin. Luria & Orleans (1928 : 1) soulignent, eux aussi, que, pour prédire le succès des élèves en L2 il ne suffit pas de mesurer une aptitude spécifique mais qu'il faut prendre en compte beaucoup d'autres facteurs.

On voit donc que les tests prévus pour le latin et ceux destinés à prédire le succès en langues modernes ne présentent pas beaucoup de différences. Comme pour le latin, les tests d'aptitude en langues modernes révèlent une conception traditionnelle de l'enseignement : une approche analytique avec traduction et grammaire explicite. Luria & Orleans (1982 : 2) stipulent explicitement que la grammaire de l'anglais est « un instrument essentiel pour le succès en langues modernes ». Les corrélations [1] entre ces tests et des tests d'intelligence sont assez élevées, ce qui n'a rien d'étonnant. Kaulfers note même que les tests de ce genre ne sont que « des tests d'intelligence à dominante linguistique » (Kaulfers 1941, cité par Carroll 1979b : 87).

Le but des tests de la première génération s'inscrit nettement dans le cadre scolaire : il s'agit de prédire les réussites et les échecs des élèves qui seront confrontés à une méthodologie fixe et bien déterminée. Ce but limité de prédiction se traduit aussi dans les titres de la plupart des tests. Le terme *prognosis* y revient presque tou-

---

(1) Pour une explication des termes statistiques utilisés, voir la *Notice sur la statistique* en fin de volume.

jours, tandis que le mot *aptitude* n'y figure jamais. Il est donc juste de qualifier les tests de la première génération de **tests pronostiques**. Ce n'est que pendant la deuxième période qu'on parlera généralement de tests d'aptitude.

Dans un recueil d'articles consacrés aux problèmes des tests pronostiques, Henmon (1929) fait le point des recherches menées jusque-là ; il en conclut que « dans la phase actuelle de développement, les tests d'aptitudes spéciales ou d'autres groupes de tests ont au mieux une valeur prédictive représentée par un coefficient de corrélation de .60 à .65. Cela est certes prometteur, mais la prédiction est ainsi soumise à des limitations importantes. C'est pourquoi la recherche d'autres facteurs ou d'autres bases en matière de pronostic continuera » (Henmon 1929 : 29).

Tout pronostiqueur qu'il fût, Henmon se trompa dans ses prévisions. Il a fallu attendre jusque vers 1950 pour trouver de nouveaux développements dans le domaine des tests d'aptitude.

3.1.2. Deuxième étape :
les tests d'aptitude des années 50 et 60

Dans une publication assez récente de Carroll (1979b), on peut suivre de près le développement de la deuxième génération des tests d'aptitude. C'est à cause de l'insuffisance des tests disponibles, mais plus encore en raison des changements dans l'orientation des objectifs de l'enseignement des langues, que de nouveaux tests d'aptitude étaient devenus nécessaires. On voit donc paraître plusieurs tests parmi lesquels il faut surtout citer le *Modern Language Aptitude Test* (MLAT ; Carroll & Sapon 1959) et le *Pimsleur Language Aptitude Battery* (PLAB ; Pimsleur 1964). Le premier test est censé mesurer :

a. l'aptitude à l'encodage phonétique
b. la sensibilité grammaticale
c. la mémoire mécanique
d. l'apprentissage inductif

Le second prend en ligne de compte les éléments suivants :

a. la discrimination auditive
b. l'intelligence verbale
c. des connaissances lexicales en Lm
d. la moyenne des notes scolaires
e. la motivation

(Pour une description du contenu des sous-tests proposés, voir Bogaards 1980).

• **La notion d'aptitude**

Etant donné que le mot **aptitude** revient dans les titres des deux tests cités, on est en droit d'interroger les auteurs sur la définition de ce terme. On cherche cependant en vain des réponses bien précises à cette question. Tout ce qu'on trouve, c'est l'affirmation de Carroll (1962 : 122) selon laquelle il s'agit d'une « caractéristique relativement stable de l'individu, non sujette à des modifications faciles sous l'influence d'un apprentissage ». Ce n'est pas un simple « comportement d'entrée », c'est-à-dire un acquis nécessaire à l'accomplissement d'une tâche spécifique, parce que, dans ce cas, il devrait être possible d'améliorer l'efficacité d'un apprenant, ce qui, encore selon Carroll (1973 : 8-9), n'est pas le cas. Pour ce qui est de la stabilité à travers les années, Carroll & Sapon (1959 : 23) croient qu'il n'y a pas de changements dus à l'âge. Vingt ans plus tard, pourtant, Carroll (1979b : 113) présente comme un fait généralement accepté et contraire aux croyances populaires l'idée que, de l'enfance à l'adolescence, « l'aptitude à l'apprentissage des L2 augmente plutôt qu'elle ne baisse » (voir aussi 3.5).

En l'absence d'une définition explicite, considérons de plus près le contenu des deux tests. Parmi les éléments mesurés, on n'en trouve que deux qui reviennent dans les deux tests : un facteur acoustique et un autre lié à l'intelligence ou à la capacité de traiter des données logico-grammaticales. Quant au facteur auditif, l'on ne s'étonnera pas de sa présence dans un enseignement des L2 où l'oral joue un rôle assez important. Mais qu'en est-il de la relation entre l'intelligence et l'aptitude ?

Carroll & Sapon (1959 : 22-23) affirment que les deux notions sont liées, sans préciser si l'intelligence fait partie du concept d'aptitude ou si l'aptitude à l'apprentissage des L2 est plutôt une manifestation spécifique de l'intelligence générale. Ils indiquent seulement que les tests d'intelligence mesurent toutes sortes de phénomènes peu pertinents pour l'apprentissage des L2 et qu'ils sont donc trop globaux. La spécificité du test d'aptitude se révèle surtout dans la valeur prédictive plus grande du MLAT par rapport aux tests d'intelligence ($\pm.63$ contre $\pm.43$).

Les corrélations entre les tests d'aptitude et les tests d'intelligence sont en général assez élevées (.40 à .60), ce qui veut dire que les deux types de tests mesurent en partie la même chose. Carroll (1973 : 8) suggère que les corrélations trouvées s'expliquent par le facteur « apprentissage inductif » du MLAT, qu'on peut assimiler au facteur « raisonnement inductif » faisant partie des tests d'intelligence. Récemment, Wesche & al. (1982) ont proposé une autre explication de la relation entre intelligence et aptitude. Ces auteurs trouvent une corrélation de .67 entre le MLAT et un test d'intelligence. Une analyse factorielle donne tout d'abord un facteur interprétable comme « intelligence générale », et ensuite trois facteurs du second ordre dont le troisième, interprété comme « mémoire », comprend quatre sous-tests du MLAT. Ces données suggèrent donc qu'il n'est pas question d'un simple recoupement entre certains sous-tests, mais que la totalité du MLAT mesure tout d'abord l'intelligence et que ce qu'il y a de spécifique dans ce test, c'est un facteur mesurant la mémoire (mécanique). Des données comparables concernant le PLAB manquent malheureusement. Tout compte fait, on doit constater qu'**il y a un lien entre l'intelligence et l'aptitude**, mais qu'il **est difficile de situer ces deux notions avec exactitude l'une par rapport à l'autre.**

• **Spécificité des tests d'aptitude**
En principe, les tests d'aptitude ne devraient pas être spécifiques à l'égard des langues de types différents. En effet, le MLAT ne semble pas l'être. Carroll & Sapon (1959 : 3) prétendent, du moins, que leur test « peut servir aussi bien dans le cas des langues parlées « modernes » que dans le cas des langues anciennes telles que le latin et le grec ». Pimsleur (1963 : 356) trouve, par contre, des corrélations assez différentes entre une version expérimentale du PLAB et des résultats en espagnol d'une part et en français d'autre part. Ce qui est surprenant, c'est qu'il ne s'étonne pas devant de tels résultats ; il se contente de la remarque suivante : « Cette différence n'était pas inattendue, étant donné qu'à l'origine les tests prédictifs avaient été développés sur des groupes d'apprenants de français ». Rien ne permet de savoir si cette spécificité subsiste dans le PLAB.

Les tests d'aptitude sont-ils sensibles aux différences qu'il peut y avoir dans les méthodes et les objectifs de l'enseignement ? Carroll & Sapon (1959 : 3) en disent ceci : « Il (= le MLAT) est particulièrement utile à prédire le succès de celui qui apprend à parler et à comprendre une Lé, mais il est utile aussi dans la prédiction du succès de celui qui apprend à lire, à écrire et à traduire une Lé ». Et cela s'explique bien, car, stipulent les auteurs (id: 22), « qu'on parle, écoute, lise ou écrive la langue, il est fait appel aux habitudes linguistiques fondamentales de façon sensiblement pareille ». Pimsleur, qui a étudié cette question (voir Pimsleur & al. 1962a), trouve, outre deux facteurs importants pour toutes les formes de l'apprentissage des langues (l'intelligence verbale et la motivation), quelques autres facteurs moins importants mais plus spécifiques soit pour des objectifs plus traditionnels (grammaire, compréhension et expression écrites) soit pour des objectifs plus « modernes » (compréhension et expression orales). Aussi, dans le livret d'accompagnement du PLAB, conseille-t-il de faire surtout attention aux résultats des sous-tests mesurant la discrimination des sons si on veut identifier les sujets ayant des difficultés dans la compréhension et l'expression orales (Pimsleur 1964 : 10).

• **Tests pronostiques et tests diagnostiques**
Ceci nous amène à nous demander dans quelle mesure les tests d'aptitude permettent en effet de prévoir certaines difficultés dans l'apprentissage des L2. En d'autres termes : est-ce que ces tests ont seulement un caractère pronostique ou peut-on les utiliser également dans un but diagnostique ? Chez Pimsleur, on trouve une réponse nettement affirmative à la dernière partie de la question. Dès le frontispice du PLAB, l'auteur annonce que « (le test) est conçu *premièrement* pour prédire le succès des élèves dans l'apprentissage des

Lé et *deuxièmement* pour diagnostiquer les difficultés dans cet apprentissage ». Et un peu plus tard, Pimsleur (1966 : 183-184), discute quatre cas concrets de ce genre de difficultés, d'ailleurs sans proposer de solutions.

Chez Carroll, la chose se présente d'une façon moins nette. Carroll & Sapon (1959 : 20) prétendent que le MLAT peut servir à faire le diagnostic, et on trouve la même idée dans Carroll (1979a : 24). Dans un premier temps, Carroll ne s'était pourtant intéressé qu'à la valeur prédictive de ses tests et jusque dans ses publications les plus récentes, il est à la recherche de la signification exacte de leur contenu. Or, si l'on ne sait pas ce qu'on mesure, il est nécessaire d'être très prudent dans le diagnostic et encore davantage dans la prescription de remèdes. Valette (1968 : 65-66) a tout à fait raison de prévenir que « (ces tests) ne doivent jamais être utilisés afin d'empêcher des élèves d'apprendre une Lé, car nous n'avons pas été capables de définir, et encore bien moins de mesurer, l'aptitude linguistique de façon complètement fiable » (cf. aussi Cloos 1971 : 412).

• Les résultats des tests d'aptitude

Qu'en est-il des résultats obtenus avec ces deux tests d'aptitude ? Sont-ils supérieurs à ceux obtenus avec les tests pronostiques de la première génération ? Et sont-ils différents pour l'un et l'autre test ? En examinant les résultats de bon nombre de recherches, on se rend compte que ceux-ci ne sont pas toujours comparables en raison de la diversité des critères utilisés, des nombres très variés de sujets et des situations tout à fait différentes dans lesquelles les expériences ont eu lieu (cf. Von Wittich 1962 : 208). On peut toutefois être d'accord avec Carroll (1979b : 96) quand il affirme que les coefficients de corrélation entre les tests d'aptitude et les critères sont généralement de l'ordre de .40 à .60. Force est de constater que ces résultats sont nettement inférieurs à ceux des tests de la première génération où l'on a noté des corrélations entre .60 et .65.

Etant donné que le PLAB comprend, outre les sous-tests spécifiquement linguistiques, des questions concernant le niveau scolaire et la motivation, on pourrait s'attendre à une valeur prédictive nettement supérieure de ce test par rapport au MLAT. Il n'en est rien. Dans la seule comparaison des deux tests que je connaisse (Cloos 1971), les corrélations du PLAB sont même inférieures à celles du MLAT.

Notons quelques autres points à propos des résultats des tests d'aptitude de la seconde génération. Dans la plupart des recherches où l'on s'est servi des tests d'aptitude, on a mesuré les résultats des élèves peu de temps après le commencement de l'expérience. Très souvent on a essayé de prédire les résultats que devaient obtenir les élèves au bout d'une année ; parfois il s'agit même d'un cours de quelques semaines seulement. Comme je viens de le signaler, la force prédictive des tests d'aptitude n'est pas particulièrement grande dans ces situations. Mais comment les choses se présentent-elles si on veut prédire les résultats à plus long terme ? Selon Cloos (1971 : 414), qui a fait une étude longitudinale sur quatre ans, ce genre de tests ne prédit pas le résultat final de l'apprentissage, mais plutôt le rythme d'apprentissage initial potentiel. Ce résultat est confirmé par l'étude, également longitudinale, de Schütt (1974 : 76-77). Dans les deux cas, les corrélations baissent assez rapidement lorsque le temps entre la prédiction et les résultats obtenus par les élèves s'allonge.

Il y a parfois des résultats assez bizarres. Ainsi Chastain (1969 : 37) note avec étonnement qu'un test d'aptitude en mathématiques avait une corrélation plus élevée avec certains *skills* linguistiques qu'un test d'aptitude verbale. Et on trouve à peu près la même remarque chez Payne & Vaughn (1967 : 5). Von Wittich (1962 : 211), trouve des corrélations de .73 entre la moyenne des notes scolaires et les résultats en différentes langues, ce qui est bien plus élevé que ce que l'on trouve normalement avec les tests d'aptitude. Enfin, Schütt (1974 : 76-77) constate que, au bout de deux ans, le FAT (un test d'intelligence) a la même valeur prédictive que le FTU (adaptation allemande du MLAT) et que ce FTU prédit aussi bien (ou aussi mal) les résultats en L2 que ceux en Lm.

Jusqu'ici je me suis appliqué à rester dans le cadre tracé par les auteurs des tests d'aptitude, en reprenant les questions que, de façon plus ou moins explicite, ils se sont posées et en faisant miens les points de départ qu'ils ont choisis. Il est temps de sortir de ce cadre et d'aborder la critique qui a été exercée, toujours plus depuis environ 1970, au sujet des tests d'aptitude.

3.1.3 Les tests d'aptitude devant la critique

A partir des années 70, les chercheurs s'intéressant à l'aptitude en L2, formulent des critiques parfois assez virulentes. Si Hancock (1972) est encore assez optimiste, croyant que pendant les années suivantes « la fonction diagnostique des tests d'aptitude en langues remplacera la fonction pronostique », d'autres sont là qui font entendre un son de cloche bien différent. Ainsi Green (1975 : 206) se moque des tests d'aptitude en les comparant au PMU, retenant comme seule différence que dans le cas des courses de chevaux tout le monde sait au moins quel cheval a gagné, tandis que dans le cas d'élèves apprenant des L2, le doute et l'imprécision règnent même à ce niveau-là.

Beaucoup de critiques se concentrent sur des questions ayant trait à la *validité* des tests d'aptitude. Jusqu'ici, il n'a guère été question que de la validité prédictive. Comme on le sait, un instrument prédictif est valide dans la mesure où il prédit le critère. Peu importe le contenu d'un tel instrument. S'il y a une corrélation élevée entre la taille des élèves et leurs résultats, la taille constitue un bon instrument prédictif. Il est clair qu'un tel instrument n'a, en principe, aucune valeur explicative et qu'il ne permet pas de diagnostiquer les difficultés que rencontrent les élèves. Si, en effet, on cherche à fournir des explications de ces difficultés, il faudra réfléchir sur la définition exacte du concept qui est à l'étude. Plus haut, j'ai déjà noté qu'on cherche en vain des définitions de la notion d'aptitude dans les écrits de Carroll, de Pimsleur et de leurs collaborateurs. Cherchons donc ailleurs.

C'est surtout en Allemagne que l'on peut trouver une réflexion systématique à propos de la notion d'aptitude. Mierke (1969) distingue dispositions générales ou types d'intelligence d'une part et dons spéciaux d'autre part. Quant à ces dons spéciaux, il parle de dons pour la langue et pour les mathématiques, de dons techniques et pratiques et de talents poétiques et musicaux. Il faut bien noter que, quand Mierke parle de dons linguistiques, il ne pense qu'au cas de la langue maternelle. Schütt (1974 : 18-19) souligne qu'il est très difficile d'isoler chacun des dons spéciaux, qu'on ne peut en parler que sous forme de modèles de pensée et avec beaucoup de réserves, et qu'il faut donc se demander comment, dans cet état de choses, on peut définir une aptitude à l'apprentissage des langues.

Roth (1969 : 65) met l'accent sur le caractère dynamique de l'aptitude. Selon lui, il ne s'agit pas d'une entité isolée et statique, mais d'une variable dynamique se situant dans un réseau d'entités relationnelles. A cause de l'interaction d'un grand nombre de facteurs, il est théoriquement impossible de se prononcer sur un facteur pris isolément. C'est l'ensemble de ces facteurs qui décide du succès de l'individu, et il serait trop commode d'assimiler les résultats scolaires décevants à un manque d'aptitude (cf. Mühle 1969 : 69 ; Weiss 1969 : 306).

Mühle (1969 : 74-75), enfin, donne quelques caractéristiques de personnes douées. Selon lui, celles-ci ne se contentent pas facilement de leurs succès, mais ont l'esprit critique par rapport aux résultats dans leur domaine de prédilection. En outre, l'occupation constitue un but en soi : on aime s'occuper de l'activité en question. Comme exemple, Mühle cite des personnes ayant des dons musicaux : « L'individu musicien éprouve quelque chose qui reste inconnue à un individu peu doué dans ce domaine. Il a accès au domaine de la musique, il a avec la musique des rapports tout particuliers, difficiles à déterminer ; la musique signifie quelque chose dans sa vie ». Cet auteur voit dans l'aptitude surtout une disposition à la performance (*Leistungsbereitschaft*).

A côté de cette dernière conception de l'aptitude, qui va nettement dans un sens affectif, il y en a d'autres qui permettent des interprétations plus cognitives. Ainsi Cronbach & Snow (1977 : 107) assurent que « d'un point de vue psychologique, l'aptitude est tout ce qui rend un individu prêt à apprendre rapidement dans une situation particulière (ou, de façon plus générale, à se servir efficacement d'un milieu particulier) ».

Toutes ces remarques ne montrent qu'une seule chose : **la notion**

d'aptitude est vague et scientifiquement inutilisable (cf. Schütt 1974 : 15-18).

Est-ce à dire que l'aptitude à l'apprentissage des langues n'existe pas ? Ce n'est pas nécessairement impliqué par ce que je viens de dire : ce qui n'a pas été défini de façon scientifique peut bel et bien exister. Ma conclusion est plutôt qu'il faut être très prudent en ce qui concerne la notion d'aptitude et que c'est par manque de prudence que Carroll et Pimsleur se sont servis du terme.

De plus, en étudiant l'histoire des tests d'aptitude, l'on se rend compte que ceux-ci n'ont jamais été utilisés hors du cadre scolaire. Ce n'est que depuis peu de temps que Carroll (1979b : 84) semble être convaincu que « nous savons très peu du rôle de l'aptitude à l'apprentissage des langues dans des situations où l'individu acquiert une langue dans un milieu où l'on parle cette langue, sans apprentissage formel ».

Très peu, il fallait dire : rien ! En tout cas, je ne connais pas d'études sur l'aptitude en situation de Ls, et Carroll n'en cite pas non plus. Sous certaines réserves, on peut être d'accord avec Wesche & al. (1982 : 129) quand ils affirment que « l'aptitude à l'apprentissage des langues est une notion opérationnelle, développée empiriquement, qui prédit dans quelle mesure et à quel rythme un individu apprend une langue dans un cadre scolaire, en comparaison avec d'autres individus ».

En fin de compte, il n'est pas impossible que les tests d'aptitude ne mesurent qu'une faculté d'adaptation au système scolaire et qu'ils ne puissent répondre qu'à la question « *Est-ce que tel individu est capable de suivre tel enseignement ?* » De toute façon, ils ne répondent pas à la question beaucoup plus fondamentale : « *Quelle méthode est la meilleure pour quel type d'étudiant ?* » (voir Politzer 1970 : 334).

3.2 Intelligence

L'intelligence : tout le monde sait ce que c'est et personne ne parvient à lui trouver une définition tout à fait satisfaisante. Il semble être plus facile de mesurer cette notion que de la comprendre. Certains se contentent même de constater avec une certaine résignation, que l'intelligence, c'est tout simplement ce que mesurent les tests d'intelligence. L'intelligence serait-elle ce que l'électricité est pour la plupart des non-techniciens : un phénomène que l'on ne comprend pas mais dont on connaît l'utilité et que l'on sait mettre à son service quand on en a besoin ?

Puisqu'il est impossible d'approfondir, dans le cadre de ce livre, les questions concernant la notion d'intelligence, je me bornerai à relever quelques distinctions utiles dans ce domaine (3.2.1). Ensuite, je présenterai les résultats des recherches concernant les rapports entre l'intelligence et l'apprentissage des L2 (3.2.2).

3.2.1 La notion d'intelligence

Afin de faciliter la discussion sur la notion d'intelligence, il est utile de distinguer, à la suite de Hebb et de Vernon (voir Pidgeon 1970 : 20-25), trois niveaux auxquels on peut en parler :
- *intelligence A* : l'intelligence qu'un individu *possède*, l'intelligence intrinsèque ; en biologie on parle de génotype :
- *intelligence B* : l'intelligence qu'un individu *montre* dans son comportement ; cette intelligence correspond au phénotype des biologistes ;
- *intelligence C* : l'intelligence telle qu'elle est *mesurée* au moyen d'un test d'intelligence.

Le type d'intelligence le plus intéressant, c'est évidemment l'intelligence A. C'est à propos de cette intelligence que se posent les questions les plus pertinentes et que s'instaurent les débats les plus vifs. Est-ce que cette intelligence est déterminée génétiquement, c'est-à-dire donnée par la nature et donnée une fois pour toutes ? Ou est-ce qu'elle se forme surtout sous l'influence du milieu familial ? Est-ce qu'elle forme une unité indivisible ou se compose-t-elle d'un nombre plus ou moins grand d'aptitudes mentales ? Et, dans ce dernier cas, ces aptitudes sont-elles organisées en une structure hiérarchique ? Est-ce que l'intelligence impose une limite aux performances concrètes ou est-ce qu'elle détermine plutôt le niveau ultime de développement possible ? Comment l'intelligence se développe-t-elle chez l'homme ? Et qu'en est-il de la spécificité de l'intelligence humaine par rapport à celle qui existe chez les animaux ?

Voilà des questions qu'il faut se contenter de signaler ici : même une discussion succincte des problèmes évoqués nous mènerait trop loin. Ce qui doit être souligné cependant, c'est qu'on ne peut connaître l'intelligence A que par le biais de l'intelligence B, l'intelligence telle qu'elle se manifeste dans des situations concrètes. Pour intéressantes que soient les questions formulées plus haut, elles relèvent toutes de théories jusqu'ici plus ou moins spéculatives. Puisque, en didactique des langues, on ne peut espérer trancher les questions soulevées, il vaut mieux s'en tenir ici au niveau plus concret de l'intelligence B.

Selon la situation et le genre de problèmes auquel on est confronté, ce sont des types différents de l'intelligence qui permettent de trouver les solutions les plus appropriées. On distingue, entre autres, les types suivants : l'intelligence théorique ou pratique, l'intelligence abstraite ou concrète, l'intelligence verbale ou non verbale. Les domaines dans lesquels un comportement intelligent est à même de se manifester sont également très nombreux. Tel individu montre son intelligence dans des recherches scientifiques, tel autre dans les affaires ou dans la politique, tel autre encore dans les problèmes d'ordre technique. Pour tous ces domaines, et pour bien d'autres, on parle d'intelligence (B). Il est clair que celle-ci peut se manifester de mille façons différentes.

Pour savoir si un individu est intelligent, il faut observer son comportement dans une situation qui l'oblige à montrer son intelligence. C'est ce que se proposent de faire des tests d'intelligence. En fait, on demande aux sujets passant un test d'intelligence, de résoudre un certain nombre de problèmes faisant appel directement à leur intelligence. Vu le nombre presque illimité de comportements intelligents possibles, celui qui élabore un test d'intelligence doit faire un choix.

Evidemment, dans ce choix, il se laissera guider par ce qu'il croit comprendre de la nature de l'intelligence A, et, selon le cas, par le type d'intelligence B qu'il veut mesurer. Au fond, il est possible de considérer un test d'intelligence comme un instrument ayant pour but de prédire certains comportements intelligents authentiques à partir d'un nombre restreint de comportements intelligents provoqués dans une situation plus ou moins artificielle. Quant à la validité de ces tests, elle est tout d'abord prédictive ; dans la mesure où un test émane d'une théorie bien fondée de l'intelligence A, il peut aussi être valide quant au contenu (voir pour cette distinction 3.1.3).

La plupart des tests d'intelligence comportent des parties verbales et des parties non verbales. Pour mesurer les capacités non verbales, on propose le plus souvent des sous-tests présentant des figures géométriques. Parfois on trouve des sous-tests où le sujet doit manipuler des chiffres. Les sous-tests où l'on demande aux sujets de donner (ou plutôt de reconnaître) des synonymes ou des antonymes, sont très fréquents. La notion d'analogie revient dans presque tous les tests et un facteur qui mesure le « raisonnement verbal » (*verbal reasoning*) se rencontre très fréquemment. Ce qui frappe, malgré une certaine diversité, c'est que la grande majorité des tests d'intelligence mesurent à peu près les mêmes traits et cela d'une façon globalement identique. Ils mesurent plutôt l'intelligence théorique ou abstraite que l'intelligence pratique ou concrète.

La valeur de ce que mesurent les tests d'intelligence est vivement débattue. De nos jours, rares sont ceux qui y voient plus qu'un indice global d'un niveau de comportement possible, et encore plus rares ceux qui pensent que cet indice peut être traduit en un simple quotient d'intelligence (QI). Cependant, l'intelligence étant un phénomène important dans la vie humaine et même une notion centrale dans l'apprentissage scolaire, il semble peu sage de négliger les données rassemblées jusqu'ici à chacun des trois niveaux distingués plus haut. Même si les résultats, au niveau conceptuel, sont pauvres, je crois qu'il est utile de tenir compte de ceux réalisés aux deux autres niveaux. Bien sûr, on aimerait pouvoir suivre le fonctionnement de l'intelligence jusqu'au niveau des opérations cognitives élémentaires. Une telle compréhension détaillée enrichirait sans aucun doute beaucoup nos connaissances à propos de l'homme en général et de l'apprenant des L2 en particulier. Malheureusement, tel n'est pas encore le cas (voir entre autres Oléron 1982).

3.2.2 Intelligence et apprentissage des L2

Dans la présente section, il faudra évoquer deux questions : *Faut-il être intelligent pour apprendre une L2 ?* et : *L'apprentissage d'une L2 a-t-il une influence sur* (le développement de) *l'intelligence ?* La première question a été beaucoup plus étudiée que la seconde. Commençons par traiter cette dernière.

La question concernant l'influence de l'apprentissage des langues sur l'intelligence se pose généralement dans le cadre de l'enseignement précoce des L2 ou dans celui de l'éducation bilingue. Il y a ici deux raisonnements possibles. Dans le premier, les enfants qui apprennent en même temps deux langues ou une seconde langue alors qu'ils ne possèdent pas encore suffisamment bien leur Lm, n'atteindraient pas le même niveau de maîtrise que les enfants unilingues, ni dans l'une ni dans l'autre langue : leur intelligence subirait des effets néfastes de ce sous-développement linguistique. D'après le second raisonnement, par contre, les enfants bilingues auraient l'avantage d'être confrontés à des tâches cognitives plus complexes, avantage qui favoriserait le développement de leur intelligence.

Depuis 1960 les tenants du premier point de vue se font rares. En effet, depuis l'étude de Peal et Lambert (1962, voir Lanchec 1976 : 70-71), on a pris conscience que les résultats prouvant l'effet nocif de l'éducation bilingue étaient faussés : les tests verbaux présentés autrefois aux bilingues faisaient appel à des connaissances que ceux-ci ne maîtrisaient pas dans les deux langues. Peal et Lambert obtinrent des résultats allant nettement dans le sens du second raisonnement (voir aussi Hancock 1977). Comparant une classe d'immersion à trois classes témoins (deux avec l'anglais et une avec le français comme Lm), Lambert & Macnamara (1969) ne trouvent pas d'argument pour étayer un point de vue plutôt que l'autre. Après avoir mené une expérience semblable, Samuels & Griffore (1979 : 50) constatent que les élèves de la classe d'immersion ne diffèrent pas, statistiquement parlant, des élèves d'une classe témoin pour ce qui est de leur QI total ou de leur QI verbal ; mais dans le domaine QI performance, les bilingues obtiennent de meilleurs résultats, ce qui est conforme, selon les auteurs, « aux résultats d'autres études qui suggèrent l'existence d'une flexibilité cognitive plus grande chez les bilingues comparés aux unilingues ». En fin de compte, il est permis de conclure que **l'apprentissage précoce d'une L2 ne nuit pas au développement cognitif des enfants** mais que, très probablement, cet apprentissage favorise justement l'épanouissement intellectuel.

Comme réponse à la première question posée au début de ce paragraphe, celle concernant l'importance de l'intelligence dans le processus d'apprentissage des L2, on trouve également des opinions très diverses. Ainsi Morgan (1953 : 20) affirme qu'«une base intellectuelle est indispensable à l'apprentissage des langues. On n'a pas besoin de nous rappeler cela ». Et quoiqu'il ne croie pas à une relation linéaire entre l'intelligence et le succès en L2, il pense tout de même qu'un QI au-dessus de 100 est nécessaire pour obtenir de bons résultats. Henmon (1929 : 9) admet que des élèves avec des QI peu élevés n'obtiennent normalement pas de très bons résultats, mais il donne néanmoins quelques exemples de ce cas. Angiolillo (1942 : 271), qui apprend à une dizaine de jeunes filles imbéciles (QI moyen environ 40) à s'exprimer en français, tire de cette expérience la conclusion que les étapes initiales de l'apprentissage d'une L2 n'exigent pas un niveau intellectuel élevé. Le point de départ de Selinker & Lamendella (1978 : 153) est que tout individu ayant réussi à maîtriser sa Lm a l'équipement intellectuel nécessaire à l'apprentissage d'une L2. Ces auteurs citent Lenneberg (1967), selon qui même un QI de 50 n'interfère pas avec « une capacité innée d'acquérir les structures primaires de la langue ». Ils concluent que la capacité d'apprendre des L2 est indépendante de ce qui est mesuré au moyen d'un test d'intelligence (en tout cas pour autant qu'il s'agisse d'un apprentissage en milieu naturel, ajoutent-ils entre parenthèses).

Bref, les réponses à la question qui nous occupe ici vont d'un « oui » inconditionnel à un « non » convaincu. Il est temps de changer de bord et de quitter les convictions pour considérer les résultats expérimentaux. Ceux-ci étant très disparates, il est difficile d'en tirer des conclusions univoques. Essayons néanmoins de voir ce que les chiffres peuvent nous apporter.

A plusieurs reprises, on a essayé de résumer les résultats expérimentaux. Clem (1925 : 163) déclare que « les corrélations entre le QI et le succès dans les matières scolaires ont généralement été de l'ordre de .40 à .60 ». Henmon (1929 : 12) est d'avis que les chiffres « se trouvent quelque part entre .20 et .60, et plus souvent entre .30 et .40 », tandis que Pimsleur (voir Pimsleur & al. 1962b : 161 ; Pimsleur & al. 1964 : 112) situe la moyenne des corrélations entre .40 et .45. La conclusion la plus appropriée qu'on puisse émettre, cependant, est à mon avis celle de Guiora & al. (1972a : 114) : « **Il y a en effet une corrélation positive entre l'intelligence et l'apprentissage des L2, mais l'importance de cette relation est plutôt faible et sujette à des variations** ».

Une deuxième observation à propos des données expérimentales concerne l'absence quasi totale d'indications sur le type d'enseignement dispensé. On peut pourtant s'imaginer qu'une méthode analytique fait davantage appel à un certain type d'intelligence qu'une méthode directe ou communicative. Ce qui frappe, c'est que les chiffres notés par Clem (1925) et qui ont trait à l'enseignement du latin — enseignement sans doute très intellectualiste à l'époque — ne diffèrent pas beaucoup des autres chiffres. Carroll (1962 : 89) pense pourtant qu'un enseignement visant les *skills* oraux table beaucoup moins sur l'intelligence que l'enseignement traditionnel : « La faculté d'apprendre à parler et à comprendre une L2 avec une certaine aisance constitue un talent (ou un groupe de talents) assez spécialisé et relativement indépendant des traits généralement inclus dans l'intelligence ».

Consultons quelques chiffres. Anisfeld & Lambert (1961) notent des corrélations de .55 et de .32 pour la compréhension et l'expression orales respectivement. Chez Green (1975), les corrélations pour l'expression orale sont assez faibles (.13 à .18), il est vrai, mais pour la compréhension orale il note .47. Dexter (1934) et Dexter & Omwake (1934) notent des corrélations de .59 et de .49 entre l'intelligence et un test de prononciation. Enfin, Gardner & Lambert (1972 : 53) constatent que, dans les recherches qu'ils ont menées dans le Connecticut, « (le test d'intelligence) prédit dans quelle mesure les élèves développeront des *skills* oraux, et en particulier la précision phonétique, le rythme approprié du français et l'acquisition de l'accent français normal ». Toutes ces données contredisent nettement l'idée émise par Carroll.

Si donc les résultats restent globalement les mêmes dans n'importe quel type d'enseignement et pour toutes les tâches linguistiques, quelle conclusion faut-il en tirer ? Je crois que l'on peut suivre le raisonnement suivant. Des approches et des méthodes différentes peuvent effectivement mener à des résultats différents. Mais ces différences ne se laissent pas découvrir au moyen d'un simple calcul de corrélations. C'est que les capacités intellectuelles des élèves, qui sont de nature sensiblement différente, correspondent de façon diverse aux types de tâches imposées par chaque méthode. Ainsi, dans toute classe, il y a toujours quelques élèves qui profitent mieux que d'autres de l'enseignement dispensé. La moyenne des résultats ne traduit pas les changements multiples que peut provoquer un changement de méthode. C'est sans doute ce facteur qui explique en partie les résultats décevants des comparaisons de méthodes (voir 4.2).

Tout comme pour l'aptitude, aucune recherche n'a eu pour but d'examiner le rôle de l'intelligence dans le cas de l'apprentissage non captif des L2. On est donc libre d'attribuer l'influence de l'intelligence soit au cadre scolaire soit à l'apprentissage même. Il y a plusieurs raisons d'opter pour la première explication. Tout d'abord, on peut penser à l'expérience d'Angiolillo (1942) citée plus haut : même des enfants attardées parviennent à s'exprimer dans une autre langue. Ensuite, l'on n'ignore pas que tout enseignement demande toujours des efforts intellectuels de la part des enseignés. On n'a qu'à penser à l'adéquation plus ou moins grande des instructions fournies par l'enseignant : si l'élève ne comprend pas ce qu'on veut de lui, la faute ne lui en incombe pas toujours ; on peut en dire autant des explications qu'on lui donne. Jakobovits (1970 : 107) considère justement le lien entre l'intelligence des élèves et leurs résultats comme un indice de la qualité de l'instruction. Enfin, on trouve des arguments dans un article de Genesee (1976). Cet auteur a mené une expérience avec plusieurs classes d'immersion à plusieurs niveaux. D'une part il a proposé des tests scolaires (test de rendement en français, test de compréhension orale et écrite), d'autre part il a fait juger l'expression orale des élèves par des non-spécialistes qui devaient rendre un jugement aussi authentique que possible sur les capacités communicatives des élèves. L'auteur constate une association assez solide entre le QI et les résultats aux tests de type scolaire ; pour les résultats communicatifs, par contre, une telle association est absente. Genesee (1976 : 278-279) en arrive ainsi à la conclusion que, lorsqu'il s'agit de la communication interpersonnelle, tous les élèves peuvent obtenir de bons résultats, mais que, dans le cas de tâches typiquement scolaires, les résultats varient à cause des différences d'intelligence (cf. aussi Solmecke & Boosch 1981).

Dans une expérience que j'ai menée avec quatre classes de débutants en français, j'ai pu constater que l'intelligence était de peu d'importance dans l'explication de l'ensemble des scores aux tests critères ($r = .01$, cf. Bogaards 1982b et Bogaards 1986). Pour le test de compréhension orale, cependant, j'ai trouvé une corrélation plus élevée ($r = .23$, $p < .05$). J'ai pu expliquer l'importance plus forte de l'intelligence dans ce cas par le fait que le test proposé était d'un type peu familier aux élèves. Je mentionne ce cas, parce qu'il permet de souligner que le type de test servant de critère peut lui aussi avoir une certaine influence : selon que les tests utilisés sont moins familiers aux sujets, l'intelligence risque de jouer un rôle plus important.

Tout compte fait, on peut affirmer qu'il n'y a pas suffisamment d'arguments pour donner une réponse affirmative à la question posée : **rien ne prouve qu'il faut être spécialement intelligent pour apprendre une L2.** Si on a constaté, en général, des corrélations positives entre l'intelligence et les résultats en langues, ces résultats peuvent être biaisés de plusieurs façons. Par contre, plusieurs indices plaident en faveur d'une réponse négative. Mais, positive ou négative, la réponse ne peut être que très partielle : toutes les recherches ont utilisé des tests d'intelligence et sont donc restées au niveau de l'intelligence C. On est loin de pouvoir fournir une réponse au niveau du comportement intelligent ou à celui des opérations cognitives. Et ne parlons plus, pour le moment, de l'essence même de l'intelligence.

3.3 Attitude et motivation

Apprendre une autre langue constitue une tâche ardue demandant beaucoup d'efforts à celui qui l'entreprend. Pour en venir à bout, il faut certainement être motivé. Mais qu'est-ce que la motivation ? Et quel est son rapport avec cet autre phénomène qu'on cite souvent dans ce contexte, à savoir l'attitude ?

Dans la présente section, j'essaierai de démêler ces deux concepts en présentant des définitions aussi claires que possible dans le cadre de deux théories récentes (3.3.1). Ensuite, je rendrai compte des recherches menées dans le domaine de l'apprentissage des L2 (3.3.2) et je consacrerai un bref passage à la question concernant les possibilités de changement d'attitudes (3.3.3). Je terminerai par une discussion de la notion d'anomie, liée à celle d'attitude (3.3.4).

3.3.1 Théories de l'attitude et de la motivation

Le cadre du présent ouvrage ne permet pas de présenter un aperçu complet des multiples théories se rapportant à l'attitude et à la motivation. Constatons, pour commencer, que l'attitude et la motivation constituent deux phénomènes, certes liés, mais en même temps très divers. Ce qui frappe dans les travaux des psychologues, c'est que ces deux phénomènes sont toujours traités séparément, comme si, tout en étant différents, ils n'entretenaient pas en même temps des relations. Par contre, dans la recherche expérimentale en didactique des langues aussi bien que dans la pratique quotidienne des enseignants, on constate une tendance à considérer les deux termes comme plus ou moins synonymes. Il s'agit donc, tout d'abord, de bien définir chacun des deux concepts, pour ensuite mieux apprécier leurs relations et les différences essentielles.

● **Attitude**

Parmi les théories de l'attitude, celle de Fishbein & Ajzen (1975) se présente comme la plus complète et la mieux fondée. Pour expliquer leur théorie, ces auteurs présentent le modèle suivant (voir la figure 3.3.1), où il est question de **croyances**, d'**attitudes**, d'**intentions** et de **conduites**. Tous ces éléments se rapportent à un objet X, qu'il s'agit chaque fois de bien déterminer. X peut être n'importe quoi : un objet concret, une personne, un groupe de personnes, un phénomène naturel, une idée abstraite ou un comportement spécifique. Les **croyances** comprennent toutes les informations dont dispose le sujet par rapport à l'objet X. Ces informations peuvent être objectivement vraies ou n'être que des opinions, des préjugés ou des stéréotypes. Elles sont influencées par des facteurs tels que le sexe, la profession, l'éducation et les convictions religieuses d'un individu aussi bien que par des variables relevant de son caractère, de sa personnalité et de sa position à l'égard d'autres personnes (voir aussi 3.7). C'est à cause de ces influences psycho-sociales que les croyances sont sujettes à d'incessantes modifications. Toutes les informations rassemblées sont emmagasinées dans la mémoire à long terme, ce qui fait qu'on parle ici d'une composante cognitive. La deuxième composante, celle de l'attitude proprement dite, est affective ; les **attitudes** sont des sentiments et des appréciations à propos de l'objet X. La troisième composante, ensuite, contient les **intentions** d'action. Elle est appelée conative. Et enfin, il y a le comportement réel.

Figure 3.3.1 : Croyances, attitudes, intentions et conduites (Fishbein & Ajzen, 1975 : 15).

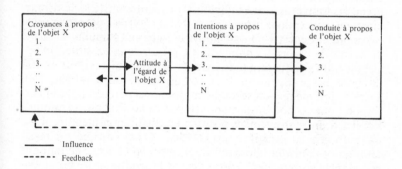

Comme on le voit dans la figure 3.3.1, les attitudes sont formées par les croyances, qui constituent les éléments de base de cette théorie. Les croyances sont, à leur tour, influencées par les attitudes et les conduites (cf. les lignes de feedback).

Dans une élaboration plus récente de leur théorie, Ajzen & Fishbein (1980) insistent sur l'importance des intentions, qu'ils considèrent comme les éléments déterminant immédiatement les conduites. Il convient d'observer, cependant, que ni les attitudes ni les intentions à propos d'un objet X ne mènent nécessairement à une action à propos de cet objet. On peut très bien avoir une attitude très positive à l'égard de la paix dans le monde sans pour autant s'engager dans une organisation militant pour la paix. Souvent il y a conflit entre plusieurs attitudes et beaucoup de gens forment plus de projets qu'ils n'en exécutent. Un individu ayant une attitude positive à l'égard de la paix dans le monde peut considérer qu'il ne dispose pas d'assez de temps pour aborder concrètement ce problème ou qu'il existe d'autres problèmes plus importants. Chacun connaît une sorte de hiérarchie de valeurs intervenant dans le choix d'un comportement réel. En outre, il peut y avoir des impossibilités matérielles. Qu'il suffise d'évoquer l'attitude très positive qu'ont beaucoup de gens à l'égard d'une vie de luxe, attitude qui, faute de ressources suffisantes, ne mène pas souvent aux actions qui en découleraient. Tout importante qu'elle puisse être, une attitude ne détermine que très partiellement un comportement spécifique et il sera clair qu'il est impossible de déduire les attitudes des conduites réelles. Il faut en dire autant à propos des intentions, bien qu'avec celle-ci on soit parfois plus près d'une explication possible de ces conduites.

• **Motivation**

Les théories concernant la motivation sont encore plus nombreuses que celles relatives à l'attitude. Nuttin (1980a), qui traite les principaux aspects des théories les plus répandues, propose lui-même une théorie où la formule suivante joue un rôle central :

$$A = (I\text{-}E) \, s \curvearrowright Ep \rightarrow Ec \Rightarrow Ep2/Ec> \ldots$$

Cette formule a la signification suivante. Une action motivée (A) prend sa source dans un individu (I) en situation (E). Se démarquant des conceptions behavioristes, Nuttin (1980a : 64) affirme que « le point de départ d'un acte motivé n'est pas un stimulus, ni même un « état de choses » comme tel ; c'est un *sujet en situation* ». Cet individu en situation (I-E) agit, en tant que sujet (s), sur un état de choses perçu (Ep) en vue d'un état de choses conçu, ou but, (Ec). Cette action mène à un second état de choses perçu (Ep2) qui correspond oui ou non au but posé (Ec). Quand Ep2 est identique à Ec, il y a un renforcement positif ; en cas de non-identité, il y a un renforcement négatif. Nuttin (1980a : 67) ajoute que « le résultat n'est pas quelque chose qui simplement *suit* l'acte ; en tant que but, il règle le cours de l'action et en est le produit ». Le but, c'est-à-dire l'état de choses conçu ou construit par le sujet, occupe donc une place de première importance dans cette théorie. Cela apparaît encore clairement dans l'affirmation suivante de Nuttin (1980a : 60) : « Le fait que l'acte de porter une lettre à la poste est un comportement différent de celui de se promener dans la rue est dû à l'objet-but de l'acte ». Un autre élément-clé dans la théorie de Nuttin est la notion de besoin, qu'il définit comme « *une relation « requise » entre l'individu et le monde...* Le besoin est cette relation *en tant que requise* pour le fonctionnement (optimal) de l'individu » (p. 91).

Le propre de l'être vivant étant qu'il a besoin « d'entrer en relation fonctionnelle avec le monde » (p. 122), le besoin s'inscrit dans la complémentarité des deux pôles de l'unité I-E. L'individu fonctionne de façon satisfaisante dans la mesure où il atteint certains standards, que ceux-ci soient innés ou construits par le sujet (cf. p. 91). Contrairement aux behavioristes, Nuttin refuse de faire une distinction nette entre besoins « primaires » ou physiologiques et besoins « supérieurs » ou psychologiques (p. 94). Les deux types de besoins sont également inhérents à l'individu. Mais ce n'est pas dire que le monde entier se présente comme une masse grise ; il y a des préférences : « Il est un fait motivationnel de base que l'individu n'est pas indifférent en matière de relations et d'objets contactés. En d'autres mots, ce sont des relations spécifiques avec des objets déterminés qui sont « requises » pour le fonctionnement optimal de l'unité I-E (...). C'est cette nature sélective du besoin qui nous fera définir et spécifier les motivations en termes *d'objet* comportemental, plutôt qu'en termes d'énergie, de stimulus, d'états intra-organiques ou de réactions motrices » (p. 92). Le caractère requis des relations dont il est question ici « se présente sous différents degrés d'urgence et d'intensité » (p. 93).

Le caractère requis des relations dont il est question ici « se présente sous différents degrés d'urgence et d'intensité » (p. 93).

Quant à la relation entre la motivation et les conduites, Nuttin (1980a : 110) souligne que « la compréhension ou l'explication d'un comportement en termes de motivation est très partielle. La motivation ne fournit pas « la réponse au *pourquoi* d'un comportement (...). D'autres facteurs situationnels et personnels, physiques et psychologiques, jouent leur rôle, non seulement dans le *comment* du processus, mais aussi dans sa détermination et ses modalités ».

• **Relations entre les deux notions**

Présentées côte à côte, les notions d'attitude et de motivation montrent certaines ressemblances, mais également des différences. Dans les deux cas, intervient une relation avec un objet ou un état de choses par rapport auquel se situe l'individu. Dans les deux cas, le comportement concret de l'individu est influencé par les phénomènes étudiés ici, sans qu'on puisse l'expliquer entièrement, ni par l'attitude ni par la motivation. Mais les correspondances s'arrêtent là. Ce qui frappe davantage, ce sont les différences.

Si, en termes motivationnels, l'objet en question se présente nécessairement comme un but, il n'en est rien de l'attitude. La motivation est « une tendance spécifique vers telle catégorie d'objets » (Nuttin 1980a : 114) ; l'attitude est une évaluation ou une appréciation d'un objet. De cette première différence découle une seconde. La motivation, en tant que tendance, peut être plus ou moins forte ; elle se mesure en termes d'intensité et peut varier entre 0 (absence totale) et 1 (présence maximale). L'attitude, par contre, est tout d'abord polarisée ; elle est positive ou négative et peut donc varier entre - 1 (extrêmement négatif) et + 1 (extrêmement positif). Tout comme la motivation, l'attitude peut être plus ou moins marquée, mais son degré d'intensité n'est pas son unique caractéristique.

L'étude des relations entre attitude et motivation ne doit pas se limiter à un inventaire des correspondances et des divergences. Elle doit s'occuper également de la façon dont les deux notions s'imbriquent. En d'autres termes, il faut se demander quelles sont les relations fonctionnelles entre les deux concepts. Comme je n'ai pu trouver aucune indication concernant ce genre de rapports, je suis obligé de m'aventurer sur des voies assez spéculatives.

La perception d'un état de choses (Ep) par un sujet (I-E) est nécessairement influencée par l'état dans lequel se trouve sa mémoire à long terme (cf. aussi 2.1.5). Comme les croyances font partie de la MLT et comme ces croyances sont liées aux attitudes, on peut penser que les croyances et les attitudes influent sur la façon dont le sujet perçoit la situation. Si cela est vrai pour la perception de l'état de choses réel, cela vaut *a fortiori* pour l'état de choses conçu (Ec). Le but, construit de toutes pièces par le sujet, portera sans aucun doute les marques de ses attitudes. Celles-ci le constitueront en but à atteindre ou plutôt à éviter. C'est également grâce à l'intervention des attitudes que le sujet se choisit tel but plutôt que tel autre. Et c'est de l'intensité des attitudes que dérive l'intensité de la motivation. Enfin, les attitudes semblent jouer un rôle au moment de la comparaison entre Ep2 et Ec : ce qui est évalué positivement et accepté comme une réussite par l'un, peut être considéré comme un échec, au moins partiel, par l'autre.

Ainsi, on peut en arriver à une intégration des deux théories exposées ci-dessus. Dans une telle théorie intégrée, les croyances et les attitudes constitueraient des éléments qui, présidant à la perception de la réalité aussi bien qu'au choix des buts, dirigeraient la motivation, tout en en réglant l'intensité.

• Peut-on mesurer l'attitude et la motivation ?

Après avoir déterminé le contenu des notions d'attitude et de motivation, il convient de s'interroger sur les façons dont on peut mesurer ces phénomènes. Tout d'abord, il est utile de rappeler qu'il est impossible de déduire une attitude ou une motivation du comportement concret. On peut exécuter la même action à partir d'attitudes tout à fait différentes et avec des motivations très diverses. Il faudra donc trouver des moyens permettant d'évaluer, de façon directe ou indirecte, la nature et le niveau des facteurs en question. Dans ce contexte, il n'est pas sans importance de rappeler que la motivation se caractérise par la seule intensité, tandis que l'attitude présente deux aspects mesurables, à savoir la polarité et l'intensité.

Pour ce qui est de la motivation, que Nuttin (1980a : 114) définit aussi comme une tendance dont « l'intensité est fonction de la nature de l'objet et de sa relation au sujet », on voit mal comment on pourrait la mesurer. Et cela ne vaut pas seulement pour la théorie de la motivation de Nuttin. Même dans le cadre d'autres théories, où il est question de pulsion, d'énergie ou de tension, on ne sait pas comment on devrait évaluer l'intensité de la motivation, sinon, dans certains cas, par le truchement d'instruments physiologiques. De toute façon, en demandant à des sujets d'indiquer, au moyen de questions à choix multiple, l'intensité de leur désir d'apprendre le français (cf. Gardner 1980 : 258), on ne mesure pas vraiment la motivation ; on demande l'opinion des sujets à propos d'un objet X (= désir d'apprendre le français). C'est donc plutôt d'une attitude qu'il s'agit.

La situation se présente mieux pour les attitudes. Comme les attitudes sont étroitement liées aux croyances, c'est par le biais de celles-ci qu'on peut en obtenir une idée assez nette. C'est donc d'une façon indirecte, en demandant aux sujets d'exprimer leurs opinions à propos d'un objet déterminé, qu'on peut se faire une image assez cohérente de leurs attitudes à propos de cet objet. Dans le cas où il est question de choix libres, donc là où les sujets ne sont pas obligés d'agir d'une façon déterminée comme c'est souvent le cas dans l'enseignement, on peut également faire intervenir les intentions d'action. De toute façon, les attitudes n'étant pas directement observables, il faut se contenter d'une approche indirecte. (Pour une discussion des moyens techniques, voir Reuchlin 1981 : 462-467).

3.3.2 Attitude, motivation et apprentissage des langues

La recherche concernant l'attitude et la motivation par rapport à l'apprentissage des L2 est dominée par les travaux de Gardner et Lambert. La théorie de ces chercheurs se laisse résumer de la façon suivante.

• **La théorie de Gardner et Lambert**
Gardner et Lambert fondent leur théorie sur les idées socio-behavioristes de Mowrer. Selon Mowrer, l'enfant apprend à parler en imitant ses parents, dont les activités et la présence sont associées à la satisfaction de besoins. Le langage, qui fait partie intégrante des activités des parents, acquiert de ce fait des « propriétés de renforcement secondaire ou dérivé » qui passent ensuite aux sons que l'enfant produit lui-même. Cette tendance de l'enfant à imiter ses parents est appelée par Mowrer *identification*. Ce processus d'identification, mais orienté vers l'ensemble d'une communauté linguistique et lié à une curiosité et à un intérêt sincère pour l'autre groupe, serait, selon Gardner et Lambert, à la base de la motivation à long terme nécessaire pour l'apprentissage d'une langue étrangère. Si une motivation à court terme suffit quand il s'agit de réussir dans des tâches de type scolaire, une motivation à long terme semble être indispensable pour la « tâche laborieuse qu'est le développement d'une compétence réelle dans une nouvelle langue ».

Appliquée à l'apprentissage d'une langue étrangère, la notion d'identification diffère « en degré et en substance » de ce que Mowrer a voulu exprimer par ce terme. Chez lui, il s'agit de la satisfaction de besoins physiques, tandis que dans le cas de l'apprentissage des langues il est plutôt question de besoins sociaux. Mais, déclarent Gardner et Lambert, dans les deux cas la langue est apprise comme un moyen et non pas comme un but en soi : « les langues sont apprises dans un processus d'intégration dans un groupe déterminé ». Gardner et Lambert réservent le terme d'identification au cas de l'acquisition de la langue maternelle, et proposent, pour le cas des langues étrangères, un autre terme : le *motif intégratif*, qu'ils définissent comme « la volonté de devenir membre d'un groupe ethnolinguistique ».

De ces considérations théoriques résulte la distinction entre la **motivation intégrative** et la **motivation instrumentale**, que Gardner et Lambert définissent comme suit :
« L'orientation est dite *instrumentale* si les objectifs de l'apprentissage d'une langue reflètent une valeur plutôt utilitaire de la per-

formance linguistique, par exemple quand celle-ci doit servir à faire carrière. Par contre, l'orientation est *intégrative* si l'apprenant souhaite en apprendre davantage sur l'autre communauté culturelle parce qu'il s'y intéresse avec une certaine ouverture d'esprit, au point d'être accepté à la limite comme membre de l'autre groupe ». C'est la motivation intégrative qui mènerait aux meilleurs résultats dans l'apprentissage des L2 (voir Gardner & Lambert 1972 : 3-16).

• **Quelques points de critique**

Cette théorie ne manque pas de provoquer quelques remarques critiques. Tout d'abord, on peut relever le **point de vue behavioriste** qui en constitue la base et selon lequel il serait possible de décrire l'acquisition des langues en termes de besoins et d'imitation, de stimuli et de réponses. Ensuite, il faut constater que la distance séparant la **notion d'identification** du motif intégratif est beaucoup plus grande que ne le font paraître Gardner et Lambert. Si, pour la première notion, il est question, de la part de l'enfant, d'un désir, inconscient et obligé, de s'intégrer au monde de ses parents, dans l'apprentissage des L2 il s'agit de la volonté, libre et consciente, de s'approcher d'un autre groupe ethnolinguistique. Enfin, la définition des deux **orientations motivationnelles** manque de précision. A travers les multiples reformulations de la notion d'orientation intégrative, l'idée même d'intégration tend à disparaître de plus en plus (cf. Bogaards 1984).

• **Les recherches expérimentales**

Malgré certaines faiblesses fondamentales caractérisant leur théorie, Gardner et Lambert ont pu obtenir quelques résultats intéressants. Dans plusieurs expériences menées dans le contexte montréalais, les chercheurs ont démontré l'importance de la motivation intégrative, aussi bien pour des élèves anglophones apprenant le français (Gardner & Lambert 1972 : 191-216) que pour des élèves francophones apprenant l'anglais (Clément & al. 1977). En dehors de ce contexte, cependant, la motivation intégrative ne joue pas toujours un rôle très important. En commentant quelques résultats non prévus obtenus dans trois situations de bilinguisme stable aux Etats-Unis, Gardner et Lambert (1972 : 54) affirment qu'ils ont été « consternés de trouver dans chaque situation une structure distincte et unique de variables interreliées, ce qui indique clairement que chaque communauté, américaine ou autre, a son propre réseau complexe d'influences sociales ».

Ce qui frappe, c'est que les auteurs ont été *consternés* de faire cette constatation. Il aurait semblé justement tout à fait normal que chaque contexte social comporte des exigences particulières. Ce constat est par ailleurs souligné par les résultats d'autres recherches expérimentales menées dans des situations où la langue cible est langue véhiculaire (aux Philippines, voir Gardner & Lambert 1972 : 130, et à Bombay, voir Lukmani 1972). Dans ces derniers cas, ainsi que dans certains autres (cf. par exemple Suter 1976, Oller & Perkins 1978), la motivation instrumentale est au moins aussi importante que la motivation intégrative.

Il y a d'autres éléments dans les recherches effectuées par l'équipe de Gardner et Lambert qui méritent notre attention. Relevons d'abord le peu de cas que font ces chercheurs de la spécificité des instruments servant à mesurer les facteurs affectifs étudiés. Ces instruments (voir Clément & al. 1976, Gardner 1980) englobent quantité de sous-tests, parmi lesquels ceux mesurant l'attitude à l'égard de l'apprentissage des L2 ne sont pas toujours particulièrement nombreux. En plus, les corrélations entre les tests d'attitude et les tests-critères ne sont souvent pas très élevées, les coefficients se situant globalement entre .20 et .40. Si on trouve donc en général une relation positive entre l'attitude et les résultats des élèves, cette relation ne semble guère être forte.

Dans les travaux de Gardner et Lambert, l'attitude et la motivation sont toujours présentées, du choix des auteurs (cf. Gardner & Lambert 1972 : 143), comme *causes des résultats* obtenus en L2. Aucun enseignant expérimenté n'ignore, cependant, qu'une bonne motivation peut aussi être le résultat de succès antérieurs, et qu'un individu hautement motivé peut être découragé par suite d'échecs successifs. En fait, il s'agit d'un processus dynamique comportant maintes interdépendances et influences mutuelles.

Une expérience intéressante montrant bien le dynamisme du processus motivationnel est celle menée par Bourgain (1978). Dans cette expérience, on a proposé des tests après chacune des « leçons de transition », de *VIF* et, à la fin du cours, on a posé les trois questions suivantes :
• Quelle est la leçon qui vous a le plus intéressé ?
• Quelle est la leçon qui vous a paru la plus difficile ?
• Quelle est la leçon qui vous a le plus appris ?
La principale conclusion de Bourgain (1978 : 81) est que « la connaissance que les étudiants ont de leurs propres résultats aux tests d'acquisition joue un rôle important dans la formation de leurs opinions vis-à-vis du matériel pédagogique auquel ils sont confrontés ». En d'autres termes, il y a des concordances non fortuites entre la perception du progrès et l'attitude à l'égard du matériel proposé.

En concluant, on peut dire que Gardner et Lambert n'ont pas toujours été très heureux ni dans le choix de leur base théorique, ni dans celui de leurs instruments de recherche. Malgré cela, ils ont contribué à établir que **l'attitude joue un rôle non négligeable dans l'apprentissage des L2** et qu'elle le fait d'une façon dynamique et **en interaction constante avec d'autres variables tant individuelles que sociales.**

3.3.3 Comment influencer les attitudes des apprenants ?

Tout le monde sera d'accord pour dire que les attitudes sont apprises et que, étant apprises, elles peuvent être enseignées. Comme l'affirme Smith (1971 : 82) : « Aucun élève n'est né avec des attitudes positives ou négatives envers les langues ». Il ne suffit pas, toutefois, de savoir que les attitudes sont modifiables, il faut savoir, en outre, *comment* on peut les changer.

En général, on distingue deux voies qui peuvent mener à un changement d'attitude : *la participation active* et *la communication persuasive* (cf. Fishbein & Ajzen 1975 : 411-509). Dans le cadre de la participation active, on peut penser à des rencontres personnelles avec des membres de groupes relativement inconnus et à des jeux de rôle où l'on demande aux participants d'adopter momentanément des attitudes opposées aux leurs. Grâce à la participation active, l'individu peut vivre des situations qu'il ne connaissait pas et se familiariser avec des attitudes qui lui étaient étrangères. Ces expériences peuvent mener à des changements assez profonds au niveau des croyances et des attitudes, et par conséquent, sur le plan du comportement. Dans le cas de la communication persuasive, on s'attaque plus particulièrement aux croyances. En fournissant certaines informations, on peut essayer de transformer des opinions ou des préjugés, ou d'expliquer des phénomènes provoquant d'ordinaire des réactions négatives. La communication persuasive peut être uniquement verbale ou comporter des éléments visuels. L'effet d'une telle communication est souvent moins profond, mais peut gagner en force grâce à la répétition (penser au domaine de la publicité).

Outre cette différence qualitative, il y a une différence plutôt quantitative : par le biais de la communication persuasive, on peut atteindre beaucoup de personnes en même temps. Il est clair qu'au moyen des techniques de participation, par contre, on n'atteint généralement qu'un nombre assez restreint d'individus. Les attitudes de ces individus étant fortement influençables par celles d'autres individus, qu'on ne peut pas toujours atteindre de la même façon, il est souvent indiqué d'utiliser les deux approches en même temps. Comme le fait remarquer à juste titre Eddy (1968 : 2), souvent il ne suffit pas de motiver les apprenants, il faut s'attaquer également à leurs pairs et à tout leur milieu.

Quels sont les objets (les objets X, selon Fishbein & Ajzen) à propos desquels les croyances doivent être changées ? La réponse à cette question dépendant d'une multitude de facteurs, parmi lesquels les variables sociales ne sont pas les moindres, comme nous venons de le voir, il n'est pas aisé de la formuler de façon générale. Chaque situation demande une analyse spéciale ; dans chaque cas spécifique, il s'agit de dégager « le réseau complexe des influences sociales ». En général, il y a intérêt à tenir compte du nombre le plus grand possible de facteurs, mais de privilégier, parmi ceux-ci, les éléments traduisant de façon directe l'attitude par rapport à l'action qui nous intéresse : l'apprentissage des L2 en tant que tel. L'amour du Danemark peut n'être que très vague et le désir de mieux connaître les Danois peut encore mener à des actions bien diverses ; l'intérêt porté à l'apprentissage des langues en général ou du danois en particulier, en revanche, nous renseigne bien plus sur des éléments pertinents du complexe attitudinal de nos apprenants.

3.3.4 Anomie

Le terme anomie a été utilisé pour la première fois par le sociologue français Durkheim (1858-1917). Emprunté au grec, le mot désigne un état mental se caractérisant par l'absence de lois ou de normes (*a-nomos* = sans loi). C'est le groupe de chercheurs canadiens autour de Lambert qui a introduit le terme dans le domaine de la linguistique appliquée. Dès 1959, Gardner et Lambert (voir Gardner & Lambert 1972 : 191-192) citent l'« Anomie Scale » de Srole (1951, non publié). Cette échelle avait été conçue pour mesurer des sentiments d'absence de normes, d'insatisfaction ou de dysfonctionnement sociaux ou d'aliénation. Les sujets dont on veut connaître le niveau d'anomie, doivent indiquer dans quelle mesure ils sont d'accord avec des réflexions comme les suivantes :
– « A l'heure actuelle, on ne sait pas sur qui on peut compter ».
– « Ayant vécu jusqu'ici dans cette culture, je préférerais maintenant m'en aller vers un autre pays ».
(cf. Anisfeld & al. 1962 : 224 ; Jakobovits 1970 : 264-265).

Quelle peut être la relation entre ce genre de sentiments et l'apprentissage des L2 ? Gardner & Lambert (1972 : 229) donnent la réponse suivante : « Les sentiments d'incertitude ou d'insatisfaction sociales ne caractérisent pas seulement les personnes sans attachements sociaux, mais encore, paraît-il, les bilingues et même ceux qui étudient sérieusement une autre langue et une autre culture. » Il faut bien souligner le mot *sérieusement*, parce que, selon les auteurs, l'anomie ne se présente pas encore chez ceux qui n'en sont qu'aux débuts de l'apprentissage d'une autre langue. Les apprenants avancés, par contre, sont nécessairement confrontés avec des sentiments d'anomie. C'est que, quand ils atteignent des niveaux plus élevés de maîtrise dans une autre langue, ils procèdent inévitablement à des comparaisons critiques entre la culture de la L2 et celle de leur Lm. Moins ils sont satisfaits de celle-ci plus ils apprécieront l'autre langue et l'autre culture, et inversement, plus ils apprécient l'autre culture, plus ils auront de sentiments d'anomie (cf. Gardner & Lambert 1972 : 243).

Ceci pose la question des causes et des effets. Les sentiments d'anomie mènent-ils au désir de se familiariser avec une autre langue et de s'approcher d'un autre groupe culturel ? Ou est-ce que l'apprentissage d'une autre langue provoque des sentiments d'anomie ? En d'autres termes : est-ce que c'est l'insatisfaction qui pousse à l'étude des langues ou cette étude provoque-t-elle l'insatisfaction ?

Les deux raisonnements suggérés dans la formulation des questions sont adoptés alternativement par Gardner & Lambert (1972 : 191-192 et 243), mais les deux chercheurs semblent néanmoins pencher vers la dernière explication : la confrontation intensive avec une autre langue et une autre culture provoquerait un certain relativisme culturel.

Pour mieux connaître la nature et le développement de ce relativisme culturel, il est utile de connaître les résultats de quelques recherches. Dans un groupe d'anglophones suivant un programme d'immersion en milieu francophone, Gardner & Lambert (1972 : 235) trouvent des corrélations très significatives entre l'anomie et un test qui évalue des préjugés antidémocratiques et ethnocentriques. Ce résultat révèle que les sujets anomiques ont tendance à avoir des sentiments de supériorité par rapport aux étrangers. Ces sujets, se sentant menacés par une autre culture, réagissent en mettant l'accent sur l'identité culturelle de leur propre groupe : plus ils font valoir les différences entre les deux groupes culturels en question et plus l'ethnocentrisme et les stéréotypes s'accusent. On observe ce phénomène dans des situations de contact entre des langues de statut très inégal : langue nationale et dialectes, langues dominantes et langues dominées. Dans ces situations, les locuteurs revalorisent leur propre langue, phénomène dont on retrouve un écho dans le fait que, dans la recherche de Gardner & Lambert (1972 : 240), les apprenants anomiques ont tendance à se servir de l'anglais, trichant ainsi avec les règles du programme d'immersion en milieu francophone.

Ce qui est étonnant, c'est que, dans cette même expérience, on trouve également des corrélations significatives entre l'ethnocentrisme et un test de francophilie et entre l'anomie et ce test de francophilie. La conclusion qu'il faut tirer de ces données, est que les sujets anomiques, qui ont tendance à être fiers de leur propre culture (anglo-américaine), apprécient en même temps la culture francophone. Gardner & Lambert ne donnent pas d'explication de ce fait pourtant assez paradoxal.

Le lien entre l'anomie et l'attitude (ou l'orientation motivationnelle dans la terminologie de Gardner et Lambert) peut sembler assez clair. Gardner & Lambert (1972 : 16) en donnent l'image suivante : « abstraction faite des attitudes qu'il a à l'égard de la société au début du processus d'apprentissage de la langue, l'étudiant plus avancé peut constater que ses nouvelles aptitudes lui permettent de quitter son propre groupe culturel et de s'intégrer au nouveau groupe dont il a presque maîtrisé la langue. » L'anomie renforcerait donc la motivation intégrative.

Quel est l'effet de l'anomie sur les résultats linguistiques ? Gardner & Lambert (1972 : 234) notent des corrélations légèrement négatives : -.09 pour les débutants et -.11 pour les étudiants avancés (cf.

aussi Neufeld 1973 : 99-101). Ces quelques résultats semblent indiquer qu'il n'y a guère de relation directe entre l'anomie et les résultats en langue.

Vu le **caractère paradoxal** des relations entre l'anomie et certains autres concepts, et étant donné le **peu d'importance** que les sentiments anomiques semblent avoir pour les résultats linguistiques, on peut se demander si, en didactique des langues, on ne peut pas se passer de la notion d'anomie.

3.4 Personnalité

Le langage est intimement lié à la personnalité du locuteur ; à tel point même qu'il est moins facile à un individu de changer sa façon de parler que de modifier son aspect extérieur. Aussi faut-il s'interroger sur la relation entre la personnalité et l'apprentissage des L2.

Comme le concept de personnalité ne peut se comprendre que dans le cadre d'une théorie cohérente concernant l'être humain, je commencerai par donner un bref aperçu de quelques-unes de ces théories (3.4.2). Ensuite, je parlerai des relations possibles entre personnalités et apprentissage des L2 (3.4.1). Enfin, je ferai état des développements dans deux domaines étroitement liés à celui de la personnalité, à savoir le domaine des styles cognitifs (3.4.3) et celui de l'empathie (3.4.4).

3.4.1 Théories de la personnalité

Il n'existe pas deux individus identiques, le propre de chaque individu étant d'être unique. Les théories de la personnalité essaient, néanmoins, d'établir un système de critères permettant de décrire et d'expliquer les variations infinies de la nature humaine. En d'autres termes, elles cherchent à classer ce qui, de par son caractère unique et indivisible (*in-dividuus*) même, semble être fondamentalement inclassable.

Depuis l'antiquité, des savants ont essayé de distinguer des groupes d'individus en les classant selon un nombre restreint de critères. On connaît la typologie de Platon, fondée sur l'intelligence, l'appétit irascible et l'appétit concupiscible, éléments qui seraient répartis de façon inégale parmi les individus, et la théorie des humeurs de Galien, où ce sont la bile blanche, la bile noire, le flegme et le sang qui, dans leur mélange et leur dosage variés, constituent le caractère de l'individu (cf. Nuttin 1980b : 81-86).

Depuis le début du XXᵉ siècle, il s'est présenté un grand essor dans le domaine des théories de la personnalité. En simplifiant beaucoup, on peut classer celles-ci en six catégories.
– Il y a d'abord les théories *psychodynamiques* de Freud, Adler

etc. ; il s'agit ici de théories qui ont été élaborées dans la pratique psychothérapique et qui sont appliquées dans les cliniques psychiatriques.

– Les représentants d'un deuxième type de théories sont entre autres Maslow, Rogers et Fromm. On peut qualifier leurs théories d'*humanistes* ; c'est que, dans ces théories, l'accent est mis sur l'homme entier. A l'opposé des théories de la première catégorie, celles de la tendance humaniste ne prennent pas seulement en compte les maladies et les perturbations mentales, mais la totalité du psychisme humain.

– Parfois on distingue comme un type de théories à part, les conceptions de l'homme face au monde, telles qu'elles ont été exposées dans le cadre de la philosophie *existentialiste* (Merleau Ponty, Heidegger et autres).

– Les théories des *traits*, développées par des chercheurs comme Cattell, Eysenck et Guilford, constituent une quatrième catégorie.

– Ensuite viennent les théories *behavioristes*, dont le représentant le plus connu parmi les didacticiens est Skinner.

– Enfin, il y a les théories *cognitivistes*, qui sont à la base de ce qu'on appelle les styles cognitifs (voir 3.4.3).

De tout cet éventail, deux types de théories seulement nous occuperont davantage ici. Tout intéressantes que soient les théories psychodynamiques, les théories humanistes et les théories « existentialistes », elles sont trop axées sur l'analyse psychothérapique de chaque individu pris à part pour se prêter à l'explication de différences entre des groupes d'individus. Leur pertinence dans le domaine de l'apprentissage des L2 — et cela vaut surtout pour les théories humanistes — ne se situe pas au niveau des différences individuelles, mais à celui des objectifs et des méthodes. Pour s'en convaincre, il suffit de se rendre compte de l'influence qu'ont ces théories sur le *Counseling Learning* ainsi que sur d'autres « didactiques non conventionnelles » (cf. le numéro spécial du *Français dans le monde*, n° 175, février-mars 1983). Quant aux théories behavioristes, basées sur l'apprentissage d'animaux, elles semblent peu aptes à éclaircir un processus aussi typiquement humain que l'apprentissage des langues (voir par ailleurs Gaonac'h 1987). Pour un compte-rendu plus détaillé des théories mentionnées, je renvoie à Hall & Lindzey (1978).

Les types de théories qui restent et qui semblent en effet se prêter à une explication des différences individuelles parmi les apprenants, sont donc les **théories des traits** et celles concernant les **styles cognitifs**. C'est aux aspects les plus importants des théories des traits que je veux maintenant consacrer quelques lignes. Je reviendrai plus loin (3.4.3) sur les styles cognitifs.

Avec Nuttin (1980b : 39), on peut définir l'étude de la structure ou de l'organisation de la personnalité comme la volonté de « mettre de l'ordre dans cette infinie variété de conduites et dans cette multitude de traits qui caractérisent les individus ». Il s'agit donc de retrouver les constantes dans les conduites et de dégager les traits sous-jacents aux comportements concrets. Pour ce faire, des psychologues comme Spearman, Guilford, Cattell et Eysenck se sont servis du calcul des corrélations et de l'analyse factorielle. C'est surtout cette dernière technique statistique, qui, par sa capacité de déterminer ce qui doit être mis ensemble et ce qu'il faut séparer, a contribué à détecter les traits fondamentaux de la personnalité (cf. Nuttin 1980b : 39-79). Cattell en arrive ainsi à distinguer 16 traits, tandis que Eysenck élabore un modèle à deux dimensions se diversifiant dans une structure hiérarchique comportant des niveaux toujours plus spécifiques de traits et de réponses. Les deux « superfacteurs » retenus par Eysenck sont la dimension extraversion-introversion et la dimension stabilité-névrotisme. Dans la première dimension, le trait essentiel est constitué par la facilité avec laquelle on se communique à autrui, les extravertis montrant plus facilement leurs sentiments et établissant plus aisément des contacts que les introvertis. La seconde dimension se caractérise comme une échelle allant des personnalités sûres d'elles et stables à travers le temps aux personnalités souffrant dans une mesure plus ou moins grande de troubles affectifs et émotionnels.

Pour mesurer les traits retenus, les chercheurs ont élaboré des questionnaires de personnalité. Reuchlin (1981 : 595-612) mentionne entre autres le *16-PF* de Cattell et le *Maudsley Personality Inventory* d'Eysenck. Ces questionnaires comportent un certain nombre d'items du type suivant :

Vous aimez beaucoup faire de bons repas.
Vous êtes d'un tempérament rêveur et méditatif.

Les sujets auxquels on présente ces items sont censés répondre par « oui » ou par « non » selon qu'ils considèrent que la phrase s'applique à eux. Leurs réponses permettent de les classer sur les dimensions mesurées.

3.4.2 Traits personnels et apprentissage des langues

Quels traits de la personnalité favorisent l'apprentissage des L2 ? Les réponses à cette question foisonnent. Tout d'abord, parce que les désignations des traits sont nombreuses et parfois assez fantaisistes. Ainsi, dans certaines recherches expérimentales, on trouve des traits comme « engouement pour les tâches écrites » (Brodkey & Shore 1976), « rapidité à saisir des concepts nouveaux » (Swain & Burnaby 1976) ou « préférence pour la vie citadine » (Thiele & Scheibner 1978). On n'a guère à se demander si de tels traits constituent des éléments pertinents d'une théorie bien établie de la personnalité. Les auteurs cités manquent en tout cas de les situer par rapport à une telle théorie.

On trouve, en outre, toutes sortes de raisonnements spéculatifs. Ainsi, McDonald & Sager (1975 : 22-23) énumèrent cinq éléments qui seraient caractéristiques du bon apprenant de langues et parmi lesquels on trouve, par exemple, le « désir de communiquer avec précision et clarté » ainsi qu'une « sensibilité aux aspects esthétiques de l'autre langue ». Stevick (1976 : 61) inventorie les menaces de la personnalité susceptibles d'intervenir dans la classe de langue ; selon cet auteur, il y a des apprenants qui pensent : « Normalement, je réussis dans ce que j'entreprends » et qui sont menacés par les échecs, grands ou petits ; d'autres qui pensent : « Je ne suis pas doué pour les langues » et qui sont menacés par le succès, etc. Sans preuve aucune, Krashen (1981 : 12-18) associe l'emploi fréquent des règles grammaticales au type conscient (*monitor overuser*) et l'emploi peu fréquent de ces règles au type spontané (*monitor underuser*). Si attractifs, utiles et même justes que puissent paraître de tels raisonnements, il est bon de ne pas perdre de vue leur caractère spéculatif.

Trait	Corrélation	Critère	Sujets/Situation	Source
Introversion/ Extraversion				
introverti	.19	compr. écrite	N = 112, élèves allemands, anglais Lé	Thiele & Scheibner 1978
réservé	(pos.)	expr. orale	français Ls (N = 39), différence sign. avec les groupes de français en immersion (N = 88)	Hamayan & al. 1977
conformiste	(pos.)	expr. orale	français Ls (N = 39), différence sign. avec les groupes de français en immersion (N = 88)	Hamayan & al. 1977
entreprenant	.31	compr. orale	N = 40, étudiants américains, Lé diverses	Neufeld 1973b
sociable	.19	compr. orale	N = 112, élèves allemands, anglais Lé	Thiele & Scheibner 1978

extraverti	.19	compr. orale	N = 112, élèves allemands, anglais Lé	Thiele & Scheibner 1978
extraverti	− .38	prononciation	N = 39, étudiants japonais, anglais Lé	Busch 1982
extraverti	.41	expr. orale	N = 65, étudiants allemands, anglais Lé	Solmecke & Boosch 1981
extraverti	.25	expr. orale	N = 67, élèves allemands, anglais Lé	Solmecke & Boosch 1981
extraverti	.28	notes scolaires	N = 229, élèves américains, Lé diverses	Chastain 1975
Névrotisme/ Stabilité				
appréhensif	− .69	compr. écrite	N = 63, français en immersion précoce	Swain & Burnaby 1976
timide	(nég.)	compr. écrite	N = 127, français Ls et en immersion	Hamayan & al. 1977
confiant	.39	expr. orale	N = 65, étudiants allemands, anglais Lé	Solmecke & Boosch 1981
confiant	.57	grammaire	N = 65, étudiants allemands, anglais Lé	Solmecke & Boosch 1981
confiant	.29	expr. orale	N = 67, élèves allemands, anglais Lé	Solmecke & Boosch 1981
confiant	.40	grammaire	N = 67, élèves allemands, anglais Lé	Solmecke & Boosch 1981
non névrosé	.23	compr. orale	N = 112, élèves allemands, anglais Lé	Thiele & Scheibner 1978

Tableau 3.4.2 : Relations entre traits personnels et apprentissage des L2.

Le tableau 3.4.2 présente un aperçu des résultats de la recherche expérimentale concernant les relations entre traits personnels et apprentissage des L2. Dans ce tableau, on trouve les traits étudiés regroupés dans les deux dimensions ou super-facteurs d'Eysenck. Bien que parfois arbitraire, ce regroupement peut aider à établir une image plus ou moins claire des relations qui nous occupent ici. Toutes les corrélations mentionnées sont significatives (au moins $p<.05$). Dans le cas de l'étude de Hamayan & al. (1977), il est impossible de donner les coefficients de corrélation parce que les auteurs ne les mentionnent pas ; ils constatent cependant des différences significatives entre les élèves apprenant le français dans des classes traditionnelles et les groupes d'apprenants en immersion précoce (à partir de l'âge d'à peu près 10 ans).

Comme on peut le constater en étudiant les données du tableau 3.4.2, la plupart des recherches ont été menées dans des situations de Lé. Ce qui frappe, c'est que l'expression écrite n'a pas été étudiée dans ce contexte et qu'il n'y a qu'une seule étude portant sur la compréhension écrite. Quant à l'oral, la compréhension se trouve être liée au caractère « entreprenant et sociable », à l'extraversion et à l'absence de névrotisme. En d'autres termes, ce sont les apprenants plutôt extravertis et stables qui obtiennent les meilleurs résultats en compréhension orale. On peut en dire autant à propos de l'expression orale. Là encore, ce sont les apprenants extravertis et confiants qui obtiennent les meilleurs résultats. Cette dernière donnée confirme donc l'idée, souvent exprimée (cf. par exemple Brown 1973 : 236), que l'extraversion est une condition importante pour parvenir à une bonne expression orale. Comme on vient de le voir, cette idée n'est pas seulement valable pour l'expression mais également pour la compréhension. Les *skills* oraux semblent donc être liés aux même traits personnels, à savoir l'extraversion et la stabilité.

On pourrait avoir l'impression que la conclusion que je viens de tirer est trop générale et qu'elle doit être restreinte à la situation des Lé. Du moins, Hamayan & al. (1977) constatent qu'un caractère réservé et conformiste joue un rôle positif chez des apprenants de français Ls (mais non pas chez des apprenants de français en immersion). Les auteurs supposent, cependant, que ce lien est dû au fait que la grammaire formelle occupe une place relativement importante dans les cours de français Ls. On peut donc se demander quels ont été les critères d'évaluation : la fluidité et la compétence communicative, ou bien plutôt la correction grammaticale ? Bien qu'on cherche en vain une description univoque des critères retenus (comme c'est le cas dans beaucoup d'autres recherches, cf. Busch 1982 : 112), la réponse semble être claire . De toute façon, les résultats de Hamayan & al. (1977) n'invalident pas la conclusion proposée plus haut.

Pour ce qui est des autres études effectuées en situation de Ls ou d'immersion, aucune ligne concrète n'apparaît. Tucker & al.

(1976) ne trouvent que des corrélations non significatives entre un nombre assez grand de traits personnels et l'apprentissage en immersion. Il en est de même de la recherche de Naiman & al. (1978 ; cf. cependant 3.4.3) en situation de Ls. Les résultats de Swain & Burnaby (1976) et de Hamayan & al. (1977), concernant respectivement l'appréhension et la timidité par rapport à la compréhension écrite, semblent rejoindre la conclusion émise pour les *skills* oraux.

Il est encore trop tôt pour dresser un bilan définitif à propos des relations entre personnalité et apprentissage des langues : le nombre des recherches expérimentales n'atteint même pas la dizaine et l'on ne peut que souhaiter une attention plus soutenue de la part des psychologues et des didacticiens des langues pour un domaine qui semble la mériter pleinement. Pour le moment, cependant, il n'est peut-être pas injustifié de croire que, pour chacun des quatre skills, **le succès en langues est positivement lié à l'extraversion et à la stabilité émotionnelle, en situation de Lé aussi bien qu'en situation de Ls ou d'immersion.**[1]

3.4.3 Les styles cognitifs

On pourrait avoir l'impression de changer de monde en passant des traits de personnalité, domaine par excellence de l'affectivité, aux styles cognitifs, dont les désignations mêmes font penser à quelque chose de rigoureux et d'intellectuel. Pourtant, le pas à franchir n'est pas bien grand. Les deux sujets se recoupent considérablement et les styles cognitifs sont communément traités en un rapport étroit avec la personnalité.

On peut définir un style cognitif comme la façon dont un individu perçoit et traite les informations qui se présentent à lui, ou, pour reprendre les termes de Reuchlin (1981 : 113), comme « l'organisation et les modalités générales de fonctionnement des processus par lesquels chaque sujet acquiert et élabore les informations sur son environnement ».

Afin de mieux cerner le concept de style cognitif, il est bon de suivre de près le raisonnement de Boekaerts (1978 : 149-172). Cet auteur commence par rappeler que toute perception ainsi que tout apprentissage est idiosyncrasique : tout ce qui entre dans la mémoire à long terme passe par des filtres. Tout individu a sa façon personnelle de percevoir, de coder et de récupérer les informations qui lui sont présentées. Une différence assez globale, mais bien établie est celle entre la dominance du code visuel et la dominance du code

---

(1) Busch (1982) fait remarquer que, dans le domaine de la personnalité, toutes les recherches ont été menées dans le monde occidental. Une expérience qu'il a menée au Japon lui permet de tirer la conclusion que, dans ces pays, les introvertis ont tendance à obtenir pour l'anglais Lé des scores plus élevés que les extravertis.

verbal. En étudiant les styles cognitifs, dit ensuite Boekaerts, on constate que plusieurs équipes de recherche ont proposé des terminologies assez différentes. On trouve, par exemple, les oppositions suivantes : dépendance — indépendance du champ, convergence — divergence, réflexif — impulsif, sérialiste — globaliste, catégories étroites — catégories larges, etc. Malgré tous ces termes, dont les sonorités suggèrent des réalités bien différentes, et malgré les corrélations peu élevées entre les pôles correspondants des diverses oppositions (à cause, probablement, de l'inadaptation des tests), il est possible de croire que, au fond, il ne s'agit là que d'une seule opposition fondamentale : à savoir, celle entre une *dimension globalisante* et une *dimension analytique*. Le troisième volet du raisonnement de Boekaerts fait intervenir le phénomène de la spécialisation hémisphérique (cf. 3.5.1). En effet, depuis les recherches bien connues de Broca au milieu du XIXe siècle, on sait que les deux hémisphères du cerveau sont spécialisés dans des tâches différentes. L'hémisphère gauche se charge de préférence de tout ce qui est verbal, analytique, abstrait, rationnel, temporel, digital, objectif etc., tandis que l'hémisphère droit intervient quand il s'agit d'éléments pré-verbaux, synthétiques, concrets, émotionnels, spatiaux, analogiques, subjectifs etc. (cf. aussi Galloway 1981 : 457). Ainsi, on voit se dégager des correspondances entre les préférences personnelles de traitement d'informations, les styles cognitifs et la participation des deux hémisphères au comportement individuel. Ce raisonnement amène Boekaerts à introduire le terme de *style d'apprentissage*. Ce serait ce style d'apprentissage, fondé sur le mode de traitement des informations, le style cognitif et la préférence hémisphérique, que l'apprenant ferait fonctionner lors de l'accomplissement d'une tâche spécifique.

Jusqu'ici, on ne dispose que d'un nombre très faible de recherches expérimentales sur les relations entre les styles cognitifs et l'apprentissage des L2. Par contre, les théorisations et les prédictions fortuites ne manquent pas. Ainsi Brown (1973 : 239) estime que « à l'avenir, la recherche pourrait démontrer, chez les personnalités impulsives, une tendance à passer rapidement à travers un certain nombre de stades semi-grammaticaux de l'interlangue, et, chez les individus réflexifs, une tendance à rester plus longtemps dans un stade particulier avec des bonds plus grands pour aller d'un stade à l'autre ». Jusqu'ici, rien n'a été démontré. Toujours est-il que l'unique expérience où l'on ait étudié la relation entre la réflexivité/impulsivité et l'apprentissage des L2 (Hulstijn 1982) ne semble guère confirmer cette hypothèse. Dans cette étude, les corrélations entre le test destiné à mesurer la réflexivité/impulsivité et les résultats linguistiques des sujets apprenant le néerlandais Ls ne sont pas significatives, ni pour la correction de l'expression orale, ni pour l'emploi différentiel du *monitor* (cf. 2.1). En un sens, ce résultat expérimental ne doit pas étonner. Le style cognitif en question est mesuré au moyen d'un test où l'on demande aux sujets de retrouver, parmi huit images, celle qui est identique au modèle (*Matching Familiar Figures Test*). On s'est donc servi d'un test essentiellement visuel à propos duquel il est permis de se demander quel peut bien être son rapport avec des tâches d'un type essentiellement verbal. S'il y a effectivement un lien entre les trois domaines inventorisés par Boekaerts, il faudra faire une distinction nette entre ce qui est visuel et ce qui est verbal.

Une autre hypothèse de Brown (1977 : 350) semble plus heureuse. Elle concerne l'importance de l'opposition dépendance/indépendance du champ (DIC)[1]. Selon cette hypothèse, IC mènerait à de bons résultats en L2 à cause des capacités analytiques caractéristiques d'individus indépendants du champ, tandis que DC profiterait plutôt d'une plus grande sensibilité sociale dont disposent les sujets dépendants du champ. Brown suppose que IC est favorable à l'apprentissage scolaire et DC à l'acquisition naturelle. Naiman & al. (1978 : 52) trouvent effectivement des corrélations significatives, bien que peu élevées (.31 et .25), entre IC et certains résultats scolaires (compréhension orale et répétition orale de phrases). Ce résultat est confirmé dans l'expérience de Hansen & Stansfield (1981) avec 300 étudiants d'espagnol Lé. Ces derniers auteurs constatent que les sujets IC ont des résultats à tous les égards supérieurs à ceux des sujets DC. L'hypothèse de Brown est donc confirmée.

Quant aux autres styles cognitifs, Naiman & al. (1978) ont proposé trois tests à leurs sujets : un test mesurant la sensibilité à l'interférence, un test mesurant la préférence pour des catégories larges ou étroites, et un test destiné à rendre compte de l'intolérance à l'égard d'ambiguïtés. C'est uniquement avec ce dernier test (que les auteurs rangent d'ailleurs parmi les tests de personnalité) qu'ils obtiennent une corrélation significative (-. 26, p < .05) pour un des critères, à savoir la compréhension orale.

Tout compte fait, il est sûr que la recherche expérimentale dans le domaine assez neuf des styles cognitifs ne permet pas encore de tirer des conclusions. Les corrélations trouvées sont pour le moment peu élevées, ce qui peut être expliqué par le fait que les tests destinés à mesurer les styles cognitifs sont le plus souvent d'un type visuel. Si le raisonnement de Boekaerts, exposé ci-dessus, est valable, il faudra élaborer d'autres tests pour obtenir une bonne correspondance avec les résultats en L2. Pour le moment, espérons que les recherches dans ce domaine prometteur seront poursuivies, ne serait-ce

---

(1) Cette opposition est basée sur l'importance plus ou moins grande du contexte pour la reconnaissance d'objets par des individus. Le contexte, ou champ, peut être visuel, social, scientifique, etc. Les sujets « dépendants du champ » (DC) ont tendance à ne connaître un objet connu que s'il est présenté dans un contexte spécifique, les sujets " indépendants du champ » (IC) ayant moins besoin de supports contextuels (cf. Reuchlin 1981 : 551-561).

que pour éviter d'imposer aux praticiens et aux apprenants la n-ième méthode nouvelle avec des bases théoriques insuffisantes.

Cette mise en garde un peu acerbe me semble malheureusement nécessaire. C'est que, en raison de l'importance de IC pour les tâches de type scolaire, on voit déjà apparaître des exercices destinés à changer le comportement des apprenants DC. Si, comme cela semble être le cas, le style cognitif est un trait profondément ancré dans la personnalité, il faut cependant se demander si le comportement des apprenants peut ou doit être modifié. Une meilleure stratégie consisterait alors à proposer des exercices de types différents, parmi lesquels l'apprenant pourrait faire son choix. Etant donné l'état actuel des recherches, une certaine réticence à l'égard de l'élaboration de programmes basés sur les différences entre les divers styles cognitifs semble être de mise (cf. Hansen & Stansfield 1981 : 365).

3.4.4 Empathie

L'empathie est, selon le *Petit Robert*, la faculté de s'identifier à quelqu'un, de ressentir ce qu'il ressent. Cette faculté joue un rôle très important dans la communication humaine. C'est que dans une conversation normale, il ne suffit guère de savoir interpréter, au niveau linguistique, les énoncés de l'interlocuteur ; il faut, en outre, comprendre à un niveau plus profond ce qu'il « veut dire ». Mieux on est à même de se mettre dans la peau d'un autre, et plus on le comprendra. Qu'une telle faculté, qui entretient des relations aussi étroites avec la communication, soit liée à la façon dont un individu conçoit la langue, cela ne peut guère étonner. Le lien entre l'empathie et l'apprentissage des L2 demande une explication plus longue.

Ce rapport constitue, depuis une quinzaine d'années, l'objet d'étude du « Groupe de recherche sur la personnalité et le comportement linguistique » de l'université de Michigan. En fait, le rapport entre l'empathie et l'apprentissage des L2 ne forme pas le but ultime des recherches du groupe. Les chercheurs, des psychologues cliniciens, cherchent au fond une explication théorique de certains comportements qu'ils croient être liés à ce qu'ils appellent le *Moi linguistique*. C'est dans ce cadre qu'ils ont développé une théorie concernant l'empathie et qu'ils ont élaboré des tests où interviennent les L2.

Les chercheurs du Michigan définissent l'empathie comme « un processus de compréhension où une fusion temporaire des frontières entre le Moi et les objets, comme dans la première phase de la relation avec les objets, donne lieu à une intelligence émotionnelle immédiate de l'expérience affective de l'autre, et où cette sensation est utilisée par les fonctions cognitives pour mieux comprendre l'autre » (Guiora & al. 1975 : 44).

A la recherche d'un champ d'application pour rendre opératoire la notion d'empathie, le groupe de recherche autour de Guiora choisit la prononciation des L2. Ils justifient ce choix par le raisonnement suivant. Les capacités en matière de prononciation et l'empathie sont toutes les deux profondément influencées par le même processus sous-jacent, à savoir le phénomène de la *perméabilité des frontières du Moi*. Guiora (1972 : 144-145) décrit ce phénomène dans les termes suivants : « D'une façon similaire au concept du Moi corporel, le Moi linguistique est, lui aussi, conçu comme un concept maturationnel. (...) Le Moi corporel renvoie à une représentation de soi avec des contours physiques et des frontières bien déterminées. (...) Le langage aura, lui aussi, tout comme le Moi corporel, ses contours physiques et ses frontières bien déterminées. (...) La prononciation est l'aspect qui résiste le plus à toute influence, l'aspect qui résiste le plus à toute influence extérieure (le plus difficile à acquérir dans une autre langue) et qu'on perd le plus difficilement (dans sa langue maternelle) ». Au début du développement, les frontières du Moi sont flexibles et facilement perméables. Plus tard, elles deviennent de plus en plus rigides, mais à des degrés divers selon les individus. Appliquée à la facilité de prononcer des sons d'une L2, la notion du Moi linguistique sert à expliquer le fait que les enfants ont en général une prononciation plus authentique en L2 que les adultes.

Afin de vérifier cette théorie, le groupe de chercheurs dirigé par Guiora a mené un certain nombre d'expériences plutôt originales. Dans ce cadre, deux tests ont été élaborés, le STP et le MME. Le STP (*Standard Thai Procedure*, cf. Guiora & al. 1972b : 424) est un test de prononciation en langue thai se composant de 34 items que les sujets doivent répéter. Les résultats sont évalués par des locuteurs natifs. Le MME (*Micromomentary Expression*, cf. Guiora & al. 1972a) essaie de mesurer l'empathie. On propose aux sujets un film montrant des malades pendant des interviews psychiatriques. Grâce à un ralentissement de la vitesse normale du film, il est possible de relever des expressions faciales suggérant des sentiments intenses. Les sujets doivent signaler les changements dans les expressions faciales des malades. Les corrélations entre les deux tests sont, en général, significatives.

Après avoir établi de cette façon un rapport entre l'empathie et la prononciation en L2, les chercheurs ont procédé à la manipulation expérimentale du niveau d'empathie de leurs sujets. Dans trois expériences similaires, ils ont fait boire des boissons contenant une dose plus ou moins forte d'alcool (Guiora & al. 1972b), ils ont hypnotisé leurs sujets (Schumann & al. 1978) et ils ont donné des quantités plus ou moins grandes de benzodiazépine (valium) (Guiora & al. 1980). Dans les deux premiers cas, les résultats au test de prononciation (STP) étaient meilleurs pour les individus profondément hypnotisés ou ayant bu une dose moyenne d'alcool. Dans le cas du valium, les résultats étaient moins univoques. Dans les trois cas, les chercheurs déclarent avoir démontré qu'en abaissant quelque peu le niveau d'inhibition de leurs sujets, ils ont réussi à rendre plus flexibles les frontières de leur Moi linguistique et à améliorer ainsi leurs capacités de prononciation en L2.

La théorie et les expériences de Guiora & al. n'ont pas manqué de provoquer des commentaires. Tout d'abord, l'on s'est demandé dans quelle mesure le MME est capable de mesurer l'empathie. Une expérience menée par Taylor & al. (1969), a démontré que la corrélation entre le MME et un autre test d'empathie (*Thematic Apperception Test*) est faible et non significative, et que celles entre le MME et les scores de prononciation sont négatives (en partie même significatives !) Dans une autre expérience, où Guiora & al. (1972a) ont comparé le MME à quatre autres tests d'empathie, les auteurs concluent que le MME n'est pas seulement le test le plus cohérent, mais, en outre, le test qui prédit le mieux les résultats en matière de prononciation en cinq langues différentes. Cependant, les coefficients de corrélation ne semblent guère pouvoir justifier une telle conclusion. En considérant les résultats (.49 pour l'espagnol, .42 pour le japonais, .16 pour le russe, -.35 pour le chinois et -.54 pour le thai ; voir aussi Schumann 1975 : 220 ss), on se demande comment les auteurs (Guiora & al. 1972a : 128) peuvent en arriver à prétendre que « les résultats de la présente étude indiquent que le MME montre en effet une relation positive avec l'authenticité de la prononciation, ce qui confirme l'hypothèse originale ». Contrairement à ce que suggèrent les chercheurs, des résultats aussi disparates ne s'expliquent pas par les différences dans le nombre de sujets testés pour chaque langue.

Brown (1973 : 234) s'inscrit en faux contre les résultats de l'expérience où l'on s'est servi d'alcool. Selon lui, ces résultats peuvent s'expliquer tout aussi bien par un relâchement des muscles. Cet effet physique, bien connu, de l'alcool pourrait en effet être plus important que les effets psychologiques supposés. En 1979, Guiora & Acton (1979 : 203) relèvent le défi en annonçant les preuves, à leur avis concluantes, de l'expérience avec du valium. Comme je l'ai noté plus haut, les résultats de cette expérience sont loin d'être décisifs.

Dans le même article, Guiora & Acton (1979 : 201) déclarent que le MME s'est trouvé être en fin de compte un instrument peu fiable et que, depuis un certain temps, ils en ont découragé l'emploi. En effet, le MME n'est plus mentionné dans un article récent (Guiora & al. 1980) où les auteurs résument pourtant toutes leurs expériences précédentes. Mais ce qui étonne le plus, c'est que la notion même d'empathie a disparu des écrits du groupe de recherche (sauf une mention obligée, en italiques, dans l'introduction). On ne parle plus que de la perméabilité du Moi linguistique, concept créé pour élucider la notion d'empathie !

La conclusion qu'on doit tirer de l'ensemble des recherches à propos de la notion d'empathie ne peut être que négative. Les chercheurs du Michigan n'ont pas réussi à rendre opératoire ni à mesurer cette notion et ils n'ont donc fourni aucune preuve d'une quelconque influence de l'empathie sur l'apprentissage des L2. Ce qu'ils ont démontré c'est qu'une certaine dose d'alcool ou l'hypnose peuvent mener à des résultats meilleurs pour un test de prononciation.

Quelles peuvent être les implications pratiques des expériences dont je viens de rendre compte ? Les chercheurs eux-mêmes déclarent que leurs données ne contiennent aucunement des propositions méthodologiques. Tel n'était pas leur objectif, et ils ne recommandent pas, bien au contraire, de distribuer des boissons alcoolisées aux apprenants ou d'hypnotiser ceux-ci avant les cours de langue. Ce qu'ils semblent avoir prouvé, c'est qu'une inhibition réduite peut avoir un effet positif sur un aspect bien déterminé de l'apprentissage des L2, à savoir la prononciation. Certains croient pouvoir généraliser les résultats du groupe de Guiora. Brown (1981 : 120), par exemple, établit un lien entre les recherches sur l'empathie et des méthodologies nouvelles telles que le *Community Language Learning*, et Dufeu (1983 : 41) mentionne la notion d'empathie dans sa description de la « Psychodramaturgie Linguistique ». Il paraît donc nécessaire de rappeler que toutes les expériences du groupe de recherche de Guiora n'ont porté que sur la prononciation ou, plus précisément, sur la faculté d'imitation de sons étrangers. Malgré l'importance de la prononciation, on ne peut pas vraiment considérer celle-ci comme l'élément majeur du processus d'apprentissage des L2.

Les chercheurs du Michigan eux-mêmes ne s'expriment pas très clairement sur l'importance de l'empathie. Tantôt (Guiora 1972 : 145-146 ; Guiora & al. 1972a : 113) ils prétendent que l'empathie exerce son influence sur le processus global de l'apprentissage des L2, tantôt (Guiora & al. 1972b : 427) ils semblent restreindre cette influence à la prononciation. Quoi qu'il en soit, ce qui a été démontré plus ou moins bien pour la prononciation reste nettement spéculatif pour d'autres domaines de l'apprentissage. Les succès des méthodologies nouvelles, où l'on essaie de combattre les inhibitions, semblent pourtant indiquer des voies suffisamment intéressantes pour qu'on poursuive les recherches dans le domaine de l'empathie. Dans le cadre de ces recherches, on devra en tout cas aborder la question de la stabilité de l'empathie : peut-elle être développée par l'enseignement ou est-ce qu'elle est donnée une fois pour toutes ? La réponse à cette question semble avoir une importance certaine pour l'évolution méthodologique des années 80 (cf. Schumann 1975 ; Brown 1981).

3.5 Age

On apprend à tout âge. Voilà une vérité qui paraît être bien établie. Pourtant il semble y avoir une exception à cette règle générale, un cas qui fait également l'unanimité : seuls les jeunes apprennent vite et bien les L2. Au-delà d'un certain âge, apprendre une autre langue serait presque peine perdue. Cette idée, attestée dès 1915, est probablement déjà très ancienne (cf. Ekstrand 1976 : 179) Qu'en est-il donc ? Est-ce qu'on apprend vraiment à tout âge, sauf s'il s'agit de L2 ? Pour répondre à cette question, je me propose de traiter quelques aspects de la recherche en neurophysiologie (3.5.1) et en didactique des L2 (3.5.2). Ensuite, j'irai à la recherche d'éléments théoriques susceptibles d'expliquer les données expérimentales (3.5.3).

3.5.1 Recherches neurophysiologiques

Penfield & Roberts (1959) et Lenneberg (1967) ont tiré de certains résultats de la recherche neurophysiologique des conséquences concernant l'apprentissage des langues. Les résultats étaient les suivants : certaines lésions dans les aires langagières du cerveau mènent à des aphasies chroniques, sauf si le patient a moins de dix ans ; chez les enfants jusqu'à cet âge environ, d'autres zones du cerveau reprennent les fonctions de la zone lésée. Ce phénomène est dû à la plasticité du cerveau. Chez les enfants plus âgés et chez les adultes, un tel transfert ne s'accomplit pas ou alors à un rythme beaucoup plus lent. Vers l'âge de dix à douze ans a eu lieu le processus qu'on appelle **latéralisation**, processus qui fait que l'un des deux hémisphères cérébraux devient dominant. Par suite de la latéralisation, le cerveau devient rigide. Chez les droitiers, c'est pratiquement toujours l'hémisphère gauche qui domine, tandis que 40 % seulement des gauchers ont l'hémisphère droit dominant. En tout, chez 96 % de la population, c'est l'hémisphère gauche qui est dominant pour les fonctions langagières (Geschwind 1973 : 68).

De ces données, les auteurs cités ont conclu que le moment propice à l'apprentissage d'une L2 est situé avant l'âge de 9 à 12 ans. Lenneberg (1967 : 176) le dit ainsi : « La plupart des individus d'intelligence normale sont capables d'apprendre une langue seconde après le début de leur deuxième décennie, bien que l'influence de « blocages » croisse rapidement après la puberté. L'acquisition automatique, provoquée par le seul contact avec une langue donnée semble disparaître après cet âge, et les langues étrangères doivent être enseignées et apprises dans un processus conscient et laborieux. Il n'est pas aisé de surmonter l'accent étranger après la puberté. Cependant, un individu *peut* apprendre à communiquer dans une langue étrangère à l'âge de quarante ans ».[1]

A ce propos, on se sert aussi du terme **période critique** ; repris à la biologie, ce terme veut dire que certains comportements doi-

---

[1] Beaucoup moins nuancé dans ses déclarations que Lenneberg, Scovel (1969 : 249), qui se base pourtant sur les mêmes données, parle du « *fait* que les enfants peuvent acquérir une langue avec la fluidité du locuteur natif, tandis que *les adultes n'en sont pas capables* » (c'est moi qui souligne, P.B.).

vent être appris à des moments précis du développement de l'organisme (homme ou animal). Rosansky (1975 : 93) mentionne entre autres les recherches de Lorenz concernant les oisons, qui ne suivent pas d'instinct leur mère, mais le font après un processus d'apprentissage. L'auteur ne manque pas d'ajouter qu'en biologie on sait qu'un comportement lié à une « période critique » peut être appris plus tard, bien que par des voies différentes.

Appliquée à l'apprentissage des L2, l'hypothèse de la « période critique » mène, dans sa version forte, aux quatre prédictions suivantes :
1. L'acquisition prépubertaire d'une L2 ressemblera au processus d'acquisition de la Lm ; cela ne vaut pas pour l'apprentissage post-pubertaire.
2. Les L2 acquises avant la puberté peuvent être apprises sans instruction formelle ; celles apprises plus tard exigent une instruction formelle.
3. Il n'est pas aisé de surmonter l'accent étranger après la puberté .
4. Une compétence comparable à celle du locuteur natif, en syntaxe et en sémantique, peut être atteinte dans le cas de L2 acquises plus tard (cf. Krashen 1975 : 212-218).
Bien que Krashen allègue des données étayant chacune de ces quatre prédictions, il n'accepte pas l'explication neurophysiologique proposée par Lenneberg. En effet, quelques années avant, Krashen (1973) avait démontré que la latéralisation est achevée dès l'âge de cinq ou même de quatre ans. Tous les cas étudiés par Lenneberg, sauf un, avaient trait à des lésions cérébrales intervenues avant l'âge de cinq ans. Ce fait ainsi que les résultats de certains autres tests permettent à Krashen de conclure que la latéralisation a lieu beaucoup plus tôt qu'à l'âge de dix ans environ. Seliger (1978 : 14) croit même pouvoir soutenir que la latéralisation a déjà lieu avant que l'enfant commence à acquérir sa Lm.

Outre ce débat à propos de l'interprétation correcte des données expérimentales, il y a la question de la signification de ces données pour l'apprentissage des L2. Taylor (1974 : 24) fait remarquer à juste titre que « l'évidence fournie par Lenneberg suggère seulement qu'une Lm doit être acquise avant la puberté », et Neufeld (1978 : 21) se demande : « Quelle relation y a-t-il entre la capacité du cerveau de transférer des fonctions d'un hémisphère à l'autre et la faculté de langage de l'homme ? Quels sont les niveaux du système d'acquisition langagière qui sont censés être concernés ? »

D'un autre point de vue encore, on a exprimé des doutes au sujet des théories concernant la latéralisation et la « période critique ». Il s'agit du cas de Genie, une jeune fille qui, après avoir été élevée dans un isolement presque total où personne ne lui parlait et où elle était punie dès qu'elle faisait le moindre bruit, n'a commencé l'acquisition de sa Lm qu'à l'âge de 13 ans 8 mois (voir Fromkin & al. 1974 ; Curtiss & al. 1974). Quoique Genie ait dépassé l'âge critique, elle s'approprie la langue d'une façon à peu près identique à celle des enfants normaux. Il n'y a de différences que dans l'étendue du vocabulaire : à niveau syntaxique égal, les connaissances lexicales de Genie sont beaucoup plus vastes que celles des jeunes enfants (Fromkin & al. 1974 : 92).

La latéralisation, la spécialisation de l'hémisphère gauche dans des fonctions langagières, a, d'après Lenneberg, des causes biologiques et coïncide avec la fin de la « période critique » pour l'apprentissage des langues. Il y a cependant d'autres vues sur la relation entre ces phénomènes. Fromkin & al. (1974 : 102) suggèrent la possibilité suivante : « l'hémisphère gauche doit recevoir des stimuli linguistiques pendant une période spécifique afin de pouvoir participer à l'acquisition normale de la langue. Si ces stimuli manquent à ce moment-là, l'acquisition normale de la langue dépendra d'autres aires corticales et sera moins efficace en raison de la spécialisation antérieure de ces aires dans d'autres fonctions ». Reynolds & Flagg (1977 : 243) se montrent encore plus catégoriques lorsqu'ils déclarent que : « C'est comme si l'acquisition d'une langue dans l'hémisphère gauche avait pour conséquence que cet hémisphère est à jamais spécialisé dans l'exécution de processus linguistiques ».

Plus récemment de nouvelles recherches sont venues éclaircir certains aspects du débat dont je viens de résumer les grandes lignes (voir pour un compte-rendu détaillé de ce débat Ekstrand 1979). Selon Walsh & Diller (1981), on distingue communément deux types de cellules dans le cerveau humain :

a. *les cellules pyramidales* : celles-ci seraient en place dès la naissance et se développeraient peu ; elles appartiendraient aux circuits macro-neuronaux qui couvrent d'assez grandes distances.

b. *les cellules astéroïdes*, qui se développeraient après la naissance sur un laps de temps qui va jusqu'à trente ans ; elles appartiendraient à des circuits neuronaux locaux ; ce seraient elles qui sont à la base du développement cognitif de l'homme.

Les auteurs proposent ensuite une distinction entre deux niveaux de fonctionnement linguistique : fonctions d'ordre supérieur et fonctions d'ordre inférieur. La citation suivante peut éclaircir leur point de vue : « Les processus d'ordre inférieur comme la prononciation dépendent de la maturation précoce et de la faculté d'adaptation plus faible des circuits macro-neuronaux, ce qui a pour effet qu'il est difficile de surmonter l'accent étranger après l'enfance. Les fonctions linguistiques d'ordre supérieur comme les relations sémantiques dépendent plutôt des circuits neuronaux mûrissant plus tardivement, ce qui peut expliquer pourquoi les élèves du lycée peuvent apprendre beaucoup plus d'éléments de grammaire et de vocabulaire que les élèves de l'école primaire dans le même laps de temps » (Walsh & Diller 1981 : 18). Dans la section 3.5.3, je reviendrai sur cette explication.

3.5.2 Recherches en didactique des langues

Il n'est pas difficile de trouver trois réponses différentes à la question de savoir qui des enfants ou des adultes sont les apprenants les plus efficaces. Pour Brière (1978 : 169), il n'y a pas de différences entre ces deux catégories d'apprenants ; chez Asher & García (1969), ce sont les enfants qui obtiennent les meilleurs résultats ; dans l'expérience de Ramírez & Politzer (1978 : 331), par contre, les plus doués sont les sujets plus âgés. Aussi la question est-elle trop globale. Il faudrait la reformuler en prenant en compte les différences éventuelles entre les diverses classes d'âge en ce qui concerne le rythme de l'apprentissage, les approches et les aptitudes caractéristiques pour chacune d'elles. Pour ce qui est du rythme de travail, les données expérimentales convergent : les sujets plus âgés font des progrès plus rapides que les sujets plus jeunes. Ramírez & Politzer (1978), par exemple, constatent que leurs sujets collégiens atteignent en six mois approximativement le même niveau que les élèves d'environ neuf ans, qui ont commencé à apprendre l'anglais à l'école maternelle (cf. aussi Ervin-Tripp 1974 : 123-124 ; Fathman 1975 : 249 ; Cummins 1981 : 147). Cet avantage des sujets plus âgés semble se restreindre aux premières phases de l'apprentissage, du moins en situation de Ls. Snow & Hoefnagel-Höhle (1978 : 342) voient diminuer et enfin disparaître les différences initiales sous l'effet d'un séjour prolongé dans le pays d'adoption. Cummins (1981 : 146) constate que l'effet de la durée du séjour dans le pays d'adoption s'étend sur cinq ans.

Si le rythme de travail diffère donc d'un groupe à l'autre, est-ce que cette différence doit être attribuée à des approches ou à des stratégies divergentes ? Jusqu'ici cela n'a pas été démontré. Par contre, Jain (1969, cité par Taylor 1974 : 26) montre que les adultes font le même type de fautes que les enfants, et Fathman (1975 : 249) découvre le même ordre d'acquisition chez deux groupes d'élèves de 6 à 10 ans et de 11 à 15 ans.

Faut-il comprendre alors que, selon l'âge, on est sensible à des aspects différents ? Ici, il y a davantage de données expérimentales. Ce qui ressort assez clairement, c'est que les enfants ont une aptitude à s'approprier rapidement et avec un bon résultat la prononciation d'une L2 (voir entre autres Asher & García 1969 ; Seliger & al. 1975 ; Fathman 1975). Knibbeler (1975) constate que les difficultés qu'ont ses sujets (18-65 ans) à améliorer leur prononciation du français, croissent avec l'âge. D'autre part, la corrélation négative entre l'âge auquel une personne a commencé à apprendre une L2 et la mesure dans laquelle elle acquiert une prononciation authentique, semble être bien établie maintenant (voir Oyama 1976, 1978 ; Seliger & al. 1975). On trouve cependant quelques résultats qui s'inscrivent en faux contre cette unanimité. Ervin-Tripp (1974) constate que des deux groupes de sujets de 4 à 6 ans et de

7 à 9 ans, c'est le dernier qui obtient les meilleurs résultats en prononciation, tandis que Politzer & Weiss (1969) voient la prononciation s'améliorer avec l'âge (8 à 15 ans). Thogmartin (1982) ne trouve pas de différences attribuables à l'âge (5 à 12 ans ; voir aussi Snow & Hoefnagel-Höhle 1978).

La conclusion qu'on peut tirer des données concernant la prononciation est qu'il faut distinguer trois groupes d'âge. La meilleure période pour l'apprentissage de la prononciation d'une L2 semble être celle entre ± 6 ans et ± 11 ans. Avant cette période, les résultats sont moins bons (Ervin-Tripp 1974). Pendant cette période, il y a peu d'évolutions (Thogmartin 1982). Au-delà de l'âge de 12 ans, il devient de plus en plus difficile d'acquérir une bonne prononciation (Fathman 1975 ; Knibbeler 1975).

Cette conclusion n'est évidemment que relative. Jakobovits (1970 : 56) fait deux remarques qui me semblent être tout à fait pertinentes dans ce contexte : « a. les enfants apprenant une L2 à l'école n'acquièrent pas toujours (et même pas souvent) une prononciation authentique, et b. certains adultes sont capables d'acquérir une telle prononciation ». Ce dernier phénomène est illustré dans une expérience de Neufeld (1977). En 18 heures, il apprend à 20 sujets adultes à prononcer quelques phrases en japonais et il soumet les résultats au jugement de trois locuteurs natifs japonais. Neuf sujets sont pris pour des locuteurs natifs japonais et six autres sont classés *near native*. Cette expérience assez originale mais très limitée nous rappelle utilement que ce qui est difficile après un certain âge ne semble pas pour autant être tout à fait impossible.

Qu'en est-il des autres aspects de la langue, tels que la grammaire et le vocabulaire ? En grammaire, on constate en général que les sujets plus âgés sont avantagés (voir Ervin-Tripp 1974 ; Fathman 1975 ; Ramírez & Politzer 1978). Snow & Hoefnagel-Höhle (1978 : 342) affirment dans leur conclusion : « les apprenants plus âgés semblaient être avantagés par rapport aux apprenants plus jeunes dans l'acquisition des aspects régis par des règles d'une L2 — morphologie et syntaxe. Mais l'avantage dû à l'âge était limité, parce que les adolescents obtenaient de meilleurs résultats que les adultes ». Les résultats de Patkowski (1980) semblent dévier de cette ligne, ceux des immigrés étudiés par lui, qui ont commencé à apprendre l'anglais avant l'âge de seize ans faisant un emploi plus correct de la grammaire que ceux qui ont commencé plus tard. Je dis bien : *semblent dévier*, puisque dans cette recherche, on prend ensemble deux catégories (« enfants » et « adolescents ») distinguées par Snow & Hoefnagel-Höhle (1978). Pour ce qui est de l'apprentissage du vocabulaire, les données expérimentales se contredisent. Là où Politzer & Weiss (1969) et Connell & McReynolds (1981) constatent un avantage pour les sujets plus âgés, Yamada & al. (1980) trouvent des indications contraires.

Quant aux *skills* globaux, il n'y a guère de conclusions à tirer. Burstall (1977) ne découvre pas de différences significatives dans le niveau général atteint à l'âge de seize ans entre les élèves qui ont commencé à 8 ans et ceux qui n'ont commencé qu'à 11 ans, sauf pour la compréhension orale, où ce sont les débutants précoces qui obtiennent les meilleurs résultats. Ekstrand (1976) constate que les immigrés qui ont commencé à apprendre le suédois à l'âge de 7 ans, apprennent moins vite certains skills que ceux qui ont commencé plus tardivement (cf. aussi Ekstrand 1980). Ses résultats sont corroborés par ceux de Cummins (1981). Dans le cadre de leur méthode de la « **réponse physique totale** », où l'on demande aux apprenants d'agir physiquement selon des indications données en L2, Asher & Price (1967) ont fait une expérience où ils ont comparé les comportements d'enfants de 8 ans, d'adolescents de 10 à 14 ans et d'adultes. Ces derniers avaient les meilleurs résultats, ensuite les adolescents, tandis que les enfants venaient en dernière place.

Existe-t-il des différences dans le niveau final qu'atteignent les sujets jeunes ou les sujets plus âgés ? Voilà une question à laquelle il est difficile de répondre. D'une part, parce qu'il est quasiment impossible d'évaluer de façon adéquate les niveaux supérieurs de maîtrise d'une langue ; d'autre part, parce qu'il faut se demander s'il est possible de parler d'un niveau final. Pour les langues, en particulier, on peut soutenir qu'on apprend à tout âge et chaque jour. Dans cet ordre d'idées, une remarque de Sampson (1982 : 15) me semble ici à sa place. Cet auteur donne une liste de huit tournures visant à obtenir quelque chose d'autrui, telles que : Je veux…, J'aimerais…, Pourriez-vous…, Est-ce que je peux…, etc. ; Ensuite, il déclare : « Remarquez que pour les apprenants jeunes, on considère qu'ils possèdent l'anglais quand ils ne maîtrisent que deux ou trois des formes données plus haut, tandis qu'un adulte est censé savoir en manipuler beaucoup plus ». Avant de pouvoir se prononcer sur la question posée ici, il faudrait savoir ce que c'est que de maîtriser une langue.

Il n'est pas aisé de tirer des conclusions bien claires des données présentées ici. Cependant, quelques lignes semblent se dégager que je présente sous certaines réserves dans le schéma suivant. J'y distingue quatre groupes d'âge et j'essaie d'indiquer les moments plus ou moins appropriés à l'apprentissage de plusieurs aspects d'une L2.

Schéma : moments plus ou moins propices à l'apprentissage des L2.

	0-6	7-11	12-16	17 et plus
Prononciation	–	+ +	diminuant	–
Grammaire	–	+	+ +	+
Vocabulaire	– ?	+ ?	+ ?	+ ?
Skills	?	?	?	?

3.5.3 Explications et théories

Si l'on peut se mettre d'accord, sans trop de peine, sur les données présentées dans la section précédente, leur trouver une explication cohérente est chose bien plus difficile. En effet, nombreuses sont les explications qui ont été proposées dans ce contexte. Elles relèvent toutes, cependant, de deux types de théories, à savoir de théories physiologiques ou de théories psychologiques.

● **Explications physiologiques**
Les théories physiologiques postulent que certains processus physiques ou biologiques influent sur l'acquisition d'une L2. D'une part, il est question d'une « rigidité physiologique » (Fishman 1966 : 130) qui se manifesterait dans l'incapacité de produire certains sons. L'hypothèse selon laquelle un adulte serait incapable de former certains sons d'une L2 à cause d'un manque de souplesse de ses organes phonatoires ne semble guère plausible, cependant. Elle n'est pas seulement contredite par l'expérience de Neufeld (1977) citée plus haut, mais n'est par ailleurs étayée par aucune évidence expérimentale. D'autre théories, plus sérieuses, se fondent sur les données de la recherche neurophysiologique dont j'ai présenté quelques grandes lignes plus haut (3.5.1). Force est de reconnaître qu'il n'est pas toujours aisé de bien apprécier la valeur des expériences et des arguments médicaux ou para-médicaux. Les recherches de Walsh & Diller (1981) semblent offrir des perspectives prometteuses ; les travaux de Galloway (1981) sur les effets de la latéralisation chez des bilingues et des monolingues méritent également d'être signalés ici (cf. d'ailleurs pour une discussion critique de ces travaux Schneiderman 1983). Pour le moment, cependant, ce genre de recherches ne semblent être que d'un intérêt marginal pour la didactique des langues.

● **Explications psychologiques**
Dans la catégorie des théories psychologiques, on distingue trois types selon que ce sont les aspects affectifs, sociaux ou cognitifs qui y dominent.

a) Théories de l'affectivité
Parmi les théories psychologiques de l'affectivité, il faut citer tout d'abord celle du groupe de chercheurs animé par Guiora (cf. 3.4.4). Dans les travaux de ce groupe, les résultats supérieurs des enfants en matière de prononciation sont expliqués en terme de la flexibilité des « frontières du moi ». Citons Guiora & al. (1975 : 46) :
« En considérant la prononciation comme le noyau du moi linguistique et comme la contribution essentielle de la langue à la représentation du moi, on voit que la flexibilité des frontières du moi est reflétée dans la flexibilité avec laquelle les jeunes enfants assimilent une prononciation authentique ; la diminution ultérieure de cette flexibilité se traduit par la diminution de cette capacité chez

les adultes ». Fishman (1966 : 130) pense, lui aussi, que c'est à cause de la consolidation de la personnalité qu'il devient de plus en plus difficile de retourner à des « manières infantiles de parler, de penser, de chercher des mots, d'admettre qu'on a besoin d'aide ». En 1939 déjà, Stengel (cité par Schumann 1975 : 211) a attiré l'attention sur l'écart entre la peur qu'ont les adultes d'avoir l'air comique et l'engouement des enfants pour le déguisement et l'imitation des autres.

b) Théories psychosociales

On trouve une explication de nature psychosociale chez Tarone (1978a : 29), qui suit le raisonnement suivant : « Bien évidemment les enfants se moquent fréquemment et de façon directe de l'accent d'enfants apprenant une Ls, tandis que les adultes ne se moquent pas ouvertement de l'accent d'apprenants d'une Ls. Est-ce que cela pourrait être une des raisons pour lesquelles les enfants acquièrent un accent authentique et les adultes non pas ? » Macnamara (1976 : 178) invoque lui aussi le phénomène du *peer pressure* (c'est-à-dire la pression sociale exercée par le groupe de pairs, cf. 3.7) pour expliquer les bons résultats en prononciation chez les enfants. Dans le même ordre d'idées, Neufeld (1978 : 23) fait remarquer que les enfants sont beaucoup plus tolérants en ce qui concerne les aspects grammaticaux de la langue qu'à l'égard de la prononciation, et que les adultes jugent souvent le niveau de langue d'un enfant en ne considérant que la seule prononciation.

Snow (1977 : 35) accentue l'importance de l'interaction entre apprenants et locuteurs natifs dans l'acquisition d'une langue (Lm ou L2). Il y a une interaction intense et continue entre la mère et son enfant ; par contre, ajoute-t-elle avec regret : « il est peu probable que quelqu'un qui apprend une L2, rencontre un locuteur natif qui le trouve aussi intéressant et aussi charmant que la mère son enfant ». Encore faut-il que cette interaction soit adaptée au niveau atteint par l'apprenant. En général, on constate que les locuteurs natifs adaptent leur langue aux besoins de l'apprenant, mais avec des apprenants plus âgés ils s'expriment d'une façon plus complexe, ce qui pose parfois des problèmes aux adultes. Par contre, ceux-ci tirent probablement plus de profit du matériau linguistique destiné à des tierces personnes (cf. Hoefnagel-Höhle 1977 : 28-30).

A propos de l'importance de l'interaction entre apprenants et locuteurs natifs, il faut attirer l'attention sur une expérience menée par Scarcella & Higa (1981). Ces auteurs partent des deux hypothèses suivantes :

a. pendant une conversation, les apprenants plus âgés prennent une part plus active à la négociation du sens que ceux qui sont plus jeunes ; et

b. les locuteurs natifs présentent un langage plus simplifié (*simplified output*) aux apprenants plus jeunes.

Les sujets de cette expérience sont 14 enfants d'environ neuf ans,

7 adolescents d'environ seize ans et 7 adultes de dix-huit à vingt et un ans. Les résultats confirment les deux hypothèses, ce qui permet aux auteurs de formuler la conclusion suivante : « les locuteurs natifs anglais prennent en charge une part beaucoup plus importante de la négociation pendant une conversation avec des apprenants plus jeunes qu'avec des apprenants plus âgés. Ils offrent une plus grande quantité d'input simple, plus de soutien pour garantir une bonne atmosphère et ils exercent un contrôle constant pour voir si l'enfant fait attention à l'input et s'il le comprend » (Scarcella & Higa 1981 : 429).

Le genre d'input présenté aux enfants satisfait, par conséquent, aux conditions que les auteurs ont établies à partir de plusieurs articles de Krashen : selon celui-ci un input est optimal s'il est

– suffisant au point de vue quantité,
– donné dans une atmosphère non menaçante,
– capté et compris,
– donné à un niveau approprié.

Si donc l'enfant reçoit un input optimal, comment se fait-il que l'adulte soit néanmoins un apprenant plus efficace ? Voici la réponse de Scarcella & Higa (1981 : 430) : « l'input simplifié que reçoit l'apprenant enfant n'est pas aussi « optimal » que l'input que reçoit l'apprenant plus âgé grâce à ses efforts de négociation ». C'est donc grâce à leur participation plus active aux interactions que les adultes obtiennent d'input dont ils ont besoin et qui leur permet d'avancer plus vite. De tout ceci on peut conclure que l'input et le rapport social diffèrent selon l'âge. Il faut observer cependant que les recherches portent uniquement sur l'acquisition des langues en milieu naturel (Ls).

c) Théories cognitivistes

Les théories en psychologie de la cognition rejoignent d'une part la recherche concernant le fonctionnement de la mémoire, d'autre part les théories sur le développement de l'intelligence, comme celle de Piaget.

Ramírez & Politzer (1978 : 331) attribuent les résultats supérieurs obtenus par leurs sujets plus âgés à la capacité plus grande d'intégrer des informations dans leur mémoire et au développement plus avancé de leur système conceptuel (cf. aussi Cummins 1981). Cook (1977 : 7) rappelle que la mémoire à court terme des enfants de trois ans peut retenir 2 éléments, celle des enfants de huit ans quelque 5 éléments et celle des adultes débutants en L2 quelque 5,9 éléments, tandis que la moyenne normale pour les adultes est de 7 éléments (voir 2.1.1). Ce rappel fait naître des doutes au sujet de la validité des tests utilisés pour comparer les résultats des enfants et ceux des adultes. Plusieurs chercheurs présentent les mêmes tests à des sujets d'âges très divers (cf. Ramírez & Politzer 1978 ; Asher & Price 1967 ; Ervin-Tripp 1974, pour n'en citer que quelques-uns) ; on peut se demander si ces tests offrent les mêmes possibilités de réussite aux enfants et aux adultes.

Krashen (1975) et Rosansky (1975) se basent sur la théorie de Piaget. Pour expliquer les différences qui, vers l'âge de dix ans, se produisent dans la façon dont on apprend une L2, ils font appel à ce que Piaget nomme le stade des opérations formelles. Krashen (1975 : 220) explique que : « A ce moment-là, l'enfant commence à formuler des hypothèses abstraites pour expliquer certains phénomènes et il commence à s'intéresser à des solutions générales plutôt que *ad hoc*. Cette « tendance générale à construire des théories » (...) peut inhiber l'acquisition « naturelle » de la langue ; l'individu qui a atteint le stade des opérations formelles n'est pas seulement capable mais peut encore avoir besoin de construire une théorie consciente (une grammaire) de la langue qu'il apprend ». Heilenman (1981) et Ekstrand (1979) défendent également des points de vue basés sur le développement cognitif.

Heureusement, on n'est pas forcé de choisir entre les différentes explications présentées ci-dessus. Chacune des théories met en lumière certains aspects qui sont, en fait, complémentaires. Ce qui fait défaut jusqu'à présent, c'est un essai d'intégration des divers points de vue. On ne sait presque rien sur l'importance relative ni sur les relations réciproques des éléments explicatifs proposés jusqu'ici. Snow (1977 : 35-36) suppose que les adultes qu'elle a examinés obtiennent des résultats supérieurs parce qu'ils sont mieux à même d'organiser et d'établir des relations et que cette faculté compense les désavantages qu'ils ont sur le plan psychosocial. Vraie ou non, cette remarque indique tout un champ inexploré de recherches utiles et fort intéressantes.

3.6 Sexe

Qui des femmes ou des hommes sont plus doués pour les langues ? Telle est la question qui nous occupera dans la présente section. Bien que le facteur sexe ne comporte pas, en soi, beaucoup de problèmes, il est impossible de donner une réponse très brève. Tout d'abord, il sera important de considérer la question séparément pour plusieurs tranches d'âge (3.6.1). Ensuite, il faudra se demander si les différences constatées s'expliquent en termes d'aptitudes ou d'attitudes (3.6.2), ou s'il faut croire à l'existence d'autres particularités susceptibles d'apporter une explication satisfaisante (3.6.3).

3.6.1 Sexe et âge

Celui qui veut se faire une image cohérente des différences entre personnes des deux sexes dans le domaine des L2 a intérêt à considérer à part les données concernant les enfants (4 à 12 ans), les adolescents (12 à ± 17 ans) et les adultes.

•Enfants

Quant aux enfants, les résultats expérimentaux, assez rares, ne sont pas uniformes. Certains chercheurs (Burstall 1975) ont des arguments pour soutenir que les petites filles sont plus fortes que les petits garçons, tandis que d'autres (Fielstra 1967, cité par Cloos 1971 ; Brière 1978) ne trouvent pas de différences ou croient même que, à certains égards du moins, ce sont les petits garçons qui obtiennent les meilleurs résultats (Politzer & Weiss 1969).

•Adolescents

Pour les adolescents, par contre, on dispose d'une quantité considérable de données homogènes. Presque tous les résultats de recherches montrent la supériorité des filles (Vocolo 1967 ; Westphal & al. 1969 ; Politzer & Weiss 1969 ; P. D. Smith 1970 ; Burstall 1975 ; Bogaards 1982b). Il y a pourtant quelques exceptions à cette belle unanimité : Brega & Newell (1967), Politzer & Weiss (s.d.) et Langouet (1979) ne trouvent pas de différences, tandis que Cross (1983) fait état d'une supériorité des adolescents masculins. Ce dernier chercheur explique ce résultat déviant par le fait que, dans l'école où il a effectué sa recherche, il y avait plus d'enseignants, par rapport au nombre d'enseignantes, que dans la moyenne des écoles anglaises. Dans ce contexte, il est intéressant de prendre note d'une remarque de Burstall (1975 : 12) à propos d'une recherche montrant qu'en Allemagne ce sont les garçons qui obtiennent les meilleurs résultats en compréhension écrite, tandis qu'aux Etats-Unis, ce sont les filles. Or, on n'ignore pas qu'aux Etats-Unis, où ont été menées la plupart des recherches citées, l'enseignement secondaire est en grande partie entre les mains de femmes et que, surtout parmi les professeurs de langues, on rencontre peu d'hommes. En Europe, par contre, la profession enseignante, et cela vaut aussi pour les Lé, est beaucoup moins féminisée. On est donc tenté de croire qu'il y a une interaction entre le sexe du professeur et celui de l'élève et que cette interaction peut, en partie, expliquer les exceptions signalées plus haut.

•Adultes

Au niveau de l'enseignement supérieur, les données sont encore plus homogènes : il n'y a plus de différences entre étudiants et étudiantes. C'est ce qui a été constaté entre autres par Pimsleur & al. 1962a, Suter 1976, Carroll 1967/1968 et Liski & Puntanen 1983.

Ainsi donc, **les différences** dans les résultats obtenus en L2 **ne se manifestent pas encore dans l'enseignement primaire,** elles sont nettement **en faveur des filles dans l'enseignement secondaire** (sauf s'il y a parmi les enseignants aussi des hommes) et elles **disparaissent au niveau supérieur** (cf. Cloos 1971 : 418).

3.6.2 Sexe, attitude et aptitude

Si les différences dans les résultats des adolescents des deux sexes s'expliquent, en partie, par l'influence du sexe de l'enseignant, on peut encore se demander si cette influence se fait sentir au niveau des attitudes seulement, ou si d'autres aspects y interviennent également.

Pour ce qui est de la relation entre sexe et attitude, on dispose d'un nombre considérable de résultats expérimentaux très homogènes : les filles (enfants et adolescentes) ont des attitudes plus positives que les garçons ; à l'âge adulte, il n'y a plus de différences entre hommes et femmes (cf. Burstall 1975 ; Bartley 1970 ; Gagnon 1976 ; Bogaards & Duijkers 1983 ; Powell & Littlewood 1983 ; Ludwig 1983). Il paraît donc justifié de voir dans l'attitude un élément explicatif des différences entre les sexes chez les adolescents. Reste à savoir d'où vient cette attitude plus positive des filles.

Burstall (1985 : 8) suggère que l'apprentissage des L2 convient davantage aux filles et qu'elles ont plus besoin des langues dans leur vie professionnelle. Les garçons ne seraient pas sensibles à cette « valeur professionnelle » de la maîtrise des L2. Ces idées sont confirmées dans une grande enquête menée auprès d'élèves de plusieurs filières de l'enseignement secondaire aux Pays-Bas (Claessen & al. 1978 : 165-170) : les filles s'attendent à pouvoir se servir beaucoup plus fréquemment des L2 que les garçons. Chez un groupe d'adultes, anciens élèves du même type d'enseignement, les chercheurs ont pu constater que la pratique professionnelle ne justifie pas ces attentes : hommes et femmes se servent avec la même fréquence des L2 qu'ils possèdent (Claessen & al. 1978 : 281).

Outre la « valeur professionnelle », il semble qu'un autre facteur joue un rôle important. Dans mes recherches personnelles (voir Bogaards 1982b : 66 ; Bogaards & Duijkers 1983 : 140), j'ai pu constater que les garçons sont plus sensibles au facteur « utilité » d'un test d'attitude, tandis que les filles sont plus sensibles au facteur « plaisir ». Ces données sont confirmées par Powell & Littlewood (1983 : 36), qui découvrent plus de raisons instrumentales chez les garçons, et par Ludwig (1983 : 224), qui constate que les étudiants masculins prennent des cours de langues pour des raisons utilitaires plutôt qu'à cause de l'intérêt qu'ils y portent. Powell & Littlewood (1983 : 37) ajoutent encore que, tout en croyant que les langues leur seront utiles, les filles désirent en général des emplois où la connaissance des L2 n'est pas indispensable.

Tout bien considéré, on pourrait avancer l'hypothèse suivante : les filles ont une attitude positive parce qu'elles ont plus ou moins vaguement l'idée que les L2 leur seront utiles, même si elles ne pensent pas à des carrières typiquement féminines ; les garçons n'ont une attitude positive que s'ils voient l'utilité directe et pratique de l'apprentissage des L2.

Jusqu'ici je me suis contenté d'accepter l'attitude comme l'unique explication des différences constatées. Qu'en est-il des aptitudes ? Il y a plusieurs études concernant la relation entre sexe et aptitude (mesurée par des tests tels que le MLAT et le PLAB, voir 3.1) : Carroll & Sapon 1959 ; Carroll 1963 (cité par Burstall 1975) ; Cloos 1964 (cité par Arendt 1967) ; Scherer & Wertheimer 1964 ; P. D. Smith 1970 ; Cloos 1971. Toutes ces études convergent : les filles ont une meilleure aptitude à l'apprentissage des L2 que les garçons. Après ce que j'ai dit à propos des tests d'aptitude (cf. 3.1), on ne s'étonnera pas si je ne m'arrête pas à cette conclusion superficielle. Je propose plutôt ceci : si, comme je le crois, les tests d'aptitude mesurent en grande partie le degré d'adaptation au système scolaire des élèves, on peut conclure des données disponibles que les filles sont plus adaptées à ce système que les garçons. Je reviendrai plus loin sur ce point (voir 3.6.3).

Examinons, enfin, les relations, différentes selon le sexe, entre les résultats en L2 et l'intelligence. Seul Arendt (1967 : 26 ss) mentionne quelques études démontrant que les corrélations entre résultats et intelligence sont plus élevées pour les filles que pour les garçons. Cela veut dire que les garçons pourraient, en général, obtenir de meilleurs résultats qu'ils ne le font, s'ils étaient plus motivés, et que les filles, étant motivées, ont tendance à donner le maximum de leurs capacités.

Résumons ce qui précède en quelques points :

1. dans l'enseignement secondaire, **les raisons utilitaires pour l'apprentissage des L2 jouent probablement un rôle différent selon les sexes ;**
2. **les garçons ont tendance à travailler au-dessous de leurs capacités**, à cause de leur attitude moins positive ;
3. **les filles s'adaptent davantage au système scolaire que les garçons.**

3.6.3 Sexe et langue

Tout n'a pas été dit à propos des relations entre sexe et (apprentissage des) langues. Sans avoir la prétention d'apporter quelque chose de définitif, je veux tout de même présenter quelques réflexions qui ont pour but de servir de fond à ce que je viens de dire.

Pour commencer, il est intéressant de jeter un coup d'œil sur le développement de la Lm chez les garçons et chez les filles. Selon Maccoby & Jacklin (1975, mentionnés par Van der Geest 1981 : 21), ce développement est plus rapide chez les filles jusqu'à l'âge de trois ans. De trois ans jusqu'à onze ans, il n'y a guère de différences entre garçons et filles, bien que les filles soient parfois un peu en avance.

A partir de onze ans, le langage des filles se développe plus rapidement que celui des garçons. Hutt (1972 : 88-89) vient compléter ce tableau en affirmant que « ce n'est que vers la fin de l'adolescence, quand les capacités des garçons ont « mûri », pour ainsi dire, que l'on peut procéder à des comparaisons entre les sexes ». Il sera clair que son point de vue rejoint les grandes lignes des données présentées plus haut.

Selon ce même auteur, l'on croit savoir que l'organisation structurale et fonctionnelle des cerveaux masculin et féminin est différente à partir d'un âge très bas et que le développement intellectuel des filles est caractérisé par le développement linguistique, tandis que chez les garçons des facteurs non verbaux joueraient également un rôle important (Hutt 1972 : 86-95). Le comportement différent par rapport à la langue tiendrait donc à des causes biologiques, et plus précisément à des processus neuro-endocrinologiques différents. Je présente ces données telles quelles, ne me sentant en mesure d'y porter qu'un jugement de profane.

Quoi qu'il en soit, il y a évidemment aussi des facteurs sociaux qui occupent une place importante. Quand Abbé (1976 : 44) compare l'apprentissage des L2 à la « pratique de l'art également peu masculin de l'aquarelle », il rappelle que l'apprentissage des L2 est, en effet, souvent considéré comme une affaire de femmes, pour ne pas dire une affaire efféminée. Le besoin qu'ont les garçons de se conformer aux normes masculines — besoin qui est à son paroxysme pendant l'adolescence — ne les portera pas à une attitude très positive à l'égard de l'apprentissage des L2. Les études en sociolinguistique nous ont appris que les hommes se servent plus volontiers que les femmes d'un langage non standard, de l'argot et de termes grossiers. Une certaine prudence à l'égard de la langue qui caractérise les femmes constitue souvent la norme dans le système scolaire et correspond mieux aux dispositions des filles qu'à celles des garçons. Il n'est donc pas étonnant que, en général, on ait pu remarquer une plus grande adaptation aux structures scolaires et de meilleurs résultats en L2 de la part des filles que de celle des garçons. Et l'on n'ignore pas que « alors qu'il est respectable et peut-être même admirable pour une fille (...) d'être « bonne en langues », cela est considéré comme peu masculin par les garçons, ces capacités étant jugées incompatibles avec d'autres attributs positifs comme la rudesse ou la force et l'audace physiques » (Robinson 1971 : 62 ; cf. aussi Hansen & Robertson 1984 : 103).

Ainsi donc, **les différences en L2 existant chez les adolescents ont des bases affectives aussi bien que cognitives et sont liées tant à des développements cognitifs différents qu'à des normes sociales divergentes.**

3.7 Milieu

Parler du milieu social de l'apprenant dans le contexte d'un chapitre consacré aux caractéristiques personnelles, voilà qui devrait surprendre. Si cela n'étonne pas, néanmoins, c'est qu'on est plus ou moins habitué à voir figurer le facteur « milieu » parmi les variables supposées avoir une influence sur le processus d'apprentissage des L2. Il convient, cependant, de se rendre compte que le milieu, tel qu'il est défini généralement, c'est-à-dire en termes économiques ou culturels, est un facteur d'un autre ordre, qui relève plutôt de la sociologie que de la psychologie. On voit mal comment un tel facteur pourrait avoir une influence *directe* sur le processus d'apprentissage des L2 (cf. ce que j'ai dit à ce propos dans *l'introduction*).

En règle générale, le milieu des apprenants est décrit soit en termes de catégories socio-culturelles (par exemple : diplômes obtenus), soit en termes de statuts socio-économiques (revenus, professions ; cf. par exemple Langouet 1979). Il est clair que des éléments de ce genre ne peuvent, par eux-mêmes, constituer des causes *directes* de la réussite ou de l'échec en L2. *A fortiori*, quand il s'agit d'apprenants adolescents et que c'est le statut de leurs parents qui est pris en ligne de compte, il est impossible de considérer le milieu comme un facteur susceptible d'expliquer directement leurs résultats en L2.

S'il y a une relation entre le milieu social de l'apprenant et ses résultats en L2, celle-ci ne peut être qu'*indirecte* : elle passe nécessairement par l'individu. Tout en subissant l'influence des normes socio-culturelles de son environnement, celui-ci est libre, dans une certaine mesure, de prendre en charge le milieu où il évolue, ou bien de s'en démarquer. En établissant une relation directe entre milieu et résultats scolaires, on évite mal un certain déterminisme. En outre, un tel point de vue rend difficile, sinon impossible, l'explication du cas, fréquent pourtant, où deux enfants de la même famille obtiennent des résultats très différents.

Ce qui doit nous intéresser ici, ce n'est pas tellement le milieu défini en termes objectifs, qui est du domaine de la sociologie, mais **le milieu tel qu'il est vécu subjectivement par l'apprenant.** Quelles sont les normes qu'il a intériorisées ? Quelle est pour lui la valeur des L2 ? Est-ce qu'il pense que ses parents attachent de l'importance à l'apprentissage des L2 ? Voilà le genre de questions à poser à l'apprenant et dont on peut se servir quand on cherche à expliquer ses résultats.

Ce milieu subjectif se manifeste sous forme *d'attitudes* personnelles : ce sont des idées concernant la place et l'importance des L2 telles qu'elles sont perçues et prises en charge par l'apprenant. Par conséquent, ce qui doit constituer l'objet de recherche en didactique des langues, ce sont ces attitudes individuelles.

Quelles sont les instances qui influent sur l'attitude de l'apprenant ? Pour les enfants, ce sont avant tout **les parents.** A plusieurs reprises, des chercheurs ont pu démontrer une influence assez nette des parents sur les attitudes de jeunes apprenants. Ainsi Gardner (1966 : 35) note une corrélation positive entre l'orientation motivationnelle de ses sujets (élèves canadiens anglophones) et celle de leurs parents, qu'il explique dans les termes suivants : « les élèves reflétaient apparemment les attitudes de leurs parents dans le choix de leur orientation ». De la même façon, Jones (1949 : 48-49) découvre que les élèves dont l'un des parents parle le gallois, obtiennent les scores les plus élevés à un test mesurant leur attitude à l'égard de cette langue. Ces données sont partiellement confirmées dans une étude de Gagnon (1976) d'où il ressort que, parmi un grand nombre de facteurs, ce sont l'origine ethnique des parents, l'occupation du père et l'emploi de l'anglais au foyer qui ont une influence significative sur l'attitude des sujets (élèves canadiens francophones). Hansen & Robertson (1984 : 102), par contre, ne trouvent pas d'influence de l'attitude des parents sur celle de leurs enfants.

Il est facile d'imaginer que c'est le parent avec lequel l'enfant passe la plus grande partie de son temps qui a l'influence la plus appréciable sur la mise en place des attitudes envers les langues. A l'appui de cette idée, on peut citer les résultats de deux recherches expérimentales. D'une part, Jones (1949) constate que l'influence des parents sur l'attitude de ses sujets à l'égard du gallois est plus forte si c'est la mère qui parle cette langue. D'autre part, selon Brière (1978) le meilleur prédicteur des résultats en espagnol chez 920 enfants mexicains parlant une quinzaine de langues indigènes, se trouve être la maîtrise de l'espagnol du père. L'auteur donne le commentaire suivant : « Les garçons mexicains natifs passent beaucoup plus de temps avec leurs pères qu'avec leurs mères : ils commencent à travailler aux champs avec leurs pères à un âge très bas. Ils sont avec eux à longueur de journée, ils travaillent à leurs côtés, prennent leurs pauses avec eux et rentrent avec eux. Comme les garçons représentaient approximativement 65 % de la population, il n'est pas trop étonnant qu'un père parlant espagnol ait des effets positifs sur l'apprentissage de l'espagnol » (Brière 1978 : 171).

Une autre instance qui a de l'influence sur les attitudes des apprenants, est **le groupe de pairs**. L'importance de ce groupe croît à partir de la pré-adolescence et atteint son point culminant pendant les premières années de l'adolescence. Là où un enfant de six ans cherche surtout l'approbation de ses parents, le pré-adolescent et, à plus forte raison, l'adolescent essaient d'obtenir celle de leurs camarades (cf. Ingram 1964 : 21-22). Gardner (1973 : 242-243) présente des graphiques montrant clairement que la pression du groupe de pairs est le plus forte vers l'âge de douze ans et commence à diminuer vers l'âge de seize ans. En se référant aux données recueillies dans plusieurs pays par Lambert & Klineberg (1967), Burstall (1975 : 16) affirme que les attitudes favorables à d'autres cultures sont le plus fortes à l'âge de dix ans et qu'elles s'affaiblissent plus tard sous l'effet « d'un développement accéléré du processus de formation de stéréotypes et d'une loyauté accrue à l'égard du groupe de pairs ».

Burt & Dulay (1981 : 185) discutent le cas intéressant d'un petit Japonais de sept ans qui vient s'établir avec ses parents dans l'île d'Hawaï. Dans un premier temps, il reprend le créole anglais de ses camarades de classe plutôt que l'anglais standard de son instituteur. Plus tard, se retrouvant dans un quartier bourgeois, il récupère très vite l'anglais standard de ses nouveaux camarades. Ce cas montre que, dès l'âge de sept ou huit ans, l'influence du groupe de pairs est assez forte, plus forte en tout cas que celle des enseignants. Les auteurs croient pouvoir formuler la règle générale suivante : le locuteur prend comme modèle ses pairs plutôt que ses professeurs, ses pairs plutôt que ses parents et les membres de son propre groupe ethnique plutôt que les locuteurs n'appartenant pas à ce groupe. On voit facilement les implications pratiques de cette règle, surtout au niveau de l'enseignement des Ls à des (pré-)adolescents.

L'on cherche en vain des données expérimentales à propos de l'influence du groupe de pairs sur les attitudes à l'égard de l'apprentissage des L2. Par contre, plusieurs chercheurs ont étudié les rapports entre l'attitude des parents et les résultats en L2 de leurs enfants (cf. Scherer & Wertheimer 1964 : 53 ; Carroll 1967/1968 : 138 ; Feenstra 1969 : 8). Etant donné qu'il s'agit d'une relation indirecte, il n'est pas surprenant que les corrélations trouvées, quoique toujours positives, soient peu élevées et non significatives.

Restant dans le cadre des causes directes, j'ai proposé à des élèves débutants ($\pm$ 12 ans, français Lé) un questionnaire visant à recueillir des informations sur leur milieu linguistique vécu. Ce questionnaire comportait des questions telles que :

— est-ce que tes parents parlent des langues étrangères ?

— est-ce que, chez vous, il y a des personnes qui lisent des journaux étrangers ou qui regardent des programmes télé émis dans d'autres langues ?

— est-ce que tes parents estiment que l'apprentissage des langues est important ? Et tes camarades ?

Même dans ce cadre, les corrélations avec les mesures d'attitudes ainsi qu'avec les critères étaient peu élevées (+ .10) et non significatives. Le facteur « milieu », tel que je l'ai défini ici, ne semble donc pas avoir une influence notable sur l'apprentissage des L2 à l'école (cf. Bogaards 1986).

En résumé, on peut affirmer que, dans le cadre d'une étude des facteurs psychologiques exerçant une influence sur l'apprentissage des L2, **le milieu social des apprenants ne doit entrer en ligne de compte que dans la mesure ou ceux-ci ont assumé ce milieu.** Il faut donc examiner ce facteur en étudiant le milieu tel qu'il est vécu par les apprenants. Les quelques données dont on peut disposer dans ce domaine semblent indiquer, cependant, qu'une telle variable est d'une importance extrêmement limitée.

3.8 Stratégies

Le terme stratégie revient de plus en plus souvent dans les travaux concernant l'apprentissage des langues, suggérant que l'apprenant choisit consciemment les moyens jugés les plus efficaces pour accomplir sa tâche. Plus d'une fois aussi ces stratégies sont présentées comme des caractéristiques individuelles de l'apprenant. C'est pourquoi il faut en parler dans le cadre de ce chapitre.

Dans la présente section, j'essaierai d'abord d'éclaircir la notion de stratégie (3.8.1). Ensuite je traiterai des aspects les plus importants de ce qu'on est convenu d'appeler les stratégies de communication (3.8.2) et les stratégies d'apprentissage (3.8.3).

3.8.1 Qu'est-ce qu'une stratégie ?

Le *Petit Robert* définit une stratégie comme un ensemble d'actions coordonnées, de manœuvres en vue d'une victoire. Les éléments essentiels de cette définition sont l'idée d'**action** et celle de **finalité**. Employer une stratégie, c'est **agir** pour atteindre un **but** déterminé.

Malheureusement, cette définition n'est pas très précise, étant donné qu'on retrouve ces activités et ces buts à atteindre dans la définition d'un certain nombre d'autres termes, tels que **tactique, plan, processus** ou **approche**. Il s'agit donc de bien délimiter les significations respectives de chacun de ces termes. Essayons de trouver une terminologie claire et cohérente.

Le terme **approche** me semble avoir la signification la plus large. Il désigne une façon assez globale de résoudre des problèmes : on peut essayer d'atteindre son but d'une manière aventureuse ou avec circonspection ; on peut s'attaquer à des problèmes agressivement ou plutôt de façon conciliante. Ce terme semble ainsi se définir au moyen de notions liées à la personnalité et aux attitudes. On ne possède pas une approche spéciale pour chaque but à atteindre : dans toutes les situations de résolution de problèmes, c'est une certaine approche, un style déterminé qui caractérise le comportement d'un individu et qui constitue peut-être même son caractère.

La notion de **plan** nous amène à un niveau plus spécifique. C'est en vue de la réalisation d'un but bien déterminé qu'on élabore un plan. Miller & al. (1960 : 16-17) associent les plans aux programmes des ordinateurs, c'est-à-dire à des algorithmes conçus pour l'exécution ultérieure d'activités précises. Ce qu'il faut souligner, c'est qu'un plan, qui peut être plus ou moins élaboré, précède l'exécution concrète de l'activité. On retrouve cette distinction entre projet et exécution chez Clark & Clark (1977 : 224).

Miller & al. (1960 : 17) donnent une description du comportement humain sous forme d'un modèle hiérarchisé, dans lequel ils font la distinction entre unités globales et unités moléculaires. Les premières unités comprennent les **stratégies**, les secondes les **tactiques**. On peut donc établir l'ordre suivant, en fonction de la spécificité des termes retenus : **approche - plan - stratégie - tactique.**

Mais ranger ces termes dans un ordre de spécificité par rapport à un but déterminé ne résout pas tous les problèmes. Il faut, en outre, indiquer, de façon aussi exacte que possible, les limites entre les notions. L'état actuel des connaissances psycholinguistiques ne permet malheureusement pas d'être tout à fait explicite sur ce point. Pour ne pas trop compliquer les choses et pour rester en accord avec l'usage en didactique des langues, je ne me servirai pas du terme **tactique.** Ne sont donc retenus que les termes **approche, plan** et **stratégie.**

Le degré de spécificité par rapport au but visé n'est pas l'unique distinction entre ces termes. Le **plan** appartient à la phase de formation de projets, tandis que la **stratégie** intervient au niveau de l'exécution. L'**approche,** enfin, est une caractéristique assez stable de l'individu.

Reste à définir le terme de **processus.** Ici, c'est une distinction d'une autre nature qui entre en jeu. On peut opposer les processus aux stratégies en mettant l'accent sur le rôle de l'attention explicite. Les stratégies sont des opérations contrôlées, demandant l'attention explicite du locuteur, tandis que les processus sont des opérations automatisées. Plutôt que d'invoquer le degré de conscience, je préfère reprendre ici la distinction élaborée par Shiffrin et Schneider (cf. 2.3.2). Pour ce qui est des plans, ils peuvent être élaborés de façon contrôlée ou automatisée. Dans ce qui suit, le terme **d'opération** sera utilisé pour couvrir les stratégies et les processus. La figure 3.8.1 essaie de visualiser les rapports entre les termes dont il a été question jusqu'ici.

Figure 3.8.1 : approche, plan, stratégie, processus.

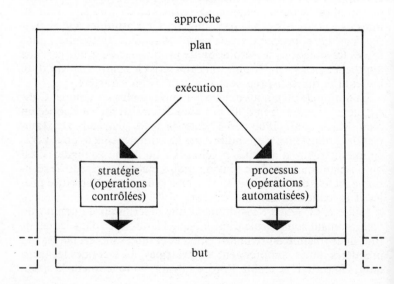

Regardons maintenant ce qu'il en est des stratégies en didactique des langues. Corder (1981 : 104-105) propose deux types de stratégies, à savoir celles où le locuteur essaie d'éviter les risques en exprimant ce qu'il veut dire uniquement dans la mesure où il se sent sûr de ses moyens linguistiques, et celles où il exprime tout ce qu'il veut dire, quitte à inventer des mots et des tournures n'existant pas dans la langue cible. L'auteur ajoute (p. 106) qu'il existe probablement des facteurs personnels entrant en jeu dans le choix de ces deux stratégies. C'est pourquoi il vaut mieux, à mon avis, parler d'approches que de stratégies. D'autres distinctions proposées dans le cadre de l'étude des stratégies et qu'on peut également ranger dans la catégorie des approches, sont celles de Hatch et de Seliger. Hatch (voir Rivers 1976) parle de *rule-formers*, qui organisent l'input dès le début, et de *data-gatherers*, qui rassemblent plutôt des éléments isolés. Seliger (1977) établit une distinction entre individus recherchant activement l'interaction avec les locuteurs de la langue cible (les *high input generators*) et d'autres qui ont une attitude plus passive (les *low input generators*). Dans tous ces cas, il s'agit de caractéristiques assez stables des locuteurs-apprenants plutôt que d'activités ponctuelles en réaction à des problèmes précis (cf. Faerch & Kasper 1980 : 75-76 ; Palmberg 1983 : 95), ce qui fait qu'il ne faut pas parler de stratégies mais d'approches.

Une distinction que l'on retrouve très fréquemment dans les travaux traitant des stratégies en L2, est celle entre **stratégies d'apprentissage** et **stratégies de communication**. Dans un premier temps, cette distinction semble tout à fait claire. Si les objectifs sont très différents — dans un cas acquérir des connaissances, dans l'autre utiliser des connaissances acquises — les stratégies mises en œuvre doivent également être très diverses (cf. Bautier-Castaing & Hébrard 1980 : 71). Pourtant, l'opposition perd de son évidence quand on se rend compte, avec Frauenfelder & Porquier (1979 : 55), qu'« une situation de communication peut toujours être une situation d'apprentissage ». On peut, en effet, se servir de la langue cible sans aucune intention d'apprentissage et s'apercevoir après coup qu'on a tout de même appris certaines choses. N'est-il pas vrai que c'est justement en employant la langue (L2 aussi bien que Lm) qu'on apprend à maîtriser cette langue ? En outre, chaque fois qu'on se sert de tel mot ou de telle structure, ce mot ou cette structure sont plus abordables en mémoire et sont, par conséquent, davantage automatisés (cf. la définition de l'apprentissage des L2 en fin de 2.3.2). Loin de vouloir brouiller les pistes, ces remarques veulent souligner l'importance de distinctions bien définies. Malheureusement, ce genre de distinctions n'est pas toujours bien observé en théorie, ce qui a mené, dans certains cas, à des listes très disparates de « stratégies » (par exemple Rubin 1975 ; Bialystok & Fröhlich 1978).

Avant d'entrer dans le détail des stratégies d'apprentissage ou de communication dans le contexte de l'apprentissage des L2, il est utile de délimiter ce champ de recherches par rapport à un domaine avoisinant, où il est également question de stratégies, c'est-à-dire celui de l'*interaction langagière*. Dans ce domaine, les questions abordées sont entre autres : que peut faire un locuteur pour convaincre un adversaire pendant une conversation ? Comment peut-il procéder, lors de réunions, pour faire accepter ses propositions ? Il ne faut pas confondre ce genre de stratégies, appelées *stratégies du discours* ou *stratégies conversationnelles*, avec les stratégies de communication dont il sera question ici. Jusqu'à présent, les premières ont surtout fait l'objet de recherches concernant le comportement de locuteurs natifs (cf. Gumperz 1981), mais depuis peu de temps, on commence à les étudier également dans le cadre de la didactique des L2 (cf. Carton 1983). Bien que l'importance des stratégies conversationnelles puisse être grande, surtout pour des apprenants avancés, je ne m'en occuperai pas dans ce qui suit.

3.8.2 Stratégies de communication

La définition suivante, proposée par Faerch & Kasper (1980a : 18), entre bien dans les réflexions théoriques présentées ci-dessus : « Les stratégies de communication sont des programmes, potentiellement conscients, qu'un individu adopte pour résoudre ce qu'il se représente comme un problème pour atteindre un objectif communicationnel particulier ». Dans cette définition on retrouve l'idée qu'une stratégie est utilisée là où un individu est confronté à un problème, ce qui implique qu'une stratégie est une activité déployée en vue d'un but déterminé et que cette activité demande l'attention explicite du locuteur. A l'expression « potentiellement conscients », on peut cependant préférer le terme « contrôlés », tant qu'il n'a pas été prouvé que les processus automatisés sont totalement cachés à l'introspection.

Dans un article récent, Faerch & Kasper (1984) défendent leur définition, qu'ils qualifient de psycholinguistique, contre celle proposée par Tarone (1980 : 419) qui adopte un point de vue interactionnel. Cet auteur définit les stratégies de communication comme « des tentatives mutuelles de deux interlocuteurs de tomber d'accord sur une signification dans des situations où les structures sémantiques requises ne semblent pas être partagées ».

Il s'agit donc, dans ce cas, d'une négociation du sens entre un locuteur apprenant et un locuteur natif, dont le premier essaie d'utiliser ses connaissances imparfaites de la L2, tandis que l'autre restreint ses moyens linguistiques à ceux qu'il croit être à la portée du locuteur non natif (*foreigner talk*). Pour plusieurs raisons, Faerch & Kasper (1984 : 52) récusent une telle définition interactionnelle.

Tout d'abord ils montrent que les types de stratégies retenus par Tarone sont repris tels quels de travaux antérieurs, basés sur une définition non interactionnelle. Il semble, en effet, difficile de redéfinir des stratégies telles que « formation de mots » (*word coinage*) ou « traduction littérale » de telle façon qu'elles décrivent non seulement le comportement de l'apprenant mais encore celui du locuteur natif dans son interaction avec ce dernier. Ensuite, Faerch & Kasper (1984 : 54-55) démontrent que, dans une approche interactionnelle, les stratégies de communication, telles qu'elles sont mises en œuvre par les apprenants, perdent leur spécificité parmi d'autres stratégies (stratégies conversationnelles, voir plus haut) et qu'en mettant l'accent sur l'interaction, on perd de vue une grande partie du comportement stratégique des apprenants. Dans ce qui suit, j'adopterai le point de vue psycholinguistique parce que celui-ci me semble, en effet, mieux cerner les problèmes qui doivent occuper tout d'abord les didacticiens des langues.

Faerch & Kasper (1980a : 18-19) distinguent trois catégories de stratégies :

1. *stratégies de réduction formelle* : « L'apprenant communique à l'aide d'un système réduit, afin d'éviter de produire des énoncés laborieux ou incorrects du fait de règles ou d'items insuffisamment automatisés ou hypothétiques ».

2. *Stratégies de réduction fonctionnelle* : « L'apprenant réduit ses objectifs communicationnels afin d'éviter un problème ».

3. *Stratégies d'accomplissement* : « L'apprenant tente de résoudre un problème de communication en étendant ses ressources communicationnelles ». Cette catégorie est subdivisée en stratégies de production et stratégies de réception.

Dans la deuxième catégorie, on rencontre aussi des stratégies dites d'éludage ou d'évitement. Cela est étonnant : les stratégies de communication ayant justement pour but de transmettre un message, il faut se demander si on a toujours affaire à des stratégies là où le locuteur décide de changer son message ou de ne pas le transmettre du tout. Pareille décision ne mène en aucun cas à la victoire dont les stratégies sont censées se charger. Je propose de parler plutôt, pour décrire ce cas, d'un **comportement d'évitement**. De cette façon, on garde au terme de stratégie son entière signification, tout en faisant mieux ressortir les problèmes particuliers posés par la transmission de message dans des situations où les moyens appropriés font défaut.

Un autre point de critique concerne le caractère opératoire de la classification. Comment peut-on savoir si un individu se sert de telle ou telle stratégie ? Pour répondre à cette question Faerch & Kasper (1980a : 20-23) introduisent le terme **marqueurs de stratégies**. Ces marqueurs sont des signes, explicites ou implicites, d'incertitude. Un locuteur donne un signe explicite d'incertitude quand il dit, par exemple : « Je pense que ça s'appelle... », « Je ne sais pas comment... », « Vous comprenez ? » ou « Je ne comprends pas ».

Parmi les signes implicites, les auteurs rangent, entre autres, les pauses, les soupirs, la respiration forte, les rires, ainsi que les faux départs et les répétitions. Evidemment, les marqueurs de stratégies ne fournissent pas, à eux seuls, une réponse satisfaisante à la question posée ; ils ne font que signaler à l'observateur que le locuteur se trouve face à un problème. Ils ne donnent aucune indication sur le type de stratégie choisi, ni d'ailleurs sur le genre de problème rencontré (cf. Raupach 1983 : 200).

Les résultats de deux recherches expérimentales (Palmberg 1981-1982, Zeeman 1982) concernant l'utilité des distinctions proposées par Faerch & Kasper font naître d'autres doutes à propos de la valeur opératoire de celles-ci. Palmberg demande à quatorze juges de se prononcer sur les stratégies employées par vingt-trois apprenants de l'anglais. Comme les jugements sont peu homogènes, l'auteur en arrive à la conclusion qu'il est difficile d'appliquer le couple « stratégies de réduction — stratégies d'accomplissement » à des données authentiques. Zeeman, de son côté, se demande si ses sujets se servent davantage de stratégies de réduction dans des situations où on leur demande de mettre l'accent sur la correction de leur performance que quand on leur dit de transmettre à tout prix le message ; cet auteur parvient à la même conclusion que Palmberg : l'opposition entre les deux types de stratégies ne se prête pas à la recherche expérimentale.

Ces résultats mènent à la conclusion que la classification de Faerch & Kasper est dans une large mesure spéculative : **jusqu'ici, aucun critère ne permet de savoir si le locuteur se sert d'une stratégie, ni de déterminer, si tel est le cas, quelle stratégie il a choisie.** La même conclusion s'impose à propos d'autres classifications (par exemple celles proposées par Tarone 1978b ou Bialystok & Fröhlich 1980).

Ce qui frappe dans la plupart des recherches sur les stratégies de communication, c'est que les chercheurs ont pensé pouvoir déterminer après coup dans quels cas ils avaient affaire à des stratégies et de quelles stratégies il s'agissait. Il est clair qu'une telle approche *post hoc* présente de sérieux inconvénients méthodologiques. En fait, plus d'un chercheur a tenté de décrire, à partir des **produits** linguistiques de leurs sujets, les **processus** psycholinguistiques mis en jeu. Comme le fait remarquer à juste titre Jordens (1977 : 6), il est impossible d'induire des produits les règles qui les ont générés.

Parfois, on semble croire que les stratégies ne peuvent mener qu'à des *erreurs* ou, pour le moins, à des formes déviantes de la langue cible. Bialystok & Fröhlich (1980), par exemple, donnent une liste de stratégies menant toutes à des échecs, complets ou partiels. Avec plus ou moins de nuances, on peut en dire autant des listes présentées par Tarone (1978b) et Faerch & Kasper (1980a). Pour bien saisir le rapport entre stratégie et erreur, il faut se rendre compte, d'une part, que les stratégies peuvent avoir du succès, et, d'autre part, que certaines fautes ne sont pas dues à l'utilisation d'une stratégie mais sont le résultat de processus automatisés. Dans ce dernier cas, on a affaire au phénomène de la **fossilisation** : plus d'un apprenant se sert automatiquement de règles ou d'éléments appartenant non pas à la langue cible mais à une partie stabilisée de son interlangue. En prenant les erreurs comme des marqueurs de stratégies, on risque de négliger les stratégies efficaces et de voir des stratégies là où elles n'ont pas été utilisées.

Un autre aspect important de l'étude des stratégies, mais qui a été trop négligé jusqu'ici, concerne les causes des problèmes rencontrés. Une première cause est évidemment constituée par les connaissances imparfaites de l'apprenant : il lui manque tout simplement certaines connaissances lexicales, morphologiques ou autres. Dans ce cas, on parle d'**ignorance** (cf. Kellerman 1977). Mais il ne s'agit pas toujours de l'ignorance pure et simple, d'un manque total de connaissances. Une autre source de problèmes peut être le **manque d'automatisation**. Le locuteur-apprenant peut connaître les règles morphologiques ou les éléments lexicaux dont il a besoin, sans que ceux-ci soient disponibles de façon automatique. Dans ce cas, il a donc besoin de faire explicitement attention au choix des éléments nécessaires ; en d'autres termes, il procède par des voies contrôlées, il utilise des stratégies pour atteindre son but. Enfin, le locuteur-apprenant peut se créer des problèmes par **les idées qu'il a sur la distance entre la L2 et sa Lm**. S'il croit que les deux langues sont très proches, il aura tendance à appliquer, de façon plus ou moins automatique, les règles de sa Lm quand il se sert de la L2 (penser à « l'espagnol » ou à « l'italien » de certains francophones essayant de parler ces langues). Si, par contre, il se méfie des correspondances entre les deux langues, il voudra éviter tout ce qui se ressemble, à tel point qu'il n'osera même plus employer les éléments de sa Lm qui sont des emprunts directs de l'autre langue (cf. le cas du « babysitter », mot anglais repris en danois et dont un des sujets de Faerch & Kasper (1980a : 17) ose à peine se servir). Dans cet ordre d'idées, l'étude de Kellerman (1980) sur la potentialité de transfert des sens propres ou figurés d'un mot polysémique est fort intéressante.

Outre la détermination de la nature exacte et de l'origine du problème rencontré, l'étude des stratégies devra comporter la description de la stratégie choisie. Par rapport à ce dernier aspect, on retrouve partout une distinction entre stratégies *basées sur la Lm* et menant fréquemment à des *erreurs d'interférence*, et stratégies *basées sur les connaissances de la L2*, qui mènent en principe à des *erreurs de surgénéralisation*. Cette distinction, pour utile et nécessaire qu'elle puisse paraître, n'est pas sans poser des problèmes d'ordre méthodologique. La catégorisation d'une erreur comme étant due à l'interférence plutôt qu'à la surgénéralisation dépend surtout, en règle générale, du point de vue adopté par le chercheur. Celui-ci peut privilégier l'une des deux explications, mais très souvent les erreurs et les stratégies se laissent expliquer aussi facilement dans le cadre de l'une que de l'autre catégorie (cf. Jordens 1977 : 6).

On a beau définir les erreurs de surgénéralisation comme des erreurs ne pouvant pas être attribuées à l'influence de la Lm ni prédites par une analyse contrastive, comme le fait Taylor (1975), il n'en demeure pas moins que la classification des erreurs se base presque exclusivement sur des décisions intuitives. Taylor compare deux groupes d'apprenants d'anglais L2 (des débutants et des apprenants intermédiaires) et constate que les débutants tablent surtout sur le transfert de la Lm, tandis que les apprenants intermédiaires font davantage appel à leurs connaissances de l'anglais. L'auteur en conclut à une évolution dans l'emploi des stratégies allant de celles basées sur la Lm à celles où les connaissances de la langue cible jouent un rôle toujours plus important. On retrouve des idées semblables chez Bialystok & Fröhlich (1980 : 27). En raison des problèmes non résolus que je viens d'évoquer, de telles conclusions me semblent être sujettes à caution. L'intérêt majeur des études citées réside dans le fait qu'elles attirent l'attention sur l'importance du niveau de maîtrise en L2 par rapport au choix des stratégies.

Jusqu'ici les stratégies ont surtout été étudiées « de l'extérieur » : c'est le chercheur qui décide, après coup, si le locuteur a employé une stratégie et, si tel est le cas, de quelle stratégie il s'est servi. On pourrait également tenter d'attaquer le problème « de l'intérieur », en demandant au locuteur s'il a utilisé des stratégies et, si oui, lesquelles. Pour ce faire, on peut recourir à divers types d'*auto-évaluation*. Cohen & Hosenfeld (1981) donnent un aperçu des techniques utilisées dans ce domaine et en arrivent à la conclusion que l'auto-évaluation peut fournir des données précieuses et fiables quant à l'apprentissage des langues. Cohen (1984) présente trois techniques utilisables dans ce cadre :
– *l'auto-rapportage*, où le sujet décrit son approche globale ;
– *l'auto-observation*, sous forme d'introspection (immédiate) ou de rétrospection (en différé) ;
– *l'auto-révélation*, où le sujet verbalise tout haut ce qu'il pense pendant l'exécution d'une tâche (*thinking aloud*).
Ce genre de techniques peut en effet utilement compléter les données souvent trop spéculatives des chercheurs. Je dis bien : compléter, et non pas : remplacer. Evidemment, l'on ne peut pas s'attendre à ce que les informations fournies par les apprenants soient moins intuitives que celles des chercheurs.

3.8.3 Stratégies d'apprentissage

A la fin de la section 2.3.2, j'ai proposé une définition psycholinguistique de l'apprentissage des L2. Il y était question du stockage d'informations dans la mémoire sémantique, de la création de relations et de la mise en place de circuits automatisés. Quand on parle de stratégies d'apprentissage, il s'agit de savoir *comment* se présentent ces opérations.

En fait, on ne connaît pas grand-chose sur la façon dont les informations entrent dans la MLT. Une des descriptions les plus explicites, mais toujours spéculatives, est celle fournie par Frauenfelder & Porquier (1979). Ces auteurs donnent le schéma suivant (voir figure 3.8.3).

Figure 3.8.3 : Représentation schématique de l'apprentissage (Frauenfelder & Porquier 1979).

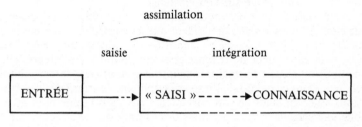

Dans ce schéma, l'ENTRÉE représente tout le matériel linguistique offert à l'apprenant (l'input) et le « SAISI » tout ce qui en est effectivement reçu ou compris (l'intake). Normalement, il y a une différence considérable entre l'entrée et le « saisi ». Ce décalage peut être imputé d'une part à des caractéristiques de l'entrée (la façon de la présenter, l'ordre de présentation, le dosage), d'autre part à des caractéristiques de l'apprenant (l'état de sa grammaire, facteurs affectifs, préférence auditive ou visuelle). Ce qui est saisi peut être intégré à la CONNAISSANCE, mais tout ce qui est saisi n'y est pas nécessairement intégré : il se produit des phénomènes de rejet, de tri et d'élimination.

Frauenfelder & Porquier (1979 : 45) sont conscients que leur modèle « n'inclut pas une description détaillée des mécanismes d'apprentissage », et ils ajoutent : « Pour clarifier la sélection qui s'opère dans le passage de la saisie à l'intégration, on peut considérer que l'apprentissage se fait par des processus inconscients de formulation et de vérification d'hypothèses (...). En fait, dans l'itinéraire de l'entrée à la connaissance, on pourrait considérer saisie et intégration comme un processus global d'assimilation à l'intérieur duquel la formation d'hypothèses joue un rôle capital, mettant en jeu un certain nombre d'opérations cognitives (généralisation, catégorisation, différenciation). »

Ce qui peut étonner, c'est que, après avoir décrit l'apprentissage comme un processus global et inconscient, les auteurs parlent un peu plus loin (p. 54) de stratégies d'apprentissage, dont ils citent, en renvoyant à un article de Bialystok & Fröhlich, les exemples suivants : inférence, stratégies mémorielles, pratique systématique (répétition mentale), simplification de l'entrée, association, sollicitation d'entrée. Mais est-ce qu'il s'agit, dans tous ces cas, de stratégies, c'est-à-dire d'opérations contrôlées destinées à atteindre un but précis ? Frauenfelder & Porquier (1979 : 54) semblent en douter eux-mêmes. D'une part, ils avouent que « la distinction entre processus et stratégies n'est pas toujours nette », d'autre part, ils affirment que « l'activité d'apprentissage étant souvent inconsciente, les stratégies (sont) peu observables ». Evidemment, le fait qu'on rencontre des difficultés quand on tente d'observer un phénomène, ne prouve en rien que ce phénomène n'existe pas. Toutefois, s'il est réellement impossible d'observer un phénomène, il est inévitable qu'on s'interroge sur son existence.

Cette réflexion est provoquée par la fin de la phrase que je viens de citer et où les auteurs prétendent que les stratégies « doivent être inférées à partir de la sortie ou identifiées par introspection » (p. 54). Or, si la sortie peut nous renseigner sur ce qui a été intégré, elle ne nous dit rien, en principe, sur *la façon* dont cette intégration a eu lieu. Pour ce qui est de l'introspection, elle fournira des descriptions assez globales de comportements auxquels l'apprenant attribue une certaine efficacité, mais dont l'importance effective n'est pas facile à établir.

Tout compte fait, il y a plusieurs raisons d'être très prudent à l'égard du terme stratégie d'apprentissage. Tout d'abord, on connaît très mal les opérations menant à un certain acquis, mais tout porte à croire qu'il s'agit plutôt de processus (non contrôlés et non conscients) que de stratégies. Ensuite, aucun chercheur n'a fourni jusqu'ici de critères opératoires permettant de dégager des « stratégies » individuelles d'apprentissage ; ni l'introspection ni les explications *post hoc* ne semblent susceptibles de procurer ces critères. Si l'on veut qu'il y ait un certain parallélisme dans l'emploi du terme stratégie appliqué à la communication et à l'apprentissage — en d'autres termes, si on veut que le terme soit défini, dans les deux cas, au même niveau psycholinguistique — il faut conclure qu'**il est prématuré de parler de stratégies d'apprentissage**.

Ce qui est présenté sous le nom de stratégies d'apprentissage peut parfois être décrit comme des **comportements**. C'est le cas de la liste des « stratégies cognitives pouvant contribuer à l'apprentissage des Ls » de Rubin (1981). On y trouve des comportements directement observables comme « demande de répétition » ou « prononciation à haute voix », à côté d'interprétations plutôt spéculatives telles que « l'apprenant infère des règles grammaticales par analogie ». Chez Wesche (1979), il n'est question que de comportements directement observables tels que « participation aux jeux de rôle » ou « répétition volontaire de sons et de mots ». Mais comportement d'apprentissage n'est pas nécessairement apprentissage, et plus les comportements sont observables, moins ils semblent contribuer directement au résultat final. De toutes façons, Naiman & al. (1978 : 65), qui ont étudié expérimentalement ce genre de comportements en milieu scolaire, ont dû constater qu'il a été impossible d'isoler des techniques ou des stratégies caractérisant le bon apprenant.

Plus près de l'apprentissage pris dans le sens restreint que je réserve à ce terme, se trouvent les recherches de Painchaud-Leblanc (1979) et de Doca (1981). Selon Painchaud-Leblanc (1979 :15), la différence entre un groupe d'apprenants rapides et un groupe d'apprenants lents réside dans le fait que les premiers « semblent connaître intuitivement les stratégies appropriées à l'apprentissage d'une langue seconde, tandis que les apprenants lents semblent choisir des stratégies plus inefficaces ». Ces derniers se serviraient sans distinction des règles de leur langue maternelle, auraient davantage recours à leur mémoire et préféreraient utiliser des éléments connus plutôt que d'essayer de faire usage de nouveaux éléments, ce qui mène à des simplifications malvenues. Doca (1981 : 121-122) constate que ses sujets appliquent trois stratégies universelles d'apprentissage :

– *la régularisation*, c'est-à-dire la tendance à trouver des catégories et à formuler des règles expliquant les faits isolés ;

– *l'influence de la forme considérée forte*, où l'apprenant essaie de rattacher les nouveaux éléments à des éléments déjà connus en L2, sans parvenir à formuler une règle ou un critère précis ;

– *la contamination*, principe selon lequel l'apprenant intègre de nouvelles connaissances en L2 « par le biais de leur « rattachement » à des mots, syntagmes, structures grammaticales qui font partie du système linguistique correspondant à la LB (= langue maternelle) ou qui appartiennent aux connaissances déjà acquises en LC (= langue cible) ou dans les langues tierces ».

D'autres chercheurs ont essayé d'attaquer par un biais plus théorique la problématique qui nous occupe ici. Reibel (1971) pose l'existence de principes et de procédures : les *principes* sont ce que l'apprenant sait avant même d'entamer l'apprentissage d'une L2, tandis que les *procédures* sont les opérations d'application de ces principes dans une situation donnée. Ces opérations d'application seraient sujettes à des différences individuelles, mais Reibel (1971 : 95) ne donne que des indications très vagues quant à leur nature. McLaughlin (1978 : 321) parle de *procédures de découverte* qu'il divise en heuristiques universelles d'acquisition (simplification, généralisation) et procédures opératoires, variables d'un individu à l'autre. Ici encore, on cherche en vain toute spécification opératoire de cette variabilité. Malgré leur côté spéculatif, ces propositions théoriques sont intéressantes.

Dans le domaine des stratégies, domaine qui a connu un grand essor depuis 1975 environ, le bilan des résultats concrets n'est pas encore très positif. Si les « stratégies d'apprentissage » semblent, pour le moment, se dérober aux interrogations des chercheurs, une étude sérieuse des stratégies de communication peut être entreprise dès maintenant, à condition toutefois que les termes et les méthodes de travail soient bien définis.

4. Caractéristiques de l'enseignant

Dans l'introduction au deuxième chapitre de ce livre, j'ai affirmé que, dans le processus d'apprentissage des L2, c'est l'apprenant qui joue le rôle principal, et que, par conséquent, l'enseignant occupe une place secondaire. Le but du présent chapitre est d'éclaircir ce rôle et de déterminer l'importance de l'intervention de l'enseignant dans l'apprentissage des langues à l'école.

Pour éviter, dès le début, tout malentendu : « place secondaire » ne veut aucunement dire que le rôle de l'enseignant soit sans importance. Ce que je veux souligner en utilisant ce terme, c'est que, en fin de compte, la décision d'apprendre ne peut être prise que par l'apprenant. Qu'il y ait apprentissage ou non, cela dépend de l'apprenant ; l'enseignant ne peut que mettre en place les conditions favorisant l'apprentissage : son rôle est de se mettre au service de l'apprenant qui, lui, peut profiter de ses services, ou non.

Dans les travaux en didactique des L2, on trouve des avis très divergents quant au rôle de l'enseignant. Pour les uns, l'influence de celui-ci est extrêmement limitée (cf. Moody 1976 : 460) ; pour les autres, au contraire, ce serait, tout bien considéré, le professeur qui décide de l'échec ou du succès de ses élèves (cf. Moskowitz 1976 : 135). La contradiction contenue dans ces deux points de vue n'est cependant qu'apparente : il est question de deux aspects différents du rôle de l'enseignant. Dans le premier cas, il s'agit du côté cognitif, dans le second du côté affectif. Etant donné que ces deux aspects mènent à des conclusions extrêmement différentes, je propose de les traiter séparément, tout en sachant que, dans la pratique, ils sont inséparables. Je traiterai d'abord les aspects cognitifs (4.1) et je consacrerai une section spéciale à la notion de méthode (4.2). Ensuite, je m'occuperai des aspects affectifs (4.3) et des prévisions que l'enseignant établit à propos de ses élèves (4.4).

4.1 L'enseignant face à l'apprenant : aspects cognitifs

Dans la synthèse d'un atelier sur la gestion de l'apprentissage, Coste (1981 : 97-98) signale deux positions extrêmes quant au rôle de l'enseignant. Selon le premier point de vue, c'est à l'enseignant de gérer l'apprentissage, parce que les apprenants n'en sont pas capables « pour la bonne et claire raison que nul ne saurait raisonnablement avoir son mot à dire dans ce à quoi il ne connaît rien ». L'autre position extrême consiste à affirmer que « l'apprenant est le mieux (voire le seul) à même d'adapter, de régler et d'abord d'organiser *son* apprentissage » ; selon ce point de vue, le rôle de l'enseignant ne peut être que marginal. Coste ne manque pas de relever deux « évidences massives » qui sont suggérées par les deux positions mentionnées :

« 1) Une langue, ça ne s'invente pas ; son organisation ne dépend pas du bon vouloir et des capacités d'innovation de ceux qui apprennent ;

2) L'apprentissage, ça ne se télécommande pas : son processus est d'abord celui d'un sujet ayant ses attentes, ses habitudes et ses stratégies personnelles ».

Rejetant chacune des deux positions extrêmes, Coste présente ce qu'il appelle la « gestion partagée » ; selon lui, c'est là « la seule voie largement ouverte (...) entre, d'une part, un dirigisme magistral (...) et, d'autre part, une auto-construction et une auto-direction totales, par l'apprenant, de sa propre formation ».

Bien qu'on ne puisse qu'être d'accord avec Coste, il y a lieu de souligner le caractère hasardeux de sa « gestion partagée ». Si l'apprenant est incapable de prendre complètement en charge son propre apprentissage, peut-on être sûr que le professeur, lui, est capable de le faire à sa place ? Certains en doutent. Jakobovits (1970 : 102), par exemple, fait remarquer qu'on ne saurait enseigner ce qui n'a pas été décrit ni sans connaître les facteurs intervenant dans le processus d'apprentissage. Or, aucune langue naturelle n'ayant été décrite complètement, le professeur ne peut guider l'apprenant que dans les domaines qui ont été suffisamment explorés. En consultant les grammaires et les travaux en linguistique, on peut penser que le nombre de ces domaines est assez grand. Si, par contre, on adopte un point de vue strictement psycholinguistique, c'est-à-dire, en ce cas, celui de l'apprenant face à des problèmes langagiers concrets, le nombre de ces domaines est relativement petit : très peu de problèmes syntaxiques, sémantiques ou interculturels ont été étudiés du point de vue de l'apprenant. L'approche préconisée par Coste ne va donc pas sans évoquer l'image de l'aveugle conduisant l'aveugle. Le fait que, jusqu'ici, on sache très peu de chose sur les facteurs ayant une influence sur l'apprentissage des L2 ne saurait guère égayer cette image.

Rivers (1978 : 211) résume bien le point de vue exposé ici, en déclarant que « en quelque sorte, nous ne pouvons pas *enseigner* l'expression écrite ou orale, ou n'importe quelle autre aptitude linguistique ; tout ce que la recherche scientifique nous apprend, c'est comment stimuler de façon efficace le développement de ces aptitudes et comment fournir à l'apprenant beaucoup d'occasions lui permettant de perfectionner son emploi de la langue » (cf. aussi Abé & Gremmo 1983).

Les façons dont on peut stimuler l'évolution des aptitudes linguistiques des apprenants et les moyens dont on dispose de leur fournir des occasions de s'entraîner dans l'emploi de la langue, constituent ensemble ce qu'on nomme communément la méthode. Je reviendrai sur cette notion dans la section suivante (4.2). Je voudrais d'abord traiter quelques aspects plus généraux de l'enseignant, tout en restant dans le domaine cognitif.

Un enseignant qui maîtrise la langue cible à un haut niveau bénéficiera en général de plus de moyens de fournir un *input* linguistique adéquat qu'un enseignant qui se sent moins à l'aise dans l'autre langue. On peut donc s'attendre à trouver un lien assez étroit entre le niveau linguistique du professeur et les résultats de ses élèves. Toute raisonnable que paraisse une telle supposition, l'unique résultat expérimental à ce sujet semble aller dans un autre sens. En se basant sur les données d'une expérience menée avec 89 professeurs de français et d'espagnol, P. D. Smith (1969 : 197) tire la conclusion qu'il n'y a guère de relation entre la maîtrise linguistique de l'enseignant et celle de ses apprenants. La seule corrélation significative avait trait aux connaissances grammaticales et était négative : les professeurs avec les meilleures connaissances en grammaire avaient des élèves avec des résultats plutôt pauvres. Smith (1969 : 195) ne s'étonne pas de ce constat ; il cite plusieurs études où l'on a trouvé la même tendance pour d'autres matières. Dans cet ordre d'idées, il faut signaler aussi les résultats d'une étude de Politzer & Weiss (s.d. : 90) : les enseignants obtenant les scores les plus élevés aux tests de maîtrise en L2 ont les apprenants avec les attitudes les plus positives et avec les changements d'attitude les plus forts. Fait étonnant, ces attitudes positives ne se traduisent guère en résultats plus élevés aux tests linguistiques, ce qui revient à dire qu'il n'y a pas de rapport étroit entre la maîtrise de la langue cible du professeur et le niveau linguistique atteint par ses élèves (Politzer & Weiss s.d. : 92-93). Enfin, on peut relever le fait bien connu que les locuteurs natifs d'une langue ne sont pas forcément les meilleurs enseignants de cette langue en tant que L2.

Une maîtrise supérieure de la langue cible a beau ne pas mener systématiquement à des résultats supérieurs chez les élèves, il serait absurde d'en conclure que le niveau de langue du professeur est sans importance. Il existe effectivement quelques données expérimentales pour contredire cette idée. Ainsi, Moskowitz (1976 : 154) constate que 37 des 44 professeurs qui, pour une raison ou une autre, ont été qualifiés d'excellents par un groupe d'anciens élèves, sont classés excellents pour leur maîtrise de la langue par des observateurs ; dans le groupe témoin, il n'y avait, sur un total de 44 également, que 10 enseignants avec une maîtrise excellente de la L2. **Un haut niveau linguistique semble donc caractériser le bon professeur, mais ce haut niveau ne suffit pas pour faire un bon professeur** (cf. aussi Ackermann 1972 : 50).

Mais qu'est-ce qui fait un bon professeur ? C'est, je crois, **la flexibilité ou la capacité d'adaptation** : l'intervention de l'enseignant se définit en terme de négociation et d'ajustement. C'est dans l'ajustement que réside l'essence même de la qualité de l'instruction (cf. Jakobovits 1970 : 101). Ce point de départ adopté, il est clair qu'on ne peut pas définir une fois pour toutes et de façon « objective » les caractéristiques du bon professeur. **On n'est bon professeur que par rapport à des apprenants déterminés et dans une situation donnée.** Pour que l'enseignant puisse s'adapter aux caractéristiques de ses élèves, il faut que trois conditions soient satisfaites :
1. l'enseignant doit être au courant de la variation et de l'importance relative des caractéristiques individuelles intervenant dans le processus d'apprentissage des L2 ;
2. il faut qu'il ait des idées claires sur les étapes constituant ce processus ;
3. il doit disposer de vastes connaissances professionnelles, tant dans le domaine de la langue cible que dans celui de la pédagogie.
C'est grâce à ces connaissances, employées avec souplesse et intelligence, que l'enseignant sera à même de trouver les moyens susceptibles de faire progresser ses élèves.

Cependant, la flexibilité dans le domaine cognitif ne suffit pas pour mener à bien le processus de guidage. Comme je l'ai démontré plus haut, les connaissances en L2 du professeur ne sont guère corrélées avec les résultats de ses élèves. On peut en dire autant des rapports entre les connaissances en linguistique appliquée ou en didactique des langues étrangères de l'enseignant et les résultats des apprenants. Tout porte donc à croire que les aspects cognitifs du rôle de l'enseignant ne peuvent se faire valoir que si une bonne relation affective a été établie entre enseignant et apprenants. Plus loin, dans la section 4.3, je tenterai de développer les arguments étayant cette conclusion provisoire.

4.2 La notion de méthode

En didactique des langues, le terme méthode connaît plusieurs acceptions. Tout d'abord, on désigne par ce terme les matériaux utilisés en classe, et plus particulièrement le manuel. Ensuite, on se sert de ce mot pour parler de l'usage que le professeur fait de ces matériaux. Enfin, on rencontre ce terme dans le sens d'approche ou d'ensemble de considérations pédagogiques (cf. Girard 1972 : 32-33). Dans ce dernier sens, on peut encore distinguer la méthode comme concept pédagogique global (par exemple méthode Montessori ou méthode Freinet) de la méthode en tant qu'approche spécifique d'une matière déterminée (par exemple méthode audio-visuelle ou méthode communicative pour l'enseignement des L2).

Par souci de clarté, je propose d'éviter autant que possible le mot méthode et d'utiliser les termes suivants :
– *matériel didactique* : ce terme couvre tout le matériel concret dont peuvent disposer l'enseignant et les apprenants lors de l'apprentissage. Cela va de la simple craie jusqu'aux dispositifs pédagogiques les plus sophistiqués, comme la machine à enseigner ou l'ordinateur, en passant par le manuel, les moyens audio-visuels et les objets authentiques. Comme l'indique le terme choisi, le matériel dont il est question ici sert toujours un but bien déterminé, à savoir l'apprentissage de la langue, et cela dans un cadre institutionnel.
– *activités didactiques* : ces activités constituent le comportement concret de l'enseignant. Elles peuvent être déterminées, dans une mesure plus ou moins large, par le matériel didactique et par la position méthodologique adoptée par l'enseignant. L'important, cependant, c'est que ces activités soient *concrètes*, c'est-à-dire qu'elles placent l'apprenant dans des situations qui l'incitent à apprendre. Ces activités peuvent prendre un caractère verbal ou non verbal et peuvent s'adresser à un apprenant individuel ou à un groupe-classe ; dans tous les cas, elles doivent être *observables* par l'apprenant. N'appartiennent donc pas à la catégorie des activités didactiques telle qu'elle est définie ici, les activités de formation, de recyclage et de préparation de cours ; ces activités ont lieu, en principe en l'absence de l'apprenant et ne peuvent donc pas lui profiter de façon directe.
– *approche didactique* : par ce terme j'entends les options méthodologiques, les réflexions et les convictions en matière de didactique ainsi que les considérations théoriques concernant le processus d'apprentissage et l'enseignement des langues. Normalement, c'est l'approche didactique retenue qui fait choisir tel matériel didactique concret et qui amène l'enseignant à se comporter de cette façon.

Il me semble important, cependant, de considérer à part ces trois phénomènes, étant donné qu'il peut y avoir des décalages assez importants entre les convictions théoriques et la pratique concrète ; en outre, il y a toujours une interprétation individuelle, de la part de l'enseignant, des principes méthodologiques choisis.

– *option pédagogique* : sous ce vocable je regroupe les choix idéologiques en matière d'éducation. En règle générale, les options pédagogiques sont plus ou moins explicitement liées à une certaine vision du monde, à des convictions politiques et religieuses ainsi qu'à l'image que l'on se fait de l'être humain. Evidemment, l'option pédagogique aura son influence sur le choix de l'approche didactique et sur l'interprétation personnelle de cette approche. L'étude des implications de l'option pédagogique pour l'approche et la pratique didactiques ne me semble guère relever du domaine de la linguistique appliquée, mais plutôt de celui des sciences de l'éducation ou de la psychologie. De toute façon, je ne m'en occuperai pas dans ce livre.

4.2.1 Comparaison de « méthodes »

Depuis toujours il existe le débat concernant la meilleure méthode d'enseignement des langues. Les méthodes directes, naturelles, audio-linguales, audio-visuelles ou communicatives, les approches behavioristes ou cognitivistes, le *Silent Way*, la suggestopédie et la kyrielle d'autres approches nouvelles alternent. Tantôt l'accent tombe sur les bases linguistiques ou psychologiques de ces « méthodes », tantôt c'est le matériel didactique qui détermine leur caractère, tantôt encore ce sont les options pédagogiques qui priment. Telle « méthode » naît dans la pratique, telle autre est créée « scientifiquement » dans les centres de recherches. Telle « méthode » peut être propagée de façon dogmatique par des organismes influents (l'on se rappelle qu'à propos de *Voix et images de France* on a pu parler de « l'évangile selon Saint-Cloud »), telle autre n'est connue que dans un cercle restreint d'initiés ; telle autre encore est diffusée à grand renfort de publicité.

Devant cette profusion méthodologique, l'enseignant qui doit choisir une « méthode » pour ses élèves, ne peut que se sentir démuni. Pour l'aider dans cette tâche difficile, il n'existe guère de critères objectifs, bien que plusieurs chercheurs aient essayé de poser des jalons. Mackey (1965), par exemple, propose quatre termes qui doivent suffire pour analyser toutes les « méthodes » : *sélection* (des éléments linguistiques), *progression* (c'est-à-dire le groupement et l'ordonnance de ces éléments), *présentation* (au moyen du matériel didactique et par l'enseignant) et *répétition* (c'est-à-dire les types d'exercices et les formes d'entraînement). Des analyses comparables ont été proposées par Halliday & al. (1964) et par Levin (1972). Titone (1968) établit une distinction entre approches formelles, approches fonctionnelles et approches intégrées ; Girard (1974 : 124) parle de « trois grandes familles » de « méthodes modernes » : la méthode audio-orale, la méthode audio-visuelle et l'enseignement programmé. Enfin, en s'inspirant de la phonologie, Bosco & Di Pietro (1971) proposent des listes de traits distinctifs pour décrire les différentes « méthodes ».

Bien que ces systèmes d'analyse permettent, à des degrés divers, de décrire des aspects importants des différentes « méthodes », il ne faut pas se dissimuler leurs restrictions inhérentes. Tout d'abord, ces systèmes semblent se libérer difficilement de certains partis pris. Dans le cas de Mackey, par exemple, on reconnaît facilement les fameux « moments de la classe » des années 60 et 70, et on constate que la *répétition* précède nécessairement l'emploi libre de la langue, ce qui n'est pas sans rappeler un principe nettement audio-lingual. Les traits distinctifs de Bosco & Di Pietro (1971), d'autre part, sont très centrés sur la syntaxe et l'on y cherche en vain toute mention de problèmes lexicaux, ce qui correspond assez à une certaine étape dans le développement de la grammaire générative-transformationnelle.

Une autre restriction des systèmes de description des « méthodes » tient à leur caractère trop global. Si, chez Bosco & Di Pietro, la méthode traditionnelle est notée « + central » (c'est-à-dire centrée sur les processus cognitifs), on peut être assez d'accord ; mais peut-on alors noter la méthode audio-linguale comme « - central » ? Est-ce qu'on peut ainsi opposer des « méthodes » entièrement centrées sur des processus cognitifs à d'autres qui ne le seraient pas du tout ? Certainement pas. L'on n'ignore pas que, le plus souvent, il n'est pas du tout question de véritables oppositions, mais tout au plus de différences de degré. Les « méthodes » ne se laissent pas réduire à un nombre restreint de traits distinctifs et la comparaison avec le domaine phonologique ne peut mener qu'à un réductionnisme draconien. Caractériser une « méthode », une fois pour toutes, comme implicite ou explicite, c'est en faire une caricature. Ou bien, on a affaire non pas à ce qu'on pourrait qualifier de « méthode », mais à des dogmes.

Une troisième restriction qui doit être mise en lumière quand on parle des systèmes de description des « méthodes », a trait à la nature des critères retenus. En général, on rencontre des critères (socio) linguistiques et psychologiques ou psycholinguistiques. En effet, la plupart des « méthodes » se réclament de certaines théories dans les domaines de la linguistique et de la psychologie (de l'apprentissage). Ce qui est oublié le plus souvent, c'est que les « méthodes » sont toujours basées sur beaucoup d'implicites (psycho)linguistiques et contiennent toujours une forte dose d'idéologie (cf. la catégorie que j'ai appelée « option pédagogique »). En outre, leur position par rapport aux psychologies affectives (personnalité, motivation etc.) est, en général, mal définie. Pour bien décrire les « méthodes », il faudrait donc élargir les bases théoriques et augmenter le nombre de critères scientifiques.

Enfin, on peut relever des restrictions d'une nature plus pratique. D'une part, définir les « méthodes » au moyen des critères mentionnés plus haut, revient à concevoir celles-ci uniquement au niveau de ce que j'ai appelé *l'approche didactique* ; il n'est guère tenu compte de l'application pratique des principes retenus ou, en d'autres termes, on fait abstraction des *activités didactiques*. D'autre part, l'on s'intéresse très peu à ce qu'une « méthode » demande en fait à l'apprenant : on reste trop dans le domaine des intentions, sans étudier les effets sur le plan des opérations cognitives demandées ou imposées aux apprenants.

Malgré les difficultés de définition et de classification des méthodes d'enseignement des L2, on a essayé, à plusieurs reprises, de prouver expérimentalement la supériorité d'une méthode à une ou plusieurs autres. Scherer & Wertheimer (1964) comparent la méthode traditionnelle à la méthode audio-linguale. P. D. Smith (1970) ajoute à ces deux méthodes une méthode intermédiaire qui est en réalité une méthode audio-orale enrichie d'un enseignement explicite de la grammaire (le fameux « Pennsylvania project »). Chastain & Woerdehoff (1968) et Mueller (1971), enfin, comparent une méthode audio-linguale à une méthode organisée selon les principes cognitivistes dits *cognitive code-learning theory*.

Aucune de ces recherches n'apporte une réponse claire à la question concernant l'efficacité relative des « méthodes » comparées. En général, les résultats obtenus montrent que

a. **les différences entre les diverses « méthodes »** telles qu'elles se manifestent dans les résultats des apprenants, **sont peu importantes**, la plupart des corrélations entre la méthode et ces résultats n'étant pas significatives ;

b. **les apprenants apprennent surtout ce qui leur est enseigné** dans le cours (cf. Girard 1974 : 129).

Voilà des conclusions bien banales et bien décevantes, mais qui méritent, tout de même, d'être étudiées de plus près.

Pourquoi trouve-t-on si peu de différences entre les « méthodes » ? Plusieurs éléments de réponse se présentent. Tout d'abord, il faut se demander s'il est matériellement possible de définir, de façon exacte et exhaustive, les différences entre les « méthodes » comparées. Plus haut, j'ai relevé quelques-unes des difficultés qu'on rencontre dans cette tâche. Rien ne prouve que les comparateurs de « méthodes » aient été conscients de ce genre de problèmes.

Même si on réussissait à inventorier et à opérationnaliser les différences entre les « méthodes » à comparer, il serait douteux que ces différences se manifestent dans les résultats moyens différents. En effet, toute « méthode » fait appel à certaines aptitudes intellectuelles, sociales et autres, qui sont différemment réparties dans un groupe-classe. Si on change de méthode, il se trouve toujours quelques apprenants qui en profitent et d'autres pour qui les difficultés augmentent. Les résultats moyens auront donc tendance à varier très peu (cf. Bennett 1976 ; Langouet 1979). Cette remarque révèle un des présupposés fondamentaux sur lesquels sont basées les comparaisons de méthodes, à savoir l'idée qu'il existe une méthode qui serait la meilleure pour tous les apprenants dans toutes les situations. Bien évidemment, tel n'est pas le cas, et les comparaisons de méthodes sont loin d'avoir contribué à étayer une telle idée.

Dans ce contexte, il faut s'interroger également sur l'importance relative de l'élément « méthode ». Dans ce livre, je suis parti de l'idée que dans tout apprentissage scolaire, il y a trois instances : l'apprenant, l'enseignant et la situation. Contrairement à ce que suggèrent certaines publicités d'écoles de langues, on peut être sûr que ce n'est pas la « méthode », et elle seule, qui décide du succès des apprenants. Avec un peu de mauvaise grâce, on pourrait même penser que les ressemblances entre toutes les méthodes, du fait même qu'elles sont utilisées dans des milieux scolaires, sont beaucoup plus importantes que leurs prétendues différences. L'apprentissage des L2 à l'école donne pratiquement toujours les résultats qu'on sait !

Dans certains cas, les résultats expérimentaux semblent privilégier l'une des méthodes comparées. Mueller (1971 : 120), par exemple, constate que 61 % des apprenants suivant le cours d'ordre cognitiviste se sont réinscrits à des cours complémentaires et les ont terminés, contre 43 % seulement pour les cours radio-oraux. Ce que l'auteur semble oublier, cependant, c'est ce qu'on appelle *l'effet Hawthorne*. On désigne par ce terme l'effet enthousiasmant qu'une approche nouvelle peut avoir sur l'enseignant ainsi que sur les apprenants. Ceux-ci peuvent avoir tendance à se lancer dans leur tâche avec un zèle redoublé. Comme Mueller a comparé une pratique bien établie à des cours d'un type jusque-là inconnu, il se peut que l'effet Hawthorne ait eu une influence considérable.

Toutes les comparaisons mentionnées jusqu'ici ont été effectuées aux Etats-Unis. Les langues sur lesquelles on a travaillé étaient toujours des langues étrangères : l'allemand, l'espagnol et le français étaient chaque fois appris uniquement à l'école. Bien que ces deux précisions restreignent la généralité des conclusions que les recherches expérimentales permettent de tirer, il est clair que la voie ouverte par Scherer & Wertheimer (1964) s'est trouvée être une impasse et qu'il serait inutile de l'emprunter pour les Ls ou dans le contexte européen.

L'unique comparaison qui ait abouti à des résultats plus ou moins utilisables dans la pratique de l'enseignement, est celle effectuée par une équipe suédoise et qui est connue sous le nom de *GUME-project*. Cette comparaison est d'un autre type que celles mentionnées jusqu'ici : il ne s'agissait pas de comparer, de façon globale, deux « méthodes », mais d'étudier, dans le cadre d'un même type de cours, l'effet de deux manières de présenter et d'entraîner certaines structures grammaticales de l'anglais. Afin d'éliminer autant que possible l'influence de la personnalité de l'enseignant, les cours expérimentaux avaient été enregistrés sur bande. Les deux conditions

étaient appelées :
IM = présentation implicite des structures, apprentissage inductif au moyen d'exercices structuraux et sans explications grammaticales ;
EX = présentation explicite des structures, apprentissage déductif au moyen d'une approche contrastive et d'exercices de traduction.

Les chercheurs ont fait plusieurs recherches avec des groupes d'adultes ; puis, ils ont étudié également de jeunes adolescents (âge moyen : 12 ans) ; cf. entre autres Levin 1972 ; Von Elek & Oskarson 1973a, 1973b). Pour les adultes, les résultats sont clairs : la condition EX donne les meilleurs résultats. En outre, les adultes appréciaient mieux les cours de l'approche EX. Pour les adolescents, la condition EX mène, en général, aux meilleurs résultats, sans que les différences soient statistiquement significatives. Seuls les adolescents avec des scores peu élevés à un test d'aptitude avaient tendance à profiter davantage d'une approche IM.

Après l'étude critique du premier point (a.) de la conclusion générale concernant l'efficacité relative des « méthodes », je voudrais revenir brièvement sur le second point mentionné (b.), selon lequel les résultats des apprenants sont le reflet de ce qui a été accentué pendant l'enseignement. Si évidente que puisse paraître cette conclusion, elle demande tout de même à être nuancée. Comme je viens de le signaler, les corrélations entre la « méthode » proposée et les résultats obtenus par les apprenants ne sont le plus souvent pas significatives. Cela veut dire que les différences méthodologiques ne se traduisent qu'imparfaitement dans des résultats concrets. Ce point est bien illustré par la recherche de Chastain & Woerdehoff (1968), où l'approche audio-linguale est comparée à une approche basée sur des principes cognitivistes. Comme on le sait, l'expression et la compéhension orales constituent des objectifs privilégiés de l'approche audio-linguale. Pourtant, les apprenants travaillant selon les principes de cette approche n'obtiennent pas des résultats significativement supérieurs à ceux obtenus par les apprenants qui suivent un parcours plus cognitiviste, où ces deux skills occupent une place bien moins prépondérante.

La question se pose donc de savoir dans quelle mesure la « méthode » impose aux apprenants un processus d'apprentissage bien déterminé. Le moins qu'on puisse dire est que toute « méthode » laisse une liberté assez grande. Et même si certaines fautes peuvent être combattues avec quelque succès au moyen d'une méthode donnée, aucune méthode n'arrive à les bannir complètement ni toutes en même temps. Enfin, on ne peut qu'approuver Dulay & Burt (1974 : 135) quand elles affirment que « beaucoup de ce qui est enseigné en classe n'est pas appris et beaucoup de ce qui est appris n'a pas été enseigné en classe ».

Dans cette section, je crois avoir démontré qu'**aucune méthode n'est la meilleure pour tous les apprenants** : ceux-ci profitent, de façon hautement individuelle, de ce qui leur est proposé. Plutôt que de chercher la méthode qui satisfasse tout le monde, il semble donc utile d'étudier de quelles façons on peut adapter la méthode aux différences individuelles. Dans la prochaine section, je traiterai des possibilités d'adaptation et des problèmes qu'entraîne une telle approche.

4.2.2 Adapter la méthode aux apprenants

Si, depuis toujours, les enseignants ont essayé d'adapter les méthodes aux caractéristiques de leurs élèves, l'appel pour un enseignement centré sur l'apprenant s'est fait entendre, ces dernières années, de plus en plus clairement et avec une fréquence toujours plus grande. Dans toutes les tentatives d'adaptation, cependant, on se heurte constamment à la difficulté de devoir définir cet apprenant. L'une des questions centrales qui doivent nous occuper ici est donc : quelles sont les caractéristiques dont il faut tenir compte si on veut adapter l'enseignement à l'apprenant ? Une autre question à laquelle il faudra répondre concerne la façon dont on peut prendre en compte les caractéristiques qui se sont avérées essentielles. La présente section sera consacrée à ces deux questions : **quelles caractéristiques et comment les prendre en compte ?**

En se référant au chapitre 3, on peut voir qu'il y a toute une série de facteurs individuels intervenant dans l'apprentissage des L2 à l'école. Pratiquement tous ces facteurs reviennent dans les suggestions qui ont été faites pour adapter la méthode à des groupes d'apprenants : l'aptitude (Mueller 1974 : 250), l'intelligence (Levin 1972 : 65), la motivation (Fishman 1966 : 129), la personnalité (Genesee 1978 : 502), l'âge (Ausubel 1964 : 421), ainsi que la dominance hémisphérique (Diller 1976 : 342).

Deux choses peuvent frapper dans ces propositions. Premièrement, dans la plupart des cas, il s'agit d'hypothèses qui n'ont guère été vérifiées. Deuxièmement, dans toutes les propositions, il est question de dichotomies. En réalité, les apprenants ne se laissent pas simplement répartir en deux groupes. D'une part, tel apprenant n'est pas seulement plus ou moins intelligent, il est en même temps motivé d'une certaine façon, plus ou moins conformiste et caractérisé par la dominance de tel hémisphère cérébral. Si on veut tenir compte de tous ces critères, le nombre de groupes croît de façon exponentielle (avec n critères on peut distinguer 2^n groupes). D'autre part, il n'est pas toujours possible de savoir comment il faut mesurer les facteurs dont il est question. Dans certains cas, le concept lui-même manque de clarté ; dans d'autres cas, les instruments de mesure fournissent des données relatives, c'est-à-dire des positions sur des échelles allant de « plus » à « moins », plutôt que des données dichotomiques.

Une notion qui est parfois mentionnée dans le contexte qui nous occupe ici, est celle des **besoins langagiers** des apprenants. Bien évidemment, ces besoins peuvent avoir une certaine influence sur les objectifs (cf. Besse dans Besse & Galisson 1980 : 59-61), mais on voit mal comment ils pourraient guider l'enseignant dans le choix d'une approche adéquate. Car, faut-il rappeler que le choix des objectifs n'implique pas nécessairement une méthodologie déterminée ? On a assez reproché à toute une génération d'enseignants d'avoir fait apprendre des structures pour la seule raison que la langue était considérée comme un ensemble de structures. De la même façon, on pourrait faire des reproches à ceux qui croient que, pour apprendre à communiquer, il suffit de communiquer tout le temps (cf. Bautier-Castaing 1984 : 35). Bref, les besoins langagiers des apprenants ne constituent pas un critère utilisable pour parvenir à une adaptation méthodologique satisfaisante.

Le mélange conceptuel entre objectifs et méthode m'amène à attirer l'attention sur une remarque pertinente de Cronbach & Snow. Ces deux chercheurs, qui consacrent un gros livre aux problèmes de l'interaction entre la méthode et les caractéristiques des apprenants (ATI = *Aptitude Treatment Interaction*), affirment : « Appeler une méthode « spatiale » juste parce qu'elle se sert de diagrammes, cela est naïf. De la même façon, appeler une méthode « significative », c'est négliger des questions importantes du genre : qui est capable d'extraire la signification ? comment le fait-il ? etc. » (Cronbach & Snow 1977 : 292- 293). Les auteurs font cette remarque dans un passage où ils mettent l'accent sur l'importance de la façon dont l'apprenant perçoit la méthode et le genre de tâches auquel il est confronté. Ils se plaignent que jusque-là (c'est-à-dire jusqu'en 1977, mais on craint que la situation ne se soit guère améliorée), aucune étude sérieuse n'ait formulé d'hypothèses cohérentes en termes de tâches à accomplir par l'apprenant. Une analyse détaillée des tâches cognitives semble, en effet, être indispensable si on veut rendre opératoire le concept de méthode. **C'est au niveau de l'apprenant et, plus précisément, au niveau de son fonctionnement cognitif, que la méthode pourrait s'avérer constituer une notion utile.** Tant qu'on ne sait pas à quel type de tâche l'apprenant est confronté par la méthode, on ne pourra pas adapter cette méthode aux caractéristiques de l'apprenant.

Malheureusement, une fois au courant de la réalité cognitive d'une méthode proposée, on n'aura pas encore résolu tous les problèmes concernant l'adaptation. C'est qu'il y a au moins trois manières d'adapter la matière à l'apprenant (cf. Cronbach & Snow 1977 : 169) :

– soit *on table sur les points forts* de l'apprenant, en se servant autant que possible de ses connaissances ou de ses savoir-faire ;

– soit *on compense les points faibles*, en faisant pour lui ce qu'il ne sait pas (encore) faire ; par exemple, si l'apprenant a du mal à organiser ses tâches, on les organise pour lui ;

– soit encore *on remédie aux manques*, en travaillant surtout les points faibles ; par exemple, si l'apprenant a des difficultés de lecture, il faut d'abord l'aider à améliorer sa maîtrise dans ce domaine.

En analysant, comme je viens de le faire, les problèmes en rapport avec ce qu'on appelle « un enseignement centré sur l'apprenant », on ne peut qu'être impressionné par la complexité de la tâche de l'enseignant et par la performance presque surhumaine de celui-ci s'il réussit à vraiment guider les processus d'apprentissage de 25 ou plus d'apprenants dans sa classe.

Il y a un développement original et prometteur qui mérite d'être mentionné dans ce contexte, à savoir *l'apprentissage auto-dirigé* ou *apprentissage en autonomie* (cf. Holec 1981). Cette approche est en quelque sorte le point d'arrivée naturel de la ligne de pensée exposée plus haut. Si chaque apprenant a sa propre façon d'apprendre, pourquoi ne pas lui laisser le soin d'organiser son apprentissage ? On pourrait espérer que ce serait là la solution de tous les problèmes d'adaptation de méthodes. Malheureusement, comme le fait remarquer Holec (1981 : 21), on ne peut pas imposer l'autodirection : si l'apprenant ne se sent pas capable de définir ses propres objectifs ou de choisir les contenus qui lui conviennent, bref s'il ne se rend pas compte de son autonomie, on ne peut guère l'obliger à changer d'idées. Bien des obstacles de nature psychologique et sociologique peuvent s'opposer à une prise en charge individuelle de l'apprentissage.

On peut, cependant, aider l'apprenant à se rendre compte de son autonomie. Dans un processus d'« autonomisation » on peut lui faire comprendre « qu'il n'y a pas de méthode bonne en soi, que ses qualités et ses défauts ne le sont que par rapport à celui qui les utilise et au but qu'il poursuit » ; en outre, on peut essayer de le rendre capable « de construire sa propre « méthode » à partir d'éléments tirés de manuels divers » (Holec 1981 : 14). Dans un tel système, le rôle de l'enseignant se réduit à celui d'un conseil dont la tâche consiste à avoir, de temps en temps, des entretiens individuels avec des apprenants autonomes et à chercher ou à élaborer les documents écrits ou oraux dont ceux-ci ont besoin (cf. Abé & Gremmo 1981 : 8).

Il est clair que l'apprentissage en autonomie, tout en étant l'aboutissement logique de la réflexion théorique actuelle, est réservé à un public assez restreint. Un système comme le SAAS (Système d'apprentissage auto-dirigé avec soutien, mis en place au CRAPEL à Nancy, cf. Abé & Gremmo 1981) semble être utile surtout pour des personnes très motivées et sûres d'elles. Une telle approche ne semble guère être utilisable avec la grande masse des adolescents qui apprennent une L2 à l'école. Là, le problème des méthodes et de leur adaptation reste entier.

4.2.3 Activités didactiques

Les réflexions précédentes concernant les méthodes et les façons de les adapter aux apprenants ont suffisamment montré que, pour se faire une idée précise du rôle de l'enseignant, il faut « descendre » à un niveau plus concret et s'occuper de ce que j'ai appelé les activités didactiques. En effet, c'est à ces activités que sont confrontés les apprenants ; ce sont elles qui peuvent, de façon directe, les inciter à apprendre la langue cible. Les activités didactiques sont, par définition, des conduites susceptibles d'être perçues par les apprenants. Elles constituent le comportement concret de l'enseignant face aux apprenants, dans une situation réelle.

Je m'empresse de préciser deux choses. En premier lieu, la nature perceptible des conduites de l'enseignant ne garantit pas que tout ce qui est dit ou fait par celui-ci est effectivement perçu par tous les apprenants. Pour de multiples raisons, que je n'ai plus à détailler ici, les mêmes activités didactiques peuvent avoir des effets sensiblement différents selon les aptitudes et les attitudes individuelles des apprenants. Ensuite, les activités didactiques, bien que perceptibles, ne se limitent pas nécessairement à celles qui peuvent être décrites au moyen des grilles d'observation : la réalité des classes de langue peut être bien plus complexe que cela (cf. 4.5).

Dans la présente section, je traiterai quelques aspects importants de l'intervention enseignante concrète. Pour ce qui est des aspects cognitifs, on distingue généralement trois domaines dans lesquels l'enseignant peut jouer un rôle. Tout d'abord, celui-ci a pour tâche de présenter la langue aux apprenants : il doit leur fournir **un input adéquat**. En deuxième lieu, il a une fonction importante dans tout ce qui touche à l'entraînement et notamment, il doit organiser une **interaction adéquate**. Enfin, l'enseignant représente la norme de la langue cible et il doit donc fournir **une évaluation adéquate** des productions des apprenants (cf. Dabène 1984, qui parle de l'enseignant en tant que « vecteur d'information, meneur de jeu et évaluateur »).

Avant d'attaquer la discussion des trois sujets nommés, il est important de rappeler que le rôle et le statut de l'enseignant peuvent être totalement différents d'une situation d'enseignement à l'autre. En effet, si l'enseignant d'une Lé est, en principe, l'unique intermédiaire entre les apprenants et la langue cible, son collègue en situation de Ls n'est qu'une des sources d'input disponibles. En outre, dans les cours de Lé ou de Ls, les sujets de conversation n'ont pas, pour eux-mêmes, une importance particulièrement grande ; dans les cours d'immersion par contre, ces sujets constituent un élément fondamental de l'enseignement, ce qui fait que l'enseignant est chargé d'une double tâche d'information, linguistique et extralinguistique. Ces quelques exemples doivent suffire ici (voir aussi chap. 5). Dans les paragraphes suivants, je me bornerai au type d'enseignement que je connais, à savoir celui des Lé.

Un input adéquat

Pour connaître le degré d'adéquation de l'input fourni aux apprenants, il faut étudier celui-ci en rapport avec les résultats qu'ils obtiennent. Il y a, cependant, plusieurs dangers qui guettent le chercheur dans ce domaine. Comparer de façon directe l'input et l'output est, comme l'ont démontré Frauenfelder & Porquier (1979), une manière de procéder assez grossière : il peut y avoir un décalage considérable entre l'input (l'entrée) et l'intake (la saisie) d'une part, entre ce qui est saisi, et éventuellement appris, et l'output (la sortie) d'autre part. C'est surtout dans le cas où l'on prend l'expression orale comme critère de l'output, que l'on risque d'avoir une conception trop restreinte de ce qui constitue un input adéquat : il se peut que l'apprenant ait retenu bien des éléments qui lui servent à la compréhension ou qui lui reviennent à l'esprit quand il écrit, mais dont il ne se sert pas spontanément.

L'influence de l'input sur le processus d'apprentissage a surtout été étudiée par rapport à l'acquisition de la Lm. On sait que l'input, qui, dans ce cas, a reçu des noms comme *babytalk, motherese* ou *caretaker speech*, présente des caractères assez spécifiques en comparaison avec le langage des interactions normales entre locuteurs adultes : phrases brèves, syntaxe simple, intonations spéciales, contenu lié au *hic et nunc*. C'est grâce à ce langage ajusté, et malgré les éléments agrammaticaux qu'il contient, que l'enfant développe sa grammaire. Un des résultats intéressants de la recherche sur le langage adressé à l'enfant est que la fréquence avec laquelle un élément revient dans l'input, ne prédit pas le moment de l'acquisition de cet élément (cf. Dulay & Burt 1977 : 106).

Cette absence de relation quantitative entre l'input et le processus d'apprentissage se retrouve dans plusieurs études concernant des apprenants de Ls. Pour ne donner que quelques exemples : Wagner-Gough & Hatch (1975 : 299) constatent qu'un enfant chinois qui, en apprenant l'anglais Ls, est confronté à deux types de questions également fréquentes, apprend vite à maîtriser le premier type mais n'arrive pas à se servir correctement de l'autre ; Bialystok (1983) trouve une corrélation négative entre l'emploi correct de trois types de questions par des groupes d'adultes et la fréquence de ces questions dans le langage qu'on leur adresse. Dans les deux cas, en Lm aussi bien qu'en Ls, les apprenants semblent donc suivre leur propre chemin, selon un programme d'acquisition assez indépendant de la fréquence des éléments dans la langue (cf. aussi Snow & Hoefnagel 1982 et, pour quelques données contraires, Gaies 1983 et Hamayan & Tucker 1980).

Par aillleurs, Krashen (1981 : 51 ss) a pu démontrer une grande ressemblance entre l'ordre dans lequel les enfants acquièrent un certain nombre de morphèmes grammaticaux de l'anglais Lm et l'ordre moyen dans lequel ces mêmes morphèmes apparaissent dans le langage d'apprenants, enfants et adultes, de l'anglais Ls dans des situations de communication. Et l'auteur ne constate pas seulement un

114

grand parallélisme dans les *résultats*, il voit également des correspondances au niveau de l'*input*. En Ls autant qu'en Lm, le langage
adressé aux apprentis locuteurs est globalement ajusté à leur niveau
et, dans les deux cas, l'authenticité des situations de communication semble jouer un rôle essentiel (Krashen 1981 : 125 ss).

Là où il s'agit de situations de communication normales, en Lm
aussi bien qu'en Ls, les apprenants semblent donc récupérer, selon
un programme plus ou moins préétabli, les éléments dont ils ont
besoin pour atteindre l'étape suivante du développement de leur
grammaire. Krashen (1981 : 126) explique ce phénomène de la façon
suivante : « l'enfant qui est à un niveau *i*, peut progresser au niveau
i + 1, selon la « séquence naturelle » (où *i* + 1 peut être un groupe
de structures ; plus correctement : l'enfant qui vient d'acquérir les
membres de *i* peut acquérir ensuite un membre de *i* + 1), grâce à
la compréhension du langage contenant *i* + 1. C'est à l'aide du contexte que l'enfant comprend des discours contenant des structures
qui sont un peu au-dessus de son niveau ». Cette description de la
progression dans l'acquisition de la Lm semble également être valable pour le processus d'apprentissage des Ls. Dans ce dernier cas,
cependant, on ne peut l'accepter, pour le moment, que comme une
hypothèse qui a besoin de confirmation expérimentale.

Qu'en est-il de l'input dans le cas des Lé ? Avouons-le tout de
suite : le langage du professeur dans les classes de Lé n'a guère été
étudié. On ne peut donc qu'avancer quelques hypothèses basées sur
les recherches en Lm et en Ls. Les caractéristiques essentielles dans
ces deux situations étant **l'ajustement du langage** au niveau de développement linguistique des apprenants et **l'authenticité de l'interaction**, on peut supposer que ces deux éléments constitueront des critères importants dans la définition d'un input adéquat en Lé. Pour
ce qui est de l'ajustement, il semble être suffisant que l'input soit
globalement adapté à l'interlangue de l'apprenant, celui-ci étant
capable de comprendre, grâce au contexte, des éléments qu'il ne
possède pas encore, ou, s'il n'arrive pas à comprendre, de demander des explications. Le second élément, la communication authentique, semble poser plus de problèmes. C'est à cette problématique
que sera consacré le prochain paragraphe.

Une interaction adéquate

L'on n'ignore pas que, en règle générale, les enseignants et les apprenants d'une Lé n'ont pas grand-chose de bien captivant à se dire.
Si le professeur s'informe auprès de ses élèves de l'heure qu'il est,
ce n'est pas parce qu'il ne sait pas l'heure, mais pour faire parler
ses élèves. Et quand Sylvie affirme qu'elle aime les roses, elle serait
bien étonnée si quelqu'un lui en offrait. Dans le cadre de l'enseignement des Lé, l'interaction authentique ne forme qu'une exception ; la règle, c'est la **pseudo-communication** (cf. Valdman 1983).

Le phénomène est bien connu, les exemples se retrouvent un peu
partout et l'on sait bien que, si les participants dans une classe de

Lé ont vraiment quelque chose à se dire, ils préfèrent se servir de leur Lm (cf. Grandcolas 1984 : 73 ; Porquier 1984 : 42). Se servir d'une Lé avec une personne parlant la même Lm est ressenti par la plupart des apprenants comme une chose peu sérieuse. Cela rappelle le jeu de Monopoly : on dépense ou on encaisse de l'argent sans vraiment s'appauvrir ni s'enrichir. Ce qui rend l'apprentissage des L2 souvent moins amusant que ce jeu, cependant, c'est qu'il existe un désaccord fondamental entre les participants : là où l'enseignant a tendance à penser « peu importe ce qu'ils disent, pourvu que ce soit correct », les apprenants se moquent de la correction et veulent avant tout être compris. Bref, l'un veut faire jouer, les autres veulent gagner.

Cela revient à dire que c'est l'**absence d'enjeux authentiques**, non linguistiques qui explique le caractère particulier de la plupart des interactions en classe de Lé. Dans la communication normale, il existe toujours un enjeu qui se situe en dehors du langage : on veut obtenir une information ou un service, on désire s'approcher de quelqu'un ou justement prendre ses distances, on souhaite connaître l'opinion des autres ou se faire valoir pour ses idées originales, etc. Dans tous ces cas, le langage est un moyen qui sert à autre chose. C'est justement cette autre chose qui fait défaut dans la pratique bien connue de l'enseignement des Lé (cf. e.a. Bautier-Castaing 1982 ; Gaies 1983 : 208-209).

Il est donc difficile d'être d'accord avec Dalgalian (1984 : 9), qui explique le « régime d'exception » que constitue la classe de Lé par la présence d'une communication essentiellement bilatérale presque toujours à l'initiative du professeur, et par la quasi-absence de communication entre les élèves. L'inégalité dans les échanges n'est pas le propre des classes de L2 ; elle se retrouve dans les réunions et les tribunaux. Tout comme c'est le cas pour ces situations, la communication scolaire connaît ses règles et ses rites (cf. Coste 1984 : 17). Ce qui constitue la différence essentielle entre la classe de Lé et toutes les autres situations langagières, c'est le manque quasi total d'enjeux extra-linguistiques. Ce fait est lourd de conséquences, provoquant, entre autres, une attitude tout à fait spéciale à l'égard de la **forme linguistique** : c'est uniquement en classe de Lé que celle-ci reçoit constamment toute l'attention et qu'elle est critiquée de façon systématique. On peut se douter que cet état de choses a des incidences peu positives sur l'acquisition d'une compétence de communication.

Outre l'absence d'enjeux tant soit peu intéressants, c'est **le nombre réduit d'interlocuteurs compétents** en Lé qui entrave le développement d'une maîtrise fonctionnelle de la langue cible. La présence d'un seul professeur pour vingt ou trente apprenants limite sérieusement les occasions de prise de parole de la part de ceux-ci. Pour remédier à cet inconvénient, on peut les faire travailler en petits groupes. Cette solution présente l'avantage de permettre aux apprenants de s'entraîner à communiquer d'une façon beaucoup plus intensive que quand ils ne peuvent parler que dans le groupe-classe. En plus, le petit groupe a un caractère plus sécurisant et se prête davantage à la création d'enjeux non linguistiques plus ou moins authentiques.

Un inconvénient sérieux, inhérent au travail de groupe, est l'absence d'un informateur/correcteur. Au début de l'apprentissage surtout, les membres d'un petit groupe ont fréquemment besoin d'éléments linguistiques qu'ils ne possèdent pas encore ; sans informateur/correcteur, le groupe risque d'adopter des éléments incorrects. Malgré ce désavantage, le travail de groupe est souvent préférable au débat organisé, dirigé par l'enseignant.

Une communication plus authentique s'instaure au moment où l'apprenant demande des explications en L2. Comme l'affirme Dabène (1984 : 45-46), « l'implication de l'apprenant dans ses différents actes de parole (...) atteint son degré maximum lorsque le sujet évoque son propre apprentissage ; (...) c'est la métacommunication qui constitue, à bien des égards, le moment le plus authentique de la classe de langue étrangère ». Force est de constater, hélas, que ces moments presque authentiques ne peuvent être que rares.

Une autre situation de communication dont le degré d'authenticité est assez élevé est celle où les apprenants essaient de comprendre un texte parlé ou écrit. Ce genre de situations est évoqué trop rarement dans les discussions sur la compétence de communication. Le fait est que, en parlant de la communication, on pense presque toujours, tout de suite et exclusivement, à l'expression, et notamment à l'expression orale, tout en oubliant que **l'acte communicatif a trait aussi bien à la compréhension qu'à l'expression.** Comment peut-on parler d'une communication authentique et réelle s'il n'y a personne pour recevoir le message émis ? Inversement, écouter une conférence peut prendre des formes d'une interaction tout à fait personnelle. Lire un roman, c'est se lancer dans une communication des plus passionnantes. Suivre une émission à la télévision peut revenir à une expérience hautement individuelle et présenter un caractère communicatif très prononcé.

Si, autrefois, on osait parler de skills actifs et de skills passifs, maintenant on sait que, pour ce qui est du fonctionnement de la mémoire et des tâches cognitives, la compréhension n'est pas moins active que la production. La compréhension, écrite ou orale, est un processus actif de (re-)constitution de sens. Lire et écouter demandent qu'on formule des hypothèses et qu'on devance le texte ou l'interlocuteur. Un bon lecteur ne lit pas tout le texte, mot à mot et phrase par phrase. Une partie du texte, quelques mots ou groupes de mots çà et là lui permettent de « deviner » la signification du texte ; le bon lecteur ainsi que le bon entendeur comprend à demi-mot.

Jusqu'ici, on n'a pas exploité toutes les richesses d'**une approche réceptive.** De par son caractère hautement communicatif, une telle approche offre néanmoins beaucoup de possibilités didactiques, non seulement pour atteindre des buts réceptifs, mais encore pour réaliser des objectifs dans le domaine de l'expression, écrite ou orale.

Ces dernières années, il y a eu de plus en plus de plaidoyers en faveur d'une approche dans laquelle la compréhension, orale aussi bien qu'écrite, et souvent les deux formes combinées, occupe une place beaucoup plus importante que dans les méthodes employées jusqu'ici. On peut citer des articles de Asher (1972), Postovsky (1977), Gary (1978), Nord (1980), Davies (1983), Van Parreren (1983) et Krashen & Terrell (1983).

L'approche de ces derniers auteurs, qui reprennent une bonne partie des idées avancées par les autres chercheurs cités, est basée sur les quatre principes suivants :
1. la compréhension précède la production ;
2. la production doit émerger d'elle-même, autrement dit : l'apprenant ne doit pas être forcé de parler avant qu'il ne s'y sente prêt ;
3. le cours est organisé selon des principes communicatifs et non d'après des principes grammaticaux ;
4. les sujets abordés doivent être stimulants et centrés sur les apprenants (cf. Krashen & Terrell 1983 : 20-21).

Une approche organisée selon ces lignes présente, à mon avis, les avantages suivants :
• Comme il n'est pas forcé de parler en L2, **l'apprenant ne parlera que quand il a quelque chose à dire**, ce qui ne peut que favoriser le degré d'authenticité des interactions. Une « période silencieuse », pendant laquelle la communication linguistique est à sens unique, s'observe d'ailleurs dans le cas de l'acquisition de la Lm aussi bien que dans celui de l'acquisition naturelle de Ls (cf. Burt & Dulay 1981 : 180-182).
• Si on propose aux apprenants des textes, écrits et oraux, éveillant leur intérêt, il y aura aisément une **interaction authentique**, non seulement entre l'apprenant et le texte, mais encore entre l'apprenant et d'autres apprenants ou entre ceux-ci et l'enseignant.
• Selon les catégories d'apprenants et les situations d'enseignement, on peut mettre l'accent sur des **textes spontanés** (l'enseignant raconte des histoires ou donne des commentaires à propos d'événements ou de textes lus ou écoutés) ou sur du **matériel enregistré** permettant un travail plus indépendant de l'enseignant (travail individuel ou de groupe).
• Pour **contrôler la bonne compréhension des textes** — et ceci est essentiel pour assurer une interaction véritable — l'enseignant dispose de bien des moyens. Il peut poser des questions en Lm ; il peut faire faire des dessins ou demander de colorier des images ; il peut inviter les apprenants à faire des gestes ou à accomplir des tâches simples. Dans tous ces cas, l'apprenant n'a pas encore besoin de s'exprimer en L2. Toujours sans le forcer, l'enseignant peut ensuite l'amener petit à petit à reproduire des énoncés simples dans l'autre langue. Il peut lui poser des questions auxquelles il peut répondre par un simple « oui » ou un simple « non » ; ensuite, il peut lui

demander par exemple, si « la voiture est rouge ou verte », pour passer ensuite à des questions amenant l'apprenant à reprendre des éléments plus longs du texte, et ainsi de suite.

• Grâce à son **caractère souple et non contraignant**, l'approche décrite ici s'adapte facilement aux caractéristiques individuelles des apprenants. Avec des histoires captivantes — textes imprimés, bandes dessinées, enregistrements vidéo, etc. — on peut atteindre beaucoup de goûts et de sensibilités. Le fait que l'apprenant ne soit pas obligé de s'exprimer en L2, mais qu'on l'invite à le faire de mille façons diverses, ne peut que convenir aux personnalités réticentes sans pour autant désavantager les caractères plus extravertis.

Ce qui est essentiel dans une telle approche, c'est que **l'apprenant doit constamment se servir de l'autre langue**. Sans arrêt, il a recours à ses connaissances en L2 acquises jusque-là, ainsi d'ailleurs qu'à ses connaissances « générales » (connaissance du monde, connaissance des relations logiques, etc.). Tout en interprétant des textes en fonction de leurs contextes linguistiques et extra-linguistiques, il est amené à développer sa maîtrise de la langue : maîtrise surtout réceptive au début, mais toujours plus productrice par la suite. Si l'enseignant a soin de fournir un input adéquat, c'est-à-dire un input globalement ajusté au niveau de l'apprenant et assez intéressant pour que celui-ci soit motivé pour vouloir le comprendre, il se crée un processus de communication suffisamment riche pour assurer un apprentissage efficace et durable.

Même si tous les problèmes ne sont pas résolus par l'adoption d'une approche réceptive, il est sûr que celle-ci permet d'éviter bien des situations pénibles où enseignant et apprenants se sentent forcés de « communiquer » à propos de sujets qui ne sont intéressants ni pour l'un ni pour les autres.

Une évaluation adéquate

Dans ce paragraphe, il ne sera pas question des examens ou du testing. Ces activités ne font pas partie, le plus souvent, du déroulement normal des classes de langue, mais ont lieu pendant des séances spéciales ; elles n'entrent donc pas dans la catégorie des activités didactiques, leur but n'étant pas d'inciter l'apprenant à apprendre, mais plutôt de l'obliger à montrer ce qu'il a appris. A part cela, les tests et les épreuves officielles forment une matière assez spécifique, qui, bien qu'elle ne soit pas indépendante des facteurs traités dans ce livre, n'a pas encore été étudiée du point de vue de la psychologie différentielle.

Je préfère examiner ici la façon dont l'enseignant traite les erreurs des apprenants pendant l'interaction dans les cours normaux, ou, plus globalement, la façon dont il réagit aux énoncés des apprenants. Il s'agit là d'une activité dont Dabène (1984 : 41) fait remarquer à juste titre qu'on a trop tendance à oublier qu'« elle s'exerce à chaque moment de l'échange pédagogique par le seul fait de la présence de l'enseignant, dans certains cas, même si elle se résume à un simple échange de regards ».

Ci-dessous, je rendrai d'abord compte d'une étude montrant qu'il existe une correspondance assez étroite entre le statut de l'erreur et l'approche didactique choisie par l'enseignant. Ensuite, je parlerai des décisions que tout enseignant doit prendre à tout moment quand il évalue les productions de ses élèves. Enfin, je m'interrogerai sur ce qui peut être considéré comme une évaluation adéquate.

Nul n'ignore que ce qui constitue une faute grave pour l'un, n'est qu'une erreur insignifiante pour l'autre. En effet, les opinions à ce sujet peuvent être très diverses selon le point de vue, linguistique ou autre, qu'on adopte. Dans une enquête que j'ai menée auprès de plus de cent professeurs de plusieurs Lé aux Pays-Bas, j'ai pu constater qu'il existe, en gros, quatre **attitudes à l'égard des erreurs des apprenants** et que ces attitudes correspondent globalement à quatre *approches didactiques* différentes (voir Bogaards 1982a).

La première attitude qui se dégage des données fournies par l'enquête est celle qu'on connaît du professeur traditionnel pour qui un enseignement digne de ce nom est centré sur l'enseignant : c'est lui qui maintient l'ordre, ordre strict où le travail de groupe n'a pas de place ; c'est lui qui corrige les erreurs, grammaticales s'entend, les élèves n'étant pas capables de se corriger eux-mêmes. Cette attitude correspond à l'approche didactique qui s'appelle communément méthode grammaire-traduction et qui refuse aux élèves le droit de faire des fautes.

Une deuxième attitude se rapproche des méthodes cognitivistes dans le cadre desquelles les règles explicites de la grammaire ont une importance assez grande. Les élèves doivent surtout arriver à *comprendre* comment fonctionne la langue. Leurs erreurs sont acceptées comme les indices des étapes successives du développement linguistique et sont utilisées de façon explicite dans l'enseignement.

C'est la notion de communication qui est centrale dans la troisième attitude distinguée dans l'enquête. La position fondamentale à l'égard des erreurs des apprenants se résume en ces termes : il n'est pas grave de faire des erreurs, ce qui compte c'est la communication réussie, la correction grammaticale des messages étant d'une moindre importance.

La quatrième attitude s'est dégagée de façon moins nette des données recueillies au moyen de l'enquête. C'est celle qui correspond à la méthode audio-visuelle (qui n'a jamais connu beaucoup d'adeptes aux Pays-Bas). Les professeurs ayant adopté cette attitude se servent du laboratoire de langue, font apprendre des dialogues et estiment qu'il est moins important de connaître beaucoup de mots que de savoir s'exprimer au moyen des structures apprises. Une norme très stricte est d'une grande importance pour ce groupe de professeurs.

Les données fournies par cette enquête ne constituent, j'en conviens, qu'un point de départ assez pauvre pour la description des activités didactiques dans le domaine de l'évaluation. Mais elles disent bien qu'il y a une relation entre l'approche didactique choisie et l'attitude adoptée vis-à-vis de l'erreur. Dans d'autres expériences, on a pu s'apercevoir, d'ailleurs, que les professeurs appliquent en effet les principes évaluatifs qu'ils disent avoir adoptés (cf. Gaies 1983 : 212). Malgré cela, les données présentées ci-dessus sont encore assez abstraites. Interrogeons-nous donc, à un niveau plus concret, sur ce qui se passe quand l'enseignant doit évaluer les productions de ses élèves.

Comme on le verra, *la correction des erreurs* des apprenants, surtout celles commises à l'oral, est une affaire très complexe : à chaque instant, l'enseignant a toute une série de décisions à prendre (cf. Porquier & Frauenfelder 1980). Tous les critères intervenant dans le choix des réactions n'ont pas toujours la même valeur, ce qui fait que la même erreur peut être traitée de façons assez différentes pendant le même cours. Accuser l'enseignant d'une conduite peu conséquente, dans ce cas (cf. Ludwig 1979), c'est sous-estimer le nombre de facteurs, cognitifs *et* affectifs, qui jouent leur rôle.

Suivons de près les étapes obligatoires que comporte le processus de correction. En écoutant les énoncés de l'apprenant, l'enseignant doit tout d'abord décider si ceux-ci sont corrects ou s'ils contiennent des erreurs. Dans le cas d'énoncés incorrects, il doit ensuite localiser l'erreur. Dès ces premières étapes, l'enseignant peut rencontrer bien des difficultés. Tel énoncé est correct selon les normes de la langue familière, mais inacceptable dans le registre de langue visé par le cours ; telle phrase ne comporte aucune erreur en soi, mais est bizarre dans le contexte où elle est prononcée (cf. Corder 1980b). Très souvent aussi, un énoncé contient plusieurs erreurs qu'il est difficile de localiser exactement, ou bien on a affaire à un énoncé contenant une erreur qu'on pourrait localiser à des endroits différents selon le point de vue adopté ou l'interprétation « plausible » choisie.

Une fois l'erreur localisée, l'enseignant doit choisir s'il veut la corriger ou s'il doit plutôt l'ignorer. S'il décide de la corriger, il a encore le choix de le faire tout de suite ou plus tard. Le choix de corriger ou d'ignorer une erreur peut dépendre d'un nombre assez grand de considérations, parmi lesquelles la gravité de l'erreur jouera le plus souvent un rôle déterminant. La même erreur peut, cependant, être plus ou moins grave selon la méthode adoptée, le but de l'activité en cours ou le rapport avec l'état de développement de la grammaire intermédiaire de l'apprenant : une erreur de prononciation est plus grave dans le cadre d'une méthode audio-linguale que dans celui d'une méthode cognitiviste et plus grave également pendant un cours de lecture à haute voix que pendant un cours de conversation (sauf si l'erreur interfère avec la communication) ; une erreur qui peut être considérée comme un lapsus est moins grave qu'une autre qui a un caractère nettement systématique (voir pour la différence entre lapsus, erreurs et fautes, Corder 1980a : 13).

D'autres considérations jouant un rôle dans la décision d'ignorer ou de corriger, tout de suite ou plus tard, telle ou telle erreur sont, par exemple, la fréquence d'occurrence de l'erreur ou de ce type d'erreur, le temps disponible et la facilité relative de la correction, l'effet encourageant ou démoralisateur que peut avoir la correction sur l'élève ou sur le groupe-classe, etc.

Dans le cas où l'enseignant décide de ne pas ignorer l'erreur, il a l'embarras du choix en ce qui concerne la façon dont il va s'occuper du problème. Est-ce qu'il traite l'erreur en question comme un cas isolé ou comme spécimen d'une classe de difficultés ? Va-t-il rappeler la règle, (re-)demander une explication ou donne-t-il tout de suite la forme correcte ? Est-ce que l'élève qui avait commis l'erreur, a l'occasion de se corriger, ou l'enseignant passe-t-il à un autre élève ou au groupe-classe ?

Dans le déroulement normal d'une classe de langue, le professeur est censé répondre à toutes ces questions (et à bien d'autres encore, cf. Allwright 1975 ; Chaudron 1977 ; Gaies 1983) en quelques fractions de seconde. Il n'a pas le temps d'utiliser consciemment l'algorithme présenté par Corder (1980b : 25) ou de se rendre compte de toutes les explications possibles d'une erreur apparemment simple (cf. Lamy 1983). Ce sont là des instruments ayant leur utilité dans le contexte d'une analyse scientifique des processus d'apprentissage, mais qui sont mal adaptés à la pratique scolaire.

La question-clé qu'il faut poser, enfin, dans ce contexte est la suivante : **quelles sont les corrections les plus efficaces ?** ou, en d'autres termes : est-ce qu'il y a des réactions évaluatives plus adéquates que d'autres ? Malheureusement, cette question n'a guère été abordée jusqu'ici. Lucas (1976) et Fanselow (1977) se sont contentés de calculer les fréquences relatives d'un certain nombre de réactions, sans étudier les effets qu'elles avaient. Seul Chaudron (1977) s'est risqué sur ce terrain plein d'embûches. Il commence par se demander ce que recouvre la notion de correction. En fait, il estime qu'une bonne correction devrait mener à une performance où l'erreur ne se présente plus et où l'apprenant est capable de se corriger lui-même. Pour définir ce qu'il appelle une « correction efficace », il choisit un critère moins exigeant, cependant, acceptant comme telle toute correction provoquant la réponse correcte, soit chez l'auteur de l'erreur originale, soit chez d'autres apprenants. Avec ce critère et en se basant sur une description détaillée du processus de correction, il en vient à étudier surtout les différentes formes de répétition, très fréquentes dans le comportement des trois professeurs de français (immersion) qu'il a étudiés.

Les résultats de l'étude de Chaudron (1977) sont les suivants : les réactions avec le taux de succès le plus élevé sont les répétitions avec réduction (plus de 50 %), les répétitions simples menant au but visé dans un tiers des cas et les répétitions avec expansion étant les moins efficaces (10 % de succès). En d'autres termes, là où l'enseignant reprend non pas tout l'énoncé contenant une erreur, mais juste la partie où se trouve l'erreur, l'élève, ou éventuellement d'autres élèves, donne(nt) ensuite la forme correcte dans un peu plus de la moitié des cas.

Ces résultats demandent quelques commentaires. En premier lieu, répéter juste l'élément erroné, c'est indiquer clairement où se trouve la faute. Quand un apprenant dit * « Le maison est jaune », il pourra plus facilement corriger son erreur quand l'enseignant ne répète que l'article que quand celui-ci reprend toute la phrase. Faire en sorte que l'apprenant sache où se trouve exactement l'erreur est évidemment la première étape du chemin vers une correction efficace. Tout élémentaire que puisse paraître une telle vérité, elle nous rappelle utilement que les cas où l'apprenant ne sait pas trop ce qu'il devrait corriger, ne sont, hélas, pas vraiment rares.

Ce qui frappe dans les données fournies par Chaudron (1977), c'est que la grande majorité des fautes corrigées sont d'ordre phonologique ou morphologique. Les corrections à caractère syntaxique ou lexical, ainsi que celles ayant trait au contenu sont en nombre très réduit : sur un total de quelque 400 corrections, il n'y en a, par exemple, qu'une trentaine relevant du domaine lexical. Si l'expérimentateur a réussi à catégoriser correctement toutes les corrections — et l'on n'est guère en droit d'en douter trop —, on peut se demander dans quelle mesure les professeurs étudiés visaient un emploi correct de la langue plutôt qu'une communication tant soit peu normale.

Comme on le voit, les données concernant l'adéquation des conduites évaluatives de l'enseignant sont très pauvres. Et cette pauvreté devient plus manifeste encore si l'on veut bien se rendre compte que, dans les paragraphes précédents, il n'a été question que des erreurs dans la production orale des apprenants. Pour ce qui est de l'expression écrite et de la compréhension, orale ou écrite, le terrain est plus désert encore. Tout ce qu'on trouve, ce sont des exhortations plus ou moins gratuites ou des résultats expérimentaux plutôt maigres (voir par exemple Dulay & Burt 1978 : 75-76 sur l'effet marginal des corrections de l'écrit). Il reste beaucoup de travail à faire.

Pour le moment, il me semble être indiqué de s'aligner sur ce qui est connu à propos des corrections dans le *caretaker speech* : plutôt que d'insister sur la correction grammaticale des énoncés des apprenants, l'enseignant doit adopter un point de vue communicatif. Cela revient à dire qu'il doit surtout prendre en compte **la valeur de vérité et l'adéquation contextuelle des interventions** de ses élèves. Un tel point de vue présuppose, cependant, une situation de communication à peu près authentique. Si on oblige les apprenants à s'exprimer en L2 dès le début de leur apprentissage, on risque de devoir corriger presque exclusivement des erreurs grammaticales. En attendant que l'expression orale des apprenants émerge d'elle-même, on a l'occasion de réagir dans le sens indiqué ci-dessus. Ce n'est que dans un stade avancé de l'apprentissage que les apprenants sont sensibles à une correction plus formelle de leurs productions (cf. Krashen & Terrell 1983 : 177).

4.3 L'enseignant face à l'apprenant : aspects affectifs

Une section consacrée aux aspects affectifs du comportement de l'enseignant sera nécessairement brève. Non pas parce que ces aspects sont sans importance, mais parce que, jusqu'à présent, ils ont été très peu étudiés. En outre, ils semblent être très peu spécifiques pour l'enseignement des langues ; ils relèvent, par conséquent, plus du domaine des sciences de l'éducation que de celui de la linguistique appliquée ou de la didactique des langues.

Tout le monde sera d'accord pour dire que la personnalité de l'enseignant ainsi que ses attitudes et sa motivation ne peuvent qu'avoir une influence considérable sur ce qui se passe dans une classe. Mais cette unanimité est basée sur des convictions et des croyances plutôt que sur une compréhension exacte étayée de résultats scientifiques. Dans la présente section, j'en suis donc réduit à présenter surtout des opinions individuelles ; la moisson en données expérimentales sera plutôt pauvre.

Il va de soi que l'**atmosphère** qui règne dans une classe est d'une grande importance. Dans une très large mesure, c'est de l'enseignant que dépend la qualité de l'ambiance. Pour créer une atmosphère où les apprenants se sentent à leur aise, il faut que l'enseignant soit chaleureux, sensible, tolérant, patient et flexible (cf. Robinett 1977), qu'il inspire la confiance, le respect de soi et des autres et un sentiment d'acceptation (cf. Disick 1972), qu'il ait une personnalité forte et soit une source de stabilité (cf. Stevick 1976).

Comme on le voit, il s'agit de traits de caractère qu'on souhaiterait trouver chez tous les enseignants (sinon chez tous les adultes). Cependant, sans être vraiment spécifiques de l'enseignement des langues, les traits personnels nommés risquent de jouer un rôle plus important encore dans cet enseignement que dans celui d'autres matières. C'est que, comme on l'a vu (cf. 3.4), les langues, la Lm aussi bien que les L2, sont intimement liées à la personnalité de l'apprenant. Changer de langue, c'est un peu changer de personnalité. Se voir destitué, ne fût-ce que temporairement, de son pouvoir linguistique est pour la plupart des apprenants quelque chose d'inhibant. Ce n'est que dans une atmosphère chaleureuse et pleine de confiance que les apprenants peuvent s'épanouir et exploiter, de façon optimale, leurs facultés d'apprentissage.

Deux éléments semblent avoir une influence particulièrement grande sur l'atmosphère d'une classe : la **clarté de l'organisation** du cours et les **conduites évaluatives** de l'enseignant.

Formuler de façon aussi exacte que possible les objectifs du cours, expliquer le pourquoi et le comment de l'approche choisie et informer les apprenants sur ce qu'on attend exactement d'eux, voilà des points qui contribuent à établir une atmosphère stable et qui, par là, ont un effet sécurisant sur plus d'un apprenant (cf. Pimsleur & al. 1962b : 165 ; Pimsleur & al.1964 : 135 ; Krashen & Terrell 1983 : 73-75). Ces activités structurantes ne sont pas nécessairement l'affaire du seul enseignant : selon les groupes et les modalités de l'institution, objectifs et approches peuvent être négociés et, à la limite, être laissés au choix des apprenants (cf. Abé & Gremmo 1983). Mais dans tous les cas, l'enseignant, qu'il soit professeur ou conseil, a le devoir d'aider l'apprenant à tirer au clair les buts qu'il se pose ou qu'on lui impose et les voies qui peuvent l'y mener.

Le second élément s'articule en partie sur le premier, mais en diffère par son caractère plus concret et plus continu. Il s'agit de la façon dont l'enseignant réagit aux productions, correctes ou incorrectes, des apprenants. Il est évident que les décisions prises au niveau du traitement des erreurs (cf. 4.2.3) n'ont pas toutes les mêmes conséquences pour l'atmosphère dans la classe. On peut s'attendre à ce que l'enseignant qui estime qu'il est normal que ses élèves fassent des fautes et qui n'interrompt pas à tout moment le cours de l'interaction pour corriger les erreurs, favorise davantage une ambiance propice à une communication plus ou moins spontanée et authentique, que celui qui ne cesse de confronter les apprenants à la norme (cf. Moskowitz 1965 : 784).

Après avoir analysé un bon nombre de cours enregistrés, Holley & King (1975) sont convaincus qu'il est rentable de laisser aux élèves le temps de formuler leurs énoncés. Une telle approche ne prend pas plus de temps qu'une autre, où l'enseignant fournit tout de suite des corrections ou des explications, et mène, selon les auteurs, à des résultats satisfaisants.

Réduire les risques inutiles et adapter les tâches et les activités aux capacités des apprenants, voilà d'autres moyens susceptibles de contribuer à la création d'une atmosphère sécurisante. En donnant aux apprenants l'occasion de montrer ce qu'ils savent faire, on leur réserve des succès assez fréquents, ce qui a sans doute un effet fort motivant (cf. Birkmaier 1966 : 124).

Un dernier aspect du comportement évaluatif de l'enseignant est également susceptible de favoriser une ambiance détendue et favorable à l'apprentissage ; il s'agit des **appréciations positives** en réaction aux réussites des apprenants. Il semble que les enseignants manifestent plus souvent leur satisfaction devant les élèves qu'ils perçoivent comme forts que devant ceux qu'ils croient être faibles. C'est ce qui ressort d'une recherche expérimentale effectuée par Naiman & al. (1978) dans des classes de français Ls. Les auteurs affirment que « les professeurs ont tendance à répéter plus souvent les réponses données par les bons élèves que celles données par les élèves faibles (et qu') il arrive souvent que des élèves faibles n'obtiennent pas de feedback de la part de l'enseignant après avoir répondu à une question » (p. 83). Il n'est pas sûr que ce soient les appréciations positives qui, de par leur force motivationnelle, incitent les bons élèves à rester bons, mais il est permis de croire que des réactions encourageantes, plutôt que des critiques ou un manque total de réactions peuvent amener les élèves faibles à continuer leurs efforts et à réussir.

A l'opposé de ce qui se présente chez les apprenants, l'attitude et la motivation de l'enseignant ont été très peu étudiées. Le sujet ne semble pourtant pas être inintéressant. Plus haut il a été question des attitudes que peuvent adopter les enseignants vis-à-vis des erreurs et des réussites de leurs élèves (cf. aussi 4.2.3) ; on a pu en apprécier la diversité. Pour le reste, mentionnons les quelques études montrant que les attitudes des enseignants ont tendance à évoluer au cours de l'expérience concrète. Comparant 35 étudiants se préparant au professorat à 90 professeurs plus ou moins expérimentés (un à cinq ans d'expérience), Papalia (1977) constate que ces derniers sont moins idéalistes et plus modérés que les premiers dans leurs idées concernant le travail de groupe ou la différenciation des tâches des élèves. Westgate (1979) s'aperçoit également qu'un certain dogmatisme, caractéristique des professeurs peu expérimentés, tend à faire place à des idées plus larges chez des collègues ayant une expérience plus riche.

L'enquête menée parmi 113 professeurs de Lé, mentionnée plus haut (Bogaards 1982a, voir 4.2.3), m'a permis de constater que le nombre d'années sur lesquelles s'étend l'expérience des enseignants, ne dit rien sur l'approche didactique préférée. Pour ce qui est de l'âge, il s'est trouvé que les conceptions traditionnelles ont surtout droit de cité parmi les professeurs moins jeunes.

Force est de reconnaître que les données concernant les attitudes des professeurs de langues sont trop rares et trop disparates pour qu'on puisse tirer des conclusions d'une quelconque valeur. Cela vaut *a fortiori* pour les données portant sur l'âge et le nombre d'années d'expérience. Quant au sexe de l'enseignant, je renvoie à la section 3.6.1.

Il reste un élément affectif dont il faut encore parler, à savoir les **prévisions** que fait l'enseignant sur ses élèves. Dans ce domaine, c'est l'étude de Rosenthal & Jacobson (1968) avec le titre évocateur *Pygmalion à l'école* qui a fait date. Ce n'est pourtant pas cette étude même qui a approfondi nos connaissances sur ce point ; à juste titre, elle a été sévèrement critiquée par Thorndike (1968) et R. E. Snow (1969). Son mérite est plutôt d'être à l'origine de toute une série de recherches analogues, dont Burstall (1975 : 14) donne un compte-rendu adéquat. Il se trouve que, dans les cas où l'on a fourni aux enseignants des informations faussées au sujet des élèves (comme dans l'étude de Rosenthal & Jacobson), les résultats expérimentaux étaient très pauvres. Là où on s'est abstenu de donner des informations contraires à la vérité, par contre, on a su obtenir des résultats convaincants, ce qui permet à Burstall (1975 : 15) de conclure qu'il existe « une association étroite entre les attitudes et les prévisions de l'enseignant, d'une part, et les attitudes et les résultats des élèves d'autre part ». Cette conclusion a été confirmée dans la recherche expérimentale mentionnée plus souvent déjà (Bogaards 1982b ; cf. Bogaards 1984 et 1986) : les prévisions de l'enseignant avaient une influence considérable sur les attitudes des élèves et, indirectement, sur leurs scores aux tests-critères.

Ce qui se passe concrètement dans la classe, a été décrit par Brophy & Good (1970) : le professeur se forme très vite des idées sur les capacités, inégales, de ses élèves (une étude de Lambert & al. (1972 : 348) suggère que la voix et le physique des élèves y jouent un rôle assez important) ; ensuite, le professeur traite les élèves en fonction de ses prévisions et les élèves, à leur tour, ont tendance à réagir selon ce qu'on attend d'eux. Ci-dessus, on a vu que les enseignants tendent en effet à réagir différemment aux énoncés de leurs élèves selon que ceux-ci sont perçus comme forts ou faibles (cf. Naiman & al. 1978).

Il me semble que les enseignants ont tout intérêt à bien se rendre compte de ce mécanisme des prévisions qui s'appelle en anglais *self-fulfilling prophecy*. En l'utilisant de façon positive, ils peuvent sans doute éviter de décourager plus d'un apprenant.

4.4 Comment décrire l'intervention enseignante ?

Le désir de mieux cerner le rôle de l'enseignant dans la réalité de l'enseignement scolaire a donné lieu à l'élaboration d'un grand nombre d'instruments visant à décrire, de façon aussi objective que possible, ce qui se passe dans la classe. Dans un inventaire qui est loin de pouvoir être qualifié d'exhaustif, Simon & Boyer (1974) n'en présentent pas moins d'une centaine. Dans ce foisonnement de grilles et de systèmes d'observation, il convient de bien saisir le caractère de ce genre d'instruments et de voir dans quelle mesure ils peuvent servir à mieux comprendre ce qui se passe dans les classes de langue.

Dans la présente section, je commencerai par présenter deux systèmes d'observation spécialement conçus en vue de la description de l'interaction dans les classes de L2. Ces deux systèmes me serviront ensuite d'exemples concrets dans le traitement d'un certain nombre de questions fondamentales qui doivent être posées à propos des systèmes d'observation (4.4.1). Je terminerai en traitant quelques autres méthodes pouvant servir à décrire l'intervention concrète de l'enseignant (4.4.2).

4.4.1 Les instruments d'observation

Plutôt que de présenter toutes les grilles d'observation spécialement élaborées par la classe de L2 — il en existe au moins une trentaine — et de les comparer dans le détail, je préfère étudier un certain nombre de questions fondamentales à propos de ce genre de
systèmes. On trouve un inventaire descriptif de 22 instruments chez
Long (1980), une description plus détaillée d'une dizaine d'instruments chez Bogaards (1981) et des propositions récentes chez Gayle
(1982) et dans un numéro spécial des *Etudes de Linguistique Appliquée* (55, 1984).

Tableau 4.4.1 : FLINT (d'après Moskowitz & al. 1973 : 28-29).

Intervention de l'enseignant	Influence indirecte	1. Accepte des sentiments, réagit à des aspects affectifs
		2. Encourage, fait des compliments, raconte des plaisanteries
		3. Accepte des idées, interprète des suggestions, répète les interventions des élèves
		4. Pose des questions
	Influence directe	5. Donne des informations, corrige, fournit des modèles
		6. Dirige la classe
		7. Critique le comportement des élèves
Intervention de l'apprenant		8. Répond aux questions du professeur
		9. Agit sur sa propre initiative, exprime des idées, pose des questions
		10. Silence
		11. Confusion
		12. Rires
	Conventions spéciales	Lm Emploi de la langue maternelle n Comportement non verbal

Le tableau 4.4.1 présente la liste des catégories du système FLINT
(= *Foreign Language Interaction*) de Moskowitz & al. (1973 :

28-29). Ce système est une adaptation du système bien connu de Flanders, le FIAC. On en reconnaît les grandes lignes : la répartition en interventions des élèves (*Student talk*) et interventions de l'enseignant (*Teacher talk*), et dans cette catégorie, la subdivision en influences directes et indirectes. Tout comme le système FIAC, le système FLINT s'emploie de la façon suivante : l'observateur note au moins toutes les trois secondes le chiffre correspondant à la catégorie décrivant le mieux ce qui se passe à ce moment-là dans la classe. Cela donne une longue liste de chiffres, qu'on peut éventuellement reporter dans une grille permettant de conserver l'enchaînement chronologique des événements et de calculer leur fréquence totale (voir tableau 4.4.2).

Tableau 4.4.2 : Grille.

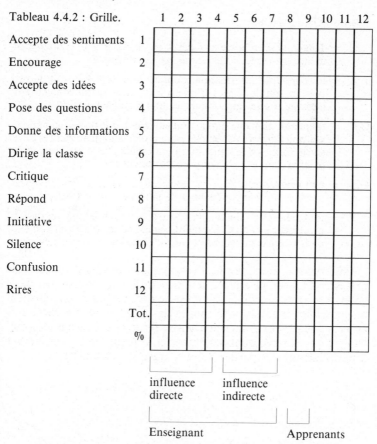

Les chiffres sont notés deux à deux dans la grille : pour la série 4-8-9-3..., on note d'abord 4-8 dans la colonne 4 à la rangée 8, ensuite 8-9 dans la colonne 8 à la rangée 9, ensuite 9-3 dans la colonne 9 à la rangée 3, et ainsi de suite. Avec les totaux des différentes catégories, on peut calculer les pourcentages d'interventions et les taux d'influences directes et indirectes.

129

Un tout autre système d'observation est celui proposé par Dalgalian (1984 ; voir tableau 4.4.3). Dans ce cas, l'observateur note toutes les occurences des cinq types d'échanges prévus et il remplit ensuite la grille présentée dans le tableau 4.4.4. Comme on le voit, cette grille demande que soient indiqués les totaux pour les différentes catégories ; elle permet de calculer des taux d'initiative et d'intervention de la part de l'enseignant et des élèves, ainsi qu'un certain nombre d'autres indices.

Tableau 4.4.3 : Grille d'observation (Dalgalian 1984 : 11).

TYPES D'ÉCHANGES :

Q = Toute *question* posée aux élèves ou au professeur, toute performance demandée à des élèves par le professeur.

A = tout *apport d'information* spontané (non sollicité), soit du professeur, soit des élèves et relatif à la forme ou au contenu d'un message. Cette catégorie inclut tout Feedback positif.

O.C. = toute *objection* ou *critique,* soit adressée par le professeur aux élèves, soit adressée par les élèves au professeur ou aux autres élèves sur la forme ou le contenu d'un message ; cette catégorie inclut la correction et tout autre Feedback négatif.

G.S. = tout *guidage* de la tâche par le professeur, toute *suggestion* concernant la forme ou le contenu de la tâche émanant des élèves.

R = toute *réaction* sollicitée par l'Autre, c'est-à-dire toute *réponse* du professeur à Q ou G.S. ou O.C. émanant des élèves à Q ou G.S. ou O.C. émanant du professeur, à l'exclusion de tous les autres cas.

En servant d'exemples, les deux systèmes décrits permettent de procéder à une étude critique des principales caractéristiques de ce genre d'instruments dont le but est de décrire, aussi concrètement que possible, ce qui se passe dans la classe de langue. Les différents aspects que je veux traiter peuvent se résumer par la question suivante : qui observe quoi, comment et à quelle fin ? Considérons à part chacune des parties de cette question complexe.

Tableau 4.4.4 : Initiative des élèves dans la communication (Dargunan 1984)

direction des échanges / type d'échanges	colonne 1 prof.→élèves PE	tot. col. 1 (mag)	colonne 2 élèves→prof. EP	tot. col. 2	PE + EP	col. 1 + 2	colonne 3 élèves→élèves EE	tot. col. 3	total EP + EE	col. 2 + 3 (non mag)	total PE + EP + EE	col. 1 + 2 + 3 (mag + non mag)
Q questions (ou toute demande de performance-élève)												
A apport d'information spontané												
O.C. objection ou critique												
G.S. suggestion ou guidage de la tâche												
totaux des initiatives	du professeur PE (−R)		des élèves vers professeur EP (−R)		▨		des élèves vers élèves EE (−R)		EP (−R) + EE(−R)		PE (− R) + EP (− R) + EE (− R)	
R réponses à une question - ou à une objection ou critique - ou à une suggestion ou guidage												
totaux des interventions et/ou échanges	du professeur (mag) P.E.		des élèves vers professeur E.P.		total des échanges PE + EP		des élèves vers élèves E.E.		échanges non mag EP + EE		éch. totaux des P. et des E. (mag + non mag) PE + EP + EE	

131

• Observer : quoi ?

Tout instrument d'observation est conçu en fonction des objets à étudier. Pour donner un exemple très simple : le télescope qui sert à observer ce qui est très éloigné est assez différent de la loupe dont on se sert pour examiner ce qui est très petit. Mieux on sait d'avance ce qu'on veut étudier, mieux on est capable de spécifier les propriétés que doit avoir l'instrument d'observation. Mais un instrument bien adapté à une tâche précise connaît, par ce fait même, des limitations : tout instrument ne permet de voir qu'une partie restreinte de la réalité et pas toute la réalité.

Ce qui vaut pour les instruments employés dans les sciences naturelles, est valable aussi pour des outils comme les systèmes d'observation : il y a toujours une relation étroite entre les spécifications techniques de l'instrument et les objets à étudier. Il est donc utile d'examiner les catégories contenues dans un instrument d'observation, parce que ce sont elles qui peuvent, mieux encore que les commentaires des constructeurs, révéler l'utilité et la portée réelles de l'instrument en question.

Comparons d'abord l'ensemble des catégories figurant dans les deux systèmes-exemples : FLINT en a douze, avec, en plus, deux conventions spéciales ; Dalgalian n'en retient que cinq. Sur les douze catégories de FLINT, sept sont réservées à l'enseignant et deux seulement aux élèves. Chez Dalgalian, toutes les catégories peuvent s'appliquer, en principe, à l'enseignant aussi bien qu'aux apprenants. Il sera clair que le statut et le rôle de l'enseignant ne peuvent être conçus, dans les deux cas, que de façon très différente : chez Moskowitz, l'enseignement est vu comme une activité fortement dirigée par le professeur ; selon Dalgalian, les apprenants doivent être « des participants à part entière dans le processus de communication », ce qui explique pourquoi cet auteur trouve intéressant d'étudier le temps de parole et la qualité d'initiative des élèves.

Le système de Dalgalian est destiné à décrire une partie bien délimitée de la réalité de la classe de langue. L'auteur stipule expressément que sa grille « n'est à utiliser qu'en phase de *communication authentique* ou *simulée* ». Le système FLINT, par contre, a une mission beaucoup plus globale. Tout comme le FIAC, il essaie tout d'abord de décrire le climat affectif de la classe. Cependant, dans le schéma complet du système FLINT tel qu'il est présenté par Moskowitz & al. (1973 : 28-29), le nombre des catégories a presque triplé, la plupart des nouvelles catégories n'ayant rien à voir avec l'atmosphère dans la classe mais ayant plutôt un caractère cognitif (par exemple 5c : « le professeur parle de la culture ou de la civilisation » ou 6a : « il dirige des exercices structuraux »). En modifiant de cette façon le système FIAC, Moskowitz fait de FLINT un instrument destiné à décrire pratiquement toute la réalité de la classe de L2.

Comme on le voit, les domaines couverts par les instruments d'observation peuvent prendre des dimensions bien diverses. Mais abstraction faite de ces dimensions, l'on peut se demander si ces instruments parviennent à décrire toutes les données pour lesquelles ils sont prévus. Pour montrer que tel n'est pas le cas, il suffit de formuler quelques questions auxquelles les instruments présentés ici n'apportent pas de réponse, bien que les sujets auxquels elles touchent appartiennent au champ qu'ils sont censés couvrir. Ainsi, par exemple, pour FLINT :

– Est-ce que le professeur s'occupe surtout de quelques élèves ou s'adresse-t-il à tous avec la même fréquence ?
– Est-ce que le professeur est bien compris de tous les élèves ?
– Est-ce que le professeur suit de près le manuel ou est-ce qu'il improvise beaucoup ?

Et pour le système de Dalgalian :

– Est-ce que tous les élèves participent, dans des mesures égales, à la conversation ?
– Quel est le rôle du non-verbal ? Et celui de la Lm ?
– Quels sont les principes évaluatifs de l'enseignant ?

Ces quelques exemples montrent clairement combien les systèmes d'observation, ceux présentés ici ni plus ni moins que d'autres, sont toujours lacunaires. Cela ne les rend d'ailleurs pas nécessairement inutilisables : il peut être plus important d'avoir une vision nette de quelques aspects de la réalité étudiée que de n'avoir pas de vision du tout. Bien entendu, il est essentiel, dans ces cas, d'avoir conscience des limitations pratiques et théoriques de cette vision tronquée.

• **Observer : qui ?**

Pour bien comprendre les problèmes que peut rencontrer un observateur, il est utile de comparer les verbes **enregistrer, observer** et **interpréter. Enregistrer** est le verbe avec le sens le plus objectif : on peut enregistrer, de façon objective, le nombre de voitures passant sur tel pont de telle heure à telle heure, ou bien le nombre de fois que le professeur lève le bras droit. Mais enregistrer ce genre de faits n'est intéressant que dans de très rares cas : on recueille des données très superficielles ne menant guère à une meilleure compréhension de l'événement étudié.

C'est justement la compréhension qui se trouve au cœur de ce qui est exprimé par le verbe **interpréter** : le nombre de voitures passant sur le pont peut être compris comme un signe du progrès économique ou comme une menace de l'environnement ; le comportement corporel du professeur peut être interprété comme un signe de nervosité ou comme la marque d'un grand enthousiasme. Interpréter demande nécessairement que plusieurs faits élémentaires soient compris et combinés ; comprendre et combiner étant des activités qui font toujours intervenir, jusqu'à un certain degré, des opinions personnelles (cf. 2.1.5), il n'est pas rare que les interprétations d'une même réalité soient totalement différentes.

Le verbe **observer** occupe une position intermédiaire. D'une part, ce verbe contient des éléments objectifs : on ne peut bien observer que les phénomènes visibles et facilement reconnaissables ; d'autre part, le verbe comporte des nuances subjectives : il ne suffit pas d'enregistrer les actions élémentaires et d'en compter les occurrences ; il faut, en outre, comprendre des suites d'actions et reconnaître certaines d'entre elles comme des éléments fonctionnels ayant une pertinence certaine dans le contexte donné.

C'est pour le besoin de la démonstration que j'ai réduit le contenu sémantique des trois verbes cités. Il est bien entendu qu'un enregistrement réalisé avec une caméra peut être, de par le point de vue adopté et le cadrage choisi, tout à fait subjectif. Inversement, certaines interprétations, plutôt que d'être individuelles, semblent parfois s'imposer ou du moins être acceptées de tout le monde.

Ce que j'ai voulu souligner, c'est que, pour qu'une observation soit satisfaisante, il faut qu'elle soit centrée sur des éléments fonctionnels, et que ces éléments-là exigent toujours une part d'interprétation.

Il est facile à comprendre que le choix d'un observateur, en raison des aspects interprétatifs de la tâche de celui-ci, n'est pas complètement indifférent : tous les observateurs n'interpréteront pas de la même façon un énoncé comme : « Je comprends que tu fasses cette faute, mais je sais que tu connais la forme correcte ». Est-ce que le professeur encourage l'apprenant ? Le critique-t-il ? Ou est-ce qu'il faut comprendre tout l'énoncé comme une question ? (cf. Bailey 1975 : 338).

L'emploi efficace d'un instrument d'observation demande un certain entraînement de l'observateur. Pour le système de Dalgalian, cet entraînement peut être sommaire. En ce qui concerne FLINT, cependant, il faut que l'observateur apprenne par cœur les catégories et les interprétations qu'elles admettent ; il doit également s'exercer à noter un chiffre toutes les trois secondes. Pour ce qui est des interprétations admises, il suffit d'apprécier les latitudes de la première catégorie de FLINT : « Accepte les sentiments des élèves », ou celles de la catégorie 5a : « Corrige sans critique ». Seuls des observateurs bien entraînés et ayant des cadres de référence sensiblement pareils en arriveront à peu près aux mêmes résultats.

• Observer : comment ?

Les deux systèmes décrits à titre d'exemple sont assez différents quant à leur méthode d'observation : FLINT est un **système à catégories**, tandis que la grille de Dalgalian est un exemple d'un **système à signaux**.

L'observateur qui utilise un **système à catégories** est censé noter ce qu'il voit à des intervalles réguliers, par exemple toutes les trois secondes. Comme il doit faire rentrer tout ce qu'il voit dans les catégories prévues dans la grille, celles-ci doivent couvrir toutes les conduites susceptibles de se présenter dans le contexte où l'observation a lieu. En principe, les catégories d'un tel système sont justifiées dans le cadre d'une théorie permettant d'expliquer les données de l'observation.

Dans le cas des **systèmes à signaux**, l'observateur ne note qu'un certain nombre de conduites sélectionnées à l'avance. Chaque fois qu'une des conduites prévues se présente, l'observateur note celle-ci, ne notant rien tant qu'il s'agit d'autres conduites. Les systèmes à signaux servent surtout dans les cas où une théorie explicative fait encore défaut (cf. Medley & Mitzel 1963).

Les deux méthodes d'observation esquissées ci-dessus se distinguent encore sur un autre point. Comme, dans les systèmes à catégories, l'observateur est obligé de noter un chiffre toutes les trois secondes, il ne lui est donné que peu de temps pour interpréter ; par conséquent, les catégories retenues doivent être d'un niveau assez élémentaire. Plus les intervalles sont longs, jusqu'à quinze secondes par exemple (cf. Jarvis 1968 : 340), plus l'observateur devra combiner d'événements primaires et plus il sera obligé d'interpréter. Avec les systèmes à signaux, le danger d'interprétations intempestives dépend également du rythme dans lequel l'observateur doit noter ses conclusions. Cependant, dans ce dernier cas, ce rythme est déterminé par le nombre et la fréquence des conduites pertinentes et peut donc varier d'un moment à l'autre.

Un autre aspect important de la méthode d'observation porte sur les possibilités, offertes par le système de notation, de conserver l'ordre chronologique des événements. Si on veut comparer plusieurs parties du même cours, les unes satisfaisantes et les autres moins réussies, il faut pouvoir disposer, bien évidemment, de données localisées dans le temps. Dans le système FLINT, les numéros correspondant aux catégories sont notés dans de longues listes. Celles-ci gardent déjà l'ordre chronologique des événements observés, et il est aisé d'y ajouter, de temps à autre, des indications concernant l'heure ou le moment de l'observation. De cette façon, on peut faire des calculs pour les différentes phases du cours prises isolément. Dalgalian ne mentionne pas cette façon de procéder, mais il est facile d'adapter son système en ce sens.

• Observer : à quelle fin ?

Les systèmes d'observation sont employés dans le cadre de la recherche scientifique, ainsi que dans celui de la formation ou du recyclage des enseignants. Le but dans lequel a été créé tel outil d'observation explique souvent certaines modalités de son emploi et certains aspects de son contenu. Si, dans les deux contextes mentionnés, le but est toujours de recueillir des données exactes, le temps disponible pour le faire peut interférer avec le degré de précision.

Dans le contexte de la formation d'enseignants, il importe que l'outil d'observation fournisse tout de suite les données nécessaires. Un enseignant en formation a besoin de réagir aussitôt après son cours aux informations procurées par les observateurs. D'une part, parce que c'est à ce moment-là qu'il se rappelle le mieux à quoi correspondent les données observationnelles ; d'autre part, parce qu'il voudra tenir compte de ces données pour améliorer son prochain cours, qui a lieu le lendemain au plus tard.

Là où il s'agit de recherches scientifiques, le temps presse beaucoup moins, le plus souvent. Dans ce cas, l'on peut se permettre de choisir une méthode d'élaboration plus lente. Une telle méthode peut demander une transcription littérale de l'interaction et peut mener ainsi à une description très détaillée des événements observés. Il est clair qu'une telle observation ne peut pas se faire en temps réel mais exige des enregistrements.

Le système de Moskowitz a été élaboré en vue de la formation et du recyclage d'enseignants. Les observateurs qui se servent de FLINT peuvent fournir assez vite les totaux des différentes catégories ainsi que les pourcentages que ceux-ci permettent de calculer. S'ils veulent présenter une image plus nuancée du cours, cependant, ces observateurs doivent procéder à une comptabilité demandant plus de temps (cf. le tableau 4.4.2), mais normalement ils pourront présenter leurs conclusions le jour même.

Dalgalian place sa grille plutôt dans la perspective des recherches scientifiques. Bien que l'observation même semble pouvoir se faire en temps réel, le nombre de taux et d'indices à calculer rend cet outil trop lourd pour des fins pratiques. D'ailleurs, la formation des professeurs n'est, de l'aveu de l'auteur (p. 10), qu'une finalité indirecte de son travail.

• Questions de validité et de fidélité

En tant qu'instruments de mesure, les systèmes et les grilles d'observation doivent satisfaire à certaines normes de validité et de fidélité. A ma connaissance, les auteurs des instruments destinés à l'observation des classes de langue ne se sont jamais donné la peine de valider ceux-ci, ni de façon théorique, en leur donnant des bases solides dans une théorie bien établie, ni de façon technique, en les comparant systématiquement avec d'autres moyens de description des mêmes réalités. On doit en dire autant de la fidélité.

Quant à la validité théorique, le cas de FLINT est assez curieux. Le système FIAC, dont FLINT est une adaptation, est destiné à décrire le climat affectif dans des classes où les élèves apprennent des matières comme la géographie, l'histoire, etc. Dans ce type de classes, le moyen de communication est la langue maternelle, et l'interaction s'y déroule selon les règles propres à la situation scolaire. Sans s'interroger sur ce qui pourrait constituer la spécificité de l'interaction en L2, Moskowitz prend les catégories de Flanders comme base d'un nouveau système et y ajoute une vingtaine de catégories afin de pouvoir décrire un certain nombre de conduites caractéristiques de l'enseignement des L2. En procédant de cette façon, Moskowitz suggère que l'enseignement des langues, plutôt que d'avoir un caractère tout à fait spécial, est, avant tout, une forme de l'enseignement normal, avec en plus quelques aspects particuliers.

M'opposant au point de vue (implicite) de Moskowitz, je considère plutôt que, sur le plan de l'interaction, l'enseignement des L2 présente des caractéristiques si particulières qu'il y a lieu de l'étudier à part et au moyen d'outils spécialement élaborés. Dans les classes de L2, on a en effet affaire à une interaction comportant les quatre phénomènes suivants :

(1) la langue cible est en même temps moyen de communication et but de l'apprentissage ;

(2) les participants sont obligés de se servir d'un moyen de communication qu'ils maîtrisent imparfaitement ;

(3) les apprenants font beaucoup d'erreurs d'un type très élémentaire et

(4) le manque d'enjeux normaux risque de fausser le jeu habituel des influences sociales dans le groupe.

L'analyse d'une interaction aussi spéciale demande obligatoirement des instruments tout à fait spéciaux. Jusqu'à présent, de tels instruments n'existent pas, et l'on cherche en vain une réflexion pouvant mener à leur élaboration prochaine.

Il est clair que les bases théoriques du système élaboré par Dalgalian ne sont pas plus solides. Pour tout fondement, cet auteur propose que, du principe selon lequel les élèves doivent apprendre à communiquer, et donc à effectuer des actes de parole, il découle logiquement qu'il est utile « d'observer et de mesurer le temps de parole des élèves dans la communication », en liaison avec la qualité d'« initiative des élèves dans la communication » (p. 10).

Les auteurs d'instruments d'observation prétendent, de façon implicite ou explicite, que les catégories figurant dans leurs grilles décrivent la plupart, sinon tous les éléments essentiels de la conduite observée. En réalité, cependant, on ne connaît que très peu de chose sur la valeur relative des facteurs, très nombreux, intervenant dans le déroulement normal de l'enseignement des L2. Comme le fait remarquer à juste titre Long (1980 : 11-13), peu de catégories observationnelles se sont révélées, dans des recherches expérimentales, avoir une influence notable sur les résultats des élèves. Cette remarque rappelle celle que j'ai faite à propos des comparaisons de méthodes (cf. 4.2.1). Tout comme c'était le cas de ce genre de comparaisons, il serait difficile de prouver la supériorité d'un certain type de comportements communicatifs par rapport à d'autres et de fonder ainsi une théorie de l'observation.

Outre la validité théorique, où c'est le contenu des grilles d'observation qui prime, il faut prendre en considération les aspects plus techniques de leur validité. Dans ce cadre, il faut se demander dans quelle mesure les données fournies par telle grille sont conformes aux données provenant d'autres sources comme, par exemple, l'auto-évaluation de l'enseignant ou le jugement porté par les élèves (cf. 4.4.2). Il faut constater, hélas, que l'on cherche en vain des comparaisons de ce genre.

Un dernier aspect appartenant au domaine de la validité touche au problème de la durée de l'observation : après combien de temps peut-on avoir une image suffisamment complète du comportement des personnes observées ? Est-ce que dix minutes suffisent ou a-t-on besoin d'une heure de cours ? Ou de cinq heures ? Et comment procéder si, pendant la même heure de cours, l'enseignant attaque des sujets différents et change, en conséquence, de méthode de travail ? Enfin, si on observe le même enseignant pendant plusieurs cours, est-ce qu'il faut qu'il travaille toujours avec les mêmes élèves ou plutôt avec des groupes différents ? Voilà des questions auxquelles il est indispensable de formuler des réponses lors d'une validation sérieuse des outils d'observation.

Parlons, enfin, de la fidélité des grilles d'observation : dans quelle mesure ces instruments mènent-ils, dans un cas donné, aux mêmes résultats indépendamment du moment de l'observation et de la personne de l'observateur ? Pour ce point, il faut constater que les données fournies par les auteurs de systèmes d'observation sont très rares. Ce qu'on peut dire, de façon générale, c'est que la fidélité d'un instrument sera plus grande dans la mesure où ses catégories auront été mieux définies, c'est-à-dire dans la mesure où elles laissent moins d'espace aux interprétations individuelles. En outre, l'on peut s'attendre à ce qu'un instrument contenant peu de catégories donne des résultats plus fiables qu'un instrument avec un nombre important de catégories (comme FLINT). Car on sait qu'un observateur, même s'il est expérimenté, a tendance à privilégier un certain nombre, assez restreint, de catégories, en oubliant plus ou moins les autres ; différents observateurs risquent, par conséquent, de travailler avec des préférences assez diverses et de voir des choses sensiblement différentes (voir pour un exposé plus technique des questions de fidélité : Frick & Semmel 1978).

Etant donné la complexité de la vie de classe et la diversité des phénomènes qu'on pourrait y étudier, il n'est pas étonnant de rencontrer une multitude d'instruments d'observation de nature assez diverse, ni de devoir conclure qu'aucun de ces instruments ne permet de donner une description vraiment complète de ce qui se passe dans un cours de L2. Malgré cela, **les outils d'observation peuvent rendre des services appréciables dans le cadre de la formation ou du recyclage des enseignants ainsi que dans celui de la recherche scientifique.**

4.4.2 Autres moyens de description

Dans la section 4.4.1, je n'ai parlé que de situations d'observation où l'observateur se trouve en retrait de la réalité étudiée : c'est de l'extérieur qu'il essaie de comprendre et de décrire ce qui se passe entre les personnes participant à l'événement en question. Ce n'est pas, bien entendu, la seule méthode de recueil d'informations ; dans la présente section je passerai en revue quelques autres moyens disponibles.

Une première méthode consiste à utiliser les **apprenants comme source d'informations**. On peut recueillir les renseignements souhaités soit au moyen d'interviews, personnelles ou de groupe, soit par le biais d'enquêtes écrites. Il est possible d'obtenir, de la part des apprenants, des descriptions d'un caractère plus ou moins objectif ou bien des évaluations nettement subjectives. Selon l'âge et l'expérience des apprenants et en fonction de la méthode de recensement choisie, on obtient des informations de différents niveaux de spécificité. De façon générale, on peut affirmer que les apprenants sont capables de porter un jugement valable sur leur enseignant et de donner des descriptions assez objectives de son comportement (cf. Moskowitz 1976 : 137).

Les informations qu'on peut obtenir par le biais des apprenants peuvent mettre l'accent sur les éléments qui, autrement, passeraient inaperçus. L'observateur, souvent un enseignant expérimenté ou en formation et presque toujours un adulte, n'est pas forcément le mieux placé pour juger de la clarté d'une explication ou de la gentillesse de l'intervention du professeur. Le cas n'est pas rare où le professeur croit avoir fait un bon cours et où il doit constater plus tard que ses élèves n'ont rien compris aux problèmes traités. Sur le plan de l'affectivité, les choses sont tout aussi évidentes : une remarque de la part de l'enseignant dont l'intention n'était aucunement de pénaliser l'apprenant, peut très bien être perçue par celui-ci comme une critique sévère (cf. Long 1980 : 17).

Malheureusement, cette source d'informations, riche et pertinente, n'a pas encore été explorée comme elle mérite de l'être. Les instruments de recherche manquent à peu près complètement. On trouve quelques indications chez Papalia (1973), William (1976 : 160) et Cronbach & Snow (1977 : 298).

Une autre technique, empruntée cette fois au domaine de l'anthropologie, est celle qui s'appelle en anglais *diary studies*, ce qui veut dire « études au moyen de journaux intimes ». Cette technique, récente dans le domaine de l'apprentissage des langues, consiste à décrire, sans dessein préconçu, ce qui se passe pendant le processus d'apprentissage d'une L2. Il est clair que les données qu'on peut recueillir au moyen de cette méthode sont d'une valeur plutôt individuelle : liées à la personne de l'apprenant et à sa situation d'apprentissage, elles ne sont guère généralisables. Elles peuvent, néanmoins, jeter une lumière originale sur le processus d'apprentissage des L2 et, en particulier, sur ses aspects affectifs : ce sont surtout des sentiments d'anxiété, d'insécurité et de découragement momentané ainsi que des sentiments de satisfaction à cause de petits succès qui sont rapportés (cf. Jones 1977 ; Long 1980 : 23). La technique des journaux intimes se rapproche, par certains côtés, de celles mentionnées dans la section 3.8 (Voir pour d'autres suggestions Long 1980 et Gaies 1983).

Il faut consacrer, enfin, quelques mots à **l'auto-évaluation par l'enseignant.** Tout bizarre que cela puisse paraître, il n'est pas besoin d'insister beaucoup sur cette forme d'observation. Pour dire vrai, l'enseignant n'a guère le temps, pendant son cours, de réfléchir sur son propre fonctionnement. Evidemment, il peut le faire après coup, mais cela entraîne toutes les déformations que l'on sait. S'il a l'occasion de réécouter, ou mieux, de revoir son cours au moyen d'un enregistrement audio ou vidéo, sa position ne diffère pas fondamentalement de celle de tout autre observateur : les réserves formulées à l'égard des grilles d'observation (cf. 4.4.1) s'appliquent tout aussi bien dans le cas de l'auto-évaluation que dans les autres cas. Dans la mesure où l'instrument d'observation choisi fait intervenir des interprétations personnelles, le professeur observant son propre cours en arrivera sans doute à une image assez spéciale de la réalité observée. Il va sans dire que cette image, tout en n'étant qu'une interprétation parmi d'autres, peut être d'une valeur tout à fait exceptionnelle. Elle peut même être la plus importante, voire la seule valable, quand il s'agit de la formation ou du recyclage des enseignants ; elle le sera moins souvent dans le cadre de recherches scientifiques.

Comme je l'ai affirmé dans la conclusion de la section 4.4.1, l'image qu'on peut se faire de la réalité d'une classe de L2 grâce aux grilles d'observation, est nécessairement incomplète. Sans vouloir prétendre qu'il est possible de remédier totalement à cet état de choses, il est utile de rappeler qu'il existe d'autres sources d'information, à savoir les apprenants et l'enseignant. Pour qu'on puisse se servir de ces sources supplémentaires, il faut que soient élaborés des instruments fiables et fidèles.

5. Caractéristiques de la situation d'apprentissage

Après avoir discuté des caractéristiques de l'apprenant ainsi que de celles de l'enseignant, il est temps de s'interroger sur l'influence que peuvent avoir certains aspects de la situation d'apprentissage/enseignement sur le développement d'une maîtrise en L2. Je propose de définir le terme situation de façon à ce qu'il se rapporte à tous les éléments susceptibles d'intervenir dans le processus d'apprentissage des L2, en excluant, toutefois, ceux directement liés à l'apprenant ou à l'enseignant. Il s'agit donc de **l'ensemble des libertés et des contraintes définissant l'espace réservé aux activités que déploient apprenant et enseignant dans le but d'apprendre ou de faire apprendre une L2.**

Contrairement à certains auteurs, je suis d'avis que, dans l'apprentissage des L2, l'on a affaire à trois instances, à savoir l'apprenant, l'enseignant et la situation. Je m'oppose donc à la vue de Burt & Dulay (1981 : 177) qui ne retiennent que deux pôles : l'apprenant et la situation, celle-ci comprenant « l'enseignant, la classe et la communauté environnante » (cf. aussi Cook 1981-1982). Plutôt que de réduire le rôle de l'enseignant à celui d'un simple figurant, je tiens à souligner l'importance de ses activités. Comme je l'ai déjà affirmé plus haut (cf. chap 4.), l'enseignant, tout en occupant une place secondaire par rapport à l'apprenant, peut néanmoins jouer un rôle d'une importance primordiale. Multiples et variées, ses activités visent le même but que celui que se pose l'apprenant : la maîtrise de la L2. Il est donc juste de reconnaître la différence fondamentale entre l'influence, active et intentionnelle, de l'enseignant et celle, peut-être non moins active mais en tout cas non intentionnelle, de la situation.

Il n'est peut-être pas superflu d'insister un peu plus sur l'importance du pôle « situation » en tant que tel. A mon avis, trop de chercheurs ont négligé ce facteur, ce qui a parfois mené à des conclusions bizarres ou à des dialogues de sourds. C'est à juste titre que Paulston (1982 : 9) fait remarquer que les contextes sociaux dans lesquels ont lieu certaines recherches sont, en général, insuffisamment pris en compte, et que cet état de choses peut expliquer en partie pourquoi nous sommes confrontés à des résultats expérimentaux contradictoires. En tenant compte des facteurs, socio-économiques et autres, déterminant une situation donnée, on peut espérer mieux dégager le réseau des influences qui lui sont propres.

En fait, il s'agit ici des possibilités de généralisation des données scientifiques. Les dangers guettant le chercheur sont bien signalés dans la citation suivante de Wode (1981 : 75) : « Jusqu'ici, presque aucune étude concernant l'acquisition naturelle des Ls n'a manqué de suggérer que ce genre de recherches a des implications extrêmement importantes pour l'enseignement des Lé. A ma connaissance, cependant, on n'a pas essayé sérieusement d'explorer, au moyen de recherches empiriques, quelles sont exactement ces implications, ni comment des notions à propos de l'acquisition naturelle des Ls pourraient améliorer les méthodes courantes de l'enseignement des Lé ». Comme on l'a vu plus haut (cf. entre autres 3.3), en s'intéressant trop peu au contexte social, certains chercheurs ont pu présenter comme généralement valables des résultats expérimentaux nettement marqués par les particularités des circonstances expérimentales.

Par souci de clarté, je présenterai ci-dessous les facteurs situationnels en deux groupes. D'abord, il sera question des facteurs intervenant au niveau de l'établissement scolaire (5.1) ; ensuite, je traiterai de quelques phénomènes qui, dépassant ce niveau, se font valoir à l'échelle régionale ou nationale (5.2). Comme on le verra, la spécificité de ces facteurs par rapport à l'apprentissage des L2 est plus grande pour les variables relevant du contexte social que pour celles tenant au cadre scolaire.

5.1 Le contexte scolaire

Sur le plan de l'organisation pratique de l'enseignement, on peut distinguer une multitude d'aspects, tous susceptibles d'avoir leur influence sur l'apprentissage des L2. Dans cette section, j'en passerai en revue quelques-uns, sachant bien que, en raison de leur nombre pratiquement illimité, il est impossible d'être complet ou même d'éviter d'en oublier de très importants.

Le premier facteur à traiter est celui des **effectifs de l'établissement scolaire**. Etudiant les résultats en français Lé au niveau de l'enseignement primaire, Burstall constate que les élèves des écoles à effectifs réduits qu'on trouve à la campagne obtiennent des résultats supérieurs à ceux des élèves fréquentant des écoles, plus grandes, dans les grandes villes. Selon l'auteur, l'atmosphère dans les classes d'écoles à effectifs réduits « tend à encourager des comportements coopératifs et à ne pas connaître les motivations négatives caractérisant les classes dominées par l'esprit de compétition où le succès d'une minorité est atteint aux dépens de l'échec de la majorité » (Burstall 1975 : 12-13).

Dans une expérience impliquant un nombre important d'établissements scolaires néerlandais, Stoel (1983) n'a pas pu constater de relation simple entre les effectifs et les résultats des élèves. Les facteurs qui se révélaient avoir une grande importance pour ces résultats étaient l'esprit de collaboration parmi les enseignants et l'échange régulier d'informations à propos des élèves.

Des effectifs au niveau de l'établissement à ceux des classes, il n'y a qu'un pas. Au cours de la même expérience, Stoel (1983) a pu s'apercevoir que, avec des effectifs de classe croissants, les élèves avaient tendance à se sentir plus à leur aise, mais qu'en même temps les échecs se faisaient plus nombreux. Selon cet auteur, c'est l'intensité du soutien didactique qui joue un rôle assez important dans l'explication des résultats des élèves. Une telle explication est confirmée par les données expérimentales de Fathman (1976 : 438), qui constate que les élèves des classes peu nombreuses (jusqu'à huit élèves) font plus de progrès que ceux des classes plus chargées.

Les **principes de groupement** des élèves peuvent également avoir une influence non négligeable sur les résultats obtenus. C'est le phénomène du *self-fulfilling prophecy* (cf. 4.3) qui se fait sentir ici, non pas envers les individus cette fois-ci, mais à l'égard de tout un groupe-classe. Pidgeon (1970 : 119) résume bien ce dont il s'agit : « Les professeurs de groupes forts « savent » que leurs élèves sont capables d'atteindre des niveaux élevés, tout comme ceux de groupes faibles ne sont souvent que trop conscients des déficiences intellectuelles de leurs disciples ».

Un autre facteur qui doit entrer en ligne de compte a trait à l'**organisation globale de l'enseignement** et à l'emploi du temps des élèves. Dans ce contexte, il s'agit entre autres de la différence entre enseignement intensif (plusieurs heures de cours par jour) et enseignement extensif (quelques heures par semaine). Force est de constater qu'il existe très peu de données fiables à propos des avantages et des inconvénients de ces deux types d'organisation. Se basant sur des résultats expérimentaux concernant quelque quatre cents élèves dans des classes d'immersion de types différents (français Ls), Lapkin & al. (1983) sont d'avis que l'intensité des cours, c'est-à-dire le pourcentage du temps disponible consacré au français, est plus important pour le développement des aptitudes en Ls que le nombre total des heures de français. C'est pourquoi ces auteurs donnent le conseil suivant : « avec un nombre donné d'heures à consacrer à l'enseignement du français (...), il est préférable de les étaler sur une période de deux ou trois ans, plutôt que de les répandre sur une période de neuf ans ».

Ainsi, comme on peut s'en rendre compte, les données scientifiques concernant le contexte scolaire et ses relations avec l'apprentissage/enseignement des L2 sont très rares. Je n'ai mentionné que quelques facteurs ; il ne serait pas difficile d'en citer d'autres, tels que le climat pédagogique régnant dans l'établissement, le statut socio-culturel de celui-ci, le rythme de travail ou le niveau des objectifs (cf. Pidgeon 1970 : chapitre 4 ; Cronbach & Snow 1977 : 484-490). Il n'est pas sûr que toutes ces variables influent sur l'apprentissage des L2, mais plutôt que de se fier à l'intuition, il faudrait déterminer, au moyen d'expériences bien contrôlées, leur valeur exacte.

5.2 Le contexte social

La distinction la plus importante à établir dans le domaine des facteurs relatifs au contexte social est celle entre langue seconde (Ls) et langue étrangère (Lé), introduite dès le début de ce livre (cf. 2.4). Il n'est peut-être pas inutile de rappeler ici les trois critères invoqués pour étayer cette distinction :
(1) les possibilités de **contacts** suivis avec des locuteurs de la langue cible ;
(2) la **norme**, populaire en cas de Ls, savante en cas de Lé ; et
(3) les **besoins** immédiats des apprenants, différents dans les deux situations.

A plusieurs reprises, j'ai signalé que le statut du professeur en situation de Lé diffère assez de celui du professeur en situation de Ls. Dans le premier cas, c'est l'enseignant qui règle l'input et l'inter-action, du moins dans une très large mesure ; et c'est encore lui qui sert de référence pour tout ce qui touche à la correction et à la norme. Dans le second cas, l'enseignant n'est qu'un représentant, parmi beaucoup d'autres, de la langue cible, ce qui lui laisse, par rapport à l'apprenant, une position quelque peu privilégiée peut-être, mais ne rappelant que vaguement celle de son collègue en situation de Lé.

Jusqu'ici, je n'ai guère fait de distinctions entre différents types de situations de Ls ou de Lé. Il va sans dire, cependant, que les multiples situations d'apprentissage ne se laissent pas simplement réduire à deux types, sans autres subdivisions. Comme dans le cas des facteurs intervenant dans le contexte scolaire, il est exclu de pouvoir être complet en ce qui concerne les variables déterminant le contexte social. Ce qu'on peut faire, c'est essayer de relever certains paramètres indispensables à une description sérieuse des deux types de situations distinguées.

Dans les pays où deux groupes importants de la population parlent des langues différentes, celles-ci ont toujours des statuts inégaux. Le plus souvent, il est question d'une **langue dominante**, l'autre étant **dominée**. Ce n'est pas ici le lieu d'étudier longuement ce genre de situations. Ce que je veux signaler, cependant, c'est que dans beaucoup de situations de bilinguisme stable, les locuteurs de la langue dominante peuvent se permettre de ne pas apprendre la langue dominée, l'inverse n'étant pas vrai, le plus souvent. Les locuteurs de la langue dominante désireux d'apprendre l'autre langue auront, en général, des motivations bien spéciales, qu'il serait impru-

144

dent d'étudier sur les mêmes bases que celles des locuteurs de la langue dominée obligés d'apprendre la langue dominante. Si les deux langues forment des matières obligatoires au cours de la scolarité, il faudra tenir compte de ces motivations de structure si différente. Il sera clair que, dans ce genre de contextes, les occasions d'entraînement non scolaire seront différentes pour l'une et l'autre langue et que, par conséquent, les programmes d'enseignement ne peuvent pas être identiques (cf. Lapkin & al. 1983 : 204-205).

Dans les cas où ce sont de petites minorités ou des individus qui sont confrontés à une autre langue, la situation d'apprentissage est en grande partie définie en fonction du statut de la langue minoritaire en question. Pour donner un exemple concret : un anglophone qui vient s'établir aux Pays-Bas n'a guère besoin d'apprendre le néerlandais ; presque tout le monde comprend l'anglais et nombreux sont ceux qui sont prêts à s'entretenir avec lui dans cette langue. S'il veut tout de même apprendre à parler le néerlandais, il aura parfois du mal à convaincre ses interlocuteurs du sérieux de ses intentions et à obtenir d'eux qu'ils utilisent le néerlandais avec lui. Tel n'est pas le cas des locuteurs de bien d'autres langues, souvent moins cotées : ceux-ci « profitent » de l'incompréhension générale de leurs Lm, et sont parfois traités avec d'autant moins de sympathie que leurs accents provoquent des connotations moins prestigieuses.

Pour ce qui est des situations de Lé, **l'utilité pratique** que l'apprenant peut tirer de ses connaissances linguistiques, à plus ou moins long terme, peut être sensiblement différente d'un pays à l'autre. Si l'apprentissage de l'anglais Lé a une utilité certaine pour la plupart des locuteurs d'autres langues européennes, l'anglais étant une sorte de *lingua franca*, l'apprentissage d'une de ces autres langues ne peut guère présenter le même attrait aux anglophones. La question de l'utilité se pose également quand la distance entre le pays des apprenants et le(s) pays d'origine de la Lé est perçue comme très grande. Parfois, la valeur pratique des connaissances linguistiques est si minime que celle-ci ne constitue plus l'objectif majeur des apprenants. Cela paraît être le cas pour bien des élèves américains pour qui la maîtrise d'une Lé est surtout une manière d'avoir accès « à une culture prestigieuse, différente de celle des classes dominantes du pays » (cf. Valdman 1983 : 29).

Le manque de contacts directs, immédiats ou différés, avec les locuteurs d'une Lé peut avoir des incidences sur les programmes d'enseignement. Si les objectifs formulés en terme de compétence de communication ont leur utilité quand il s'agit d'apprenants susceptibles de rencontrer, pendant leurs vacances ou au cours de leur carrière professionnelle, des locuteurs de la Lé, tel n'est pas forcément le cas pour les apprenants qui n'ont pas ces occasions. Pour ces derniers, il peut être préférable de suivre un enseignement basé sur une approche structurale (cf. Valdman 1983) ou de se limiter à un aspect ponctuel de l'autre langue, tel que la compréhension écrite.

Comme on le voit, il est nécessaire de distinguer plusieurs situations de Ls et de Lé. Pour décrire les différentes situations de Lé, il suffit de prendre en compte le degré d'utilité pratique des connaissances de l'autre langue. Le cas des situations de Ls est plus complexe, par contre. Il y a là une différence entre des situations de bilinguisme stable et généralisé et des situations de bilinguisme accidentel et plus ou moins individuel. Dans le premier de ces deux types de situations, c'est le rapport de force des deux langues qui entre en jeu ; dans le second type, la familiarité et le prestige social de la Lm des locuteurs étrangers ou minoritaires semblent constituer des critères décisifs.

Enfin, il faut mentionner, dans ce contexte, une distinction assez importante au niveau des attentes à propos des connaissances des Lé. Dans certains pays, il est considéré comme tout à fait normal que tout le monde possède au moins une autre langue ou que les personnes appartenant à une classe sociale déterminée maîtrisent deux ou trois Lé. On comprend que ce genre d'attentes traditionnelles puissent avoir une forte influence sur les attitudes individuelles, et par voie de conséquence, sur les résultats obtenus dans l'apprentissage des Lé (cf. Krashen & Terrell 1983 : 65).

La situation dans laquelle se déroule l'apprentissage des L2, le contexte social aussi bien que le contexte scolaire, comporte un nombre important de facteurs susceptibles d'avoir une influence sur cet apprentissage. Je n'en ai mentionné que quelques-uns, ceux qui m'ont semblé être les plus importants. Même à propos de ces quelques variables signalées, on ne sait pratiquement rien : elles n'ont presque jamais été l'objet d'études sérieuses. Les rares données recueillies, cependant, ainsi que l'importance supposée d'un bon nombre de facteurs ne manquent pas de suggérer que la situation d'apprentissage mérite d'occuper une place plus marquée dans les travaux des didacticiens des Lé. Le moins que puissent faire, pour le moment, les chercheurs et les praticiens dans le domaine de l'apprentissage des L2, c'est se rendre compte et rendre compte de la spécificité de la situation à laquelle ils ont affaire.

6. Conclusion : vers une approche intégrée

Dans les chapitres précédents, c'est l'analyse qui a occupé le devant de la scène ; il est temps qu'elle cède la place à une synthèse. Car, comme je l'ai affirmé dans l'*Introduction*, les facteurs traités un à un dans les sections constituant le corps de ce livre ne peuvent être isolés que momentanément et à la seule condition d'être réinsérés ensuite dans l'ensemble dont ils font partie intégrante.

Dès 1969, Roth (1969 : 65) fait remarquer que les études consacrées à un seul facteur, pris comme élément isolé et statique, ne peuvent être que d'une valeur restreinte et qu'il faut étudier le dynamisme des influences mutuelles. Plus de dix ans plus tard, Long (1980 : 32) se plaint, et à juste titre, que la plupart des recherches, du type input — output, se limitent à l'établissement des corrélations entre variables (cf. aussi McLaughlin 1980 : 332 ; d'Anglejan & Renaud 1985). Rejoignant ces points de vue, Wode (1981 : 26) formule comme suit la tâche de la linguistique appliquée :
« Le véritable but n'est pas de constater des co-occurences de variables, peu importe s'il est question de corrélations significatives ou non. Le but doit être de fournir des explications, si possible du type « si... alors ». En d'autres termes, il faut étudier le jeu des déterminants dans l'acquisition des langues ».

Il n'est plus besoin ici d'insister sur la complexité de ce qu'on appelle l'apprentissage/enseignement des L2 : dans le présent livre, j'ai examiné quelques dizaines de facteurs intervenant dans le déroulement de ce processus, sans prétendre à l'exhaustivité ; certains auteurs (cf. Mackey 1976 : 142-145 ; Schumann 1978 : 164) donnent d'ailleurs des listes de facteurs bien plus longues.

Si on veut rendre compte du jeu des influences mutuelles et de l'importance relative des facteurs intervenant dans une situation complexe, il est utile d'aller à la recherche d'un modèle décrivant adéquatement cette situation. Basé sur l'ensemble des connaissances rassemblées à un moment donné, **un modèle peut stimuler le développement de théories cohérentes et guider la recherche expérimentale**. Interrogeons-nous d'abord sur la nature et les fonctions de cet outil de la recherche scientifique.

Tout modèle implique toujours deux systèmes dont l'un est connu (système C) et l'autre inconnu (système I). C'est au moyen du système C qu'on essaie d'obtenir des informations à propos du système I. Pour que cela soit possible, il faut qu'il y ait une certaine analogie entre les deux systèmes et qu'ils soient indépendants l'un de l'autre. Dans notre cas, c'est la situation complexe de l'apprentissage/enseignement des L2 qui constitue le système I, et il s'agit donc de chercher un système C qui soit indépendant de I et qui présente une certaine analogie avec I.

Pour donner une idée plus claire des formes que peut prendre un système C, il suffit de citer quelques exemples de modèles utilisés dans d'autres sciences : C peut être une carte ou un plan de ville, la représentation d'un atome, un sociogramme, une maquette, une hélice d'A.D.N., la reproduction d'un tableau, un programme d'ordinateur, une série de formules, etc. Ce qui est essentiel, c'est que C soit manipulable et contrôlable ; C doit servir à des expériences concrètes, à des mesures et à des calculs. Car c'est par le biais de ce genre de manipulations que C est appelé à fournir des informations à propos de I.

Pour ce qui est de l'analogie entre C et I, celle-ci ne peut être basée, dans un premier temps, que sur l'intuition. La notion d'analogie, apparentée à celle d'isomorphie, connue des mathématiques, a trait à une correspondance structurale entre deux entités. Comme I est un système inconnu, il est impossible d'être complètement certain quant à sa structure, et l'analogie postulée avec C n'est donc qu'hypothétique. **C'est grâce aux expériences que permet d'exécuter le système C, qu'on peut obtenir des indications sur la structure interne et les particularités du système I.** Bien que basé sur les connaissances accumulées auparavant à propos du système I, le choix d'un système C peut s'avérer moins heureux, ce qui peut amener le chercheur à changer de modèle ou à modifier celui-ci.

Comme définition de la notion de modèle je propose : **un modèle est un système dont les propriétés (structurales) sont connues et qui permet, par le biais de l'analogie, d'obtenir des informations sur un autre système dont on ignore les propriétés (structurales).**

Un modèle digne de ce nom doit mener à la formulation d'hypothèses réfutables. En tant qu'outil de la recherche scientifique, il doit prouver son utilité dans la pratique des expériences ; si cette utilité manque ou cesse d'exister, le modèle doit être abandonné ou modifié. C'est ainsi qu'on peut faire avancer les connaissances à propos d'un domaine précis. Cette voie semble être spécialement indiquée si le domaine en question a l'air d'être très complexe.

Quelques avertissements doivent conclure ce bref passage sur la notion de modèle. Comme je l'ai indiqué, un modèle peut prendre des formes très variées. En linguistique appliquée et en didactique des langues, on connaît surtout les schémas et les dessins. Il est clair, cependant, que tous les schémas et tous les dessins ne sont pas nécessairement des modèles. Surtout s'ils se trouvent à la fin d'un livre ou dans la conclusion d'un article, il y a lieu de se méfier de leur statut : un modèle est avant tout un instrument heuristique, un dispositif permettant d'attaquer des recherches concrètes, et non pas un résumé. Quelque impressionnantes que puissent être les cases et les flèches de tel « modèle », il ne s'agit d'un véritable modèle que si celui-ci permet d'augmenter les connaissances ou d'améliorer la compréhension d'un système inconnu.

Il ne serait pas difficile de citer une bonne douzaine de modèles et de « modèles » visant à rendre compte de l'importance relative d'un nombre plus ou moins grand de facteurs intervenant dans l'apprentissage d'une L2 et des influences mutuelles exercées par ceux-ci. Il me semble préférable, cependant, d'en choisir trois qui, de types assez différents, montrent bien la diversité des approches proposées. Je présenterai d'abord le modèle relativement ancien de Carroll (1962), ensuite celui, plus récent, de Burt & Dulay (1981), pour terminer par le modèle que j'ai élaboré et testé au cours de mes recherches personnelles. Dans les trois cas, on cherche à expliquer les résultats concrets des apprenants en tenant compte en même temps de plusieurs facteurs individuels et institutionnels. A la fin de ce chapitre, je discuterai brièvement quelques problèmes concernant les recherches menées à partir de modèles synthétiques.

Carroll (1962 : 120 ss) présente un modèle de l'apprentissage scolaire comportant les cinq facteurs primaires suivants :

— **variables instructionnelles**
p_t = présentation de la tâche (t)
o_t = temps disponible (*opportunity*) pour la tâche (t)
— **variables individuelles**
i_e = intelligence de l'élève (e)
a_e = aptitude de l'élève (e)
m_e = motivation de l'élève (e)

Au moyen de ces cinq facteurs, il est possible, selon Carroll, de calculer des valeurs pour le temps que l'élève consacre réellement à l'accomplissement d'une tâche donnée ($= T_{et}$) ainsi que pour l'efficacité de son apprentissage ($= E_{et}$).

Le temps réel est déterminé comme suit :
$$T_{et} = \text{min. } (a'_{et}, m_{et}, o_t)$$
C'est-à-dire : le temps (T) que l'élève (e) consacre à l'accomplissement de la tâche (t) équivaut à la valeur minimale (min.) des trois facteurs nommés, a'_{et}, la motivation et le temps disponible. Le premier facteur a besoin d'être expliqué :
$$a'_{et} = a_{et}/c_{et}$$
Ce facteur est censé donner une estimation du temps dont l'élève (e) a besoin pour accomplir la tâche (t) ; il est calculé comme le quotient de l'aptitude (a) divisé par la compréhension (c) de l'élève (e) par rapport à la tâche (t). Le facteur compréhension est fonction de l'intelligence (i) de l'élève et de l'adéquation de la présentation (p) de la tâche, ou en d'autres termes : $c_{et} = f (i_e, p_t)$.

Le temps que l'élève consacre à l'accomplissement d'une tâche donnée est donc limité soit par une combinaison de son aptitude et de sa compréhension, soit par sa motivation, soit par le temps disponible.

Un exemple concret peut éclaircir le sens de cette première formule : Imaginons un élève qui doit étudier un texte en vingt minutes. La mesure dans laquelle il sait ce qu'on attend de lui dépend de la façon dont l'enseignant a présenté la tâche et de l'intelligence générale de l'élève. Dans la mesure où l'un de ces deux facteurs, ou tous les deux, sont à un niveau plus élevé, l'élève pourra travailler plus rapidement. Avec des valeurs élevées pour p_t et/ou i_e, le facteur c_{et} atteindra un niveau élevé ; a'_{et} sera, par conséquent, peu élevé et peut-être égal à T_{et}. Si la motivation de l'élève est à un niveau très bas, cependant, celui-ci finira presque aussitôt son travail, par exemple au bout de cinq minutes ; dans ce cas, c'est m_{et} qui égale T_{et}. Enfin, il est possible que l'élève soit obligé de s'arrêter au bout des vingt minutes disponibles, sans avoir fini sa tâche ; ce sera le cas soit quand l'enseignant a mal présenté la tâche (p_t est bas), soit quand l'élève a mal compris ce qu'on attend de lui, malgré une bonne présentation (i_e est bas, ce qui fait que c_{et} ne peut pas être élevé).

L'efficacité de l'apprentissage de l'élève est exprimée dans la formule suivante :
$$E_{et} = T_{et}/a'_{et},$$
soit la relation entre le temps réellement consacré à l'accomplissement d'une tâche donnée et le temps dont l'élève aurait besoin théoriquement.

Contre ce modèle, on peut formuler un certain nombre de points de critique. Le premier concerne le facteur p_t. Comme les apprenants acquièrent leurs connaissances de façons très diverses, il semble exclu qu'on puisse déterminer, une fois pour toutes, le degré d'adéquation de la présentation. Avant de pouvoir présenter un tel facteur, il faudrait qu'on sache au moins (i) comment le problème se présente au niveau psycholinguistique, et (ii) comment divers individus traitent un problème de ce genre. Mais même si on savait tout cela, il serait difficile de déterminer ce facteur de façon indépendante, l'adéquation de la présentation étant essentiellement une variable relationnelle.

Dans le modèle de Carroll, l'intelligence (i_e) a pour seule fonction de compenser l'inadéquation de la présentation. Bien que l'auteur admette que l'intelligence peut aussi être nécessaire pour comprendre le contenu de ce qui est présenté, il n'en tient pas compte dans son modèle. En outre, les différences d'intelligence sont traduites en différences de vitesse, ce qui n'est pas non plus sans poser de problèmes : les élèves plus intelligents sont-ils seulement plus rapides à comprendre certaines choses ou auraient-ils également accès à des niveaux plus profonds de compréhension ? Et ne seraient-ils pas capables de comprendre des phénomènes qui restent obscurs à leurs collègues moins doués ?

On pourrait formuler des critiques semblables à propos des autres facteurs figurant dans le modèle de Carroll. Je ne le ferai pas ici ; je me permets plutôt de renvoyer le lecteur aux sections consacrées à l'étude de ces facteurs dans les chapitres précédents.

La critique fondamentale à l'égard du modèle de Carroll touche, à mon avis, à l'unité de base qui doit servir à rendre compte de toutes les différences individuelles, à savoir le temps. Dans quelle mesure est-il possible de réduire les facteurs retenus à de simples différences de rythme ? Je viens de relever, à propos de l'intelligence, un des problèmes majeurs que soulève l'approche de Carroll. Tout en n'étant pas entièrement insensible à ce genre de difficultés, celui-ci ne les estime cependant pas assez importantes pour abandonner son projet. Mais à ces problèmes s'en ajoutent encore d'autres, auxquels Carroll a prêté moins d'attention. Une de ces difficultés consiste dans la combinaison forcée et très peu satisfaisante de durées de natures bien différentes : comment exécuter, en effet, des calculs sur des nombres concrets de minutes (pour la motivation m_{et} ou le temps disponible o_t), d'une part, et des durées factices (pour la présentation p_t, l'intelligence i_e et l'aptitude a_e) d'autre part ? En dernier lieu, on peut se demander s'il faut se représenter l'apprentissage comme un processus linéaire (cf. Carroll 1963 : 729) : l'on a peine à croire que l'élève apprend deux fois plus en une heure qu'en une demi-heure.

Figure 6.1 : Modèle de travail pour la « construction créative » dans l'acquisition des L2 (Burt & Dulay 1981 : 189).

Processus Internes

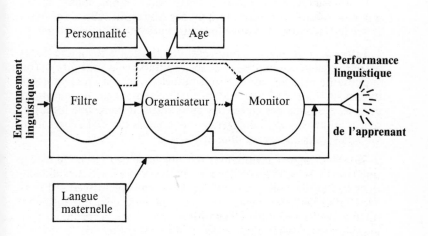

Après ce modèle aux aspects algébriques, je veux en étudier brièvement un autre, qui se présente sous forme d'un schéma (voir la figure 6.1). Ce modèle, proposé par Burt & Dulay (1981 : 189, voir aussi Dulay & Burt 1978), est du type *input-output* et essaie, tout comme le modèle de Carroll, de rendre compte des différences individuelles entre apprenants. L'*input* se transforme en *intake* (ou, dans les termes de Frauenfelder & Porquier (1979 : 40 ss ; cf. 3.8.3), l'entrée est réduite en saisie), sous l'influence d'un filtre de nature socio-affective. Ce qui entre dans l'organisateur, c'est-à-dire dans les différents compartiments de la mémoire, peut ensuite en sortir, soit directement, soit en passant par le *monitor* (cf. 2.2.1). Les auteurs précisent que « les différences de milieu, d'âge, de personnalité et de langue maternelle ont également des implications pour le traitement des données linguistiques et donnent lieu à des variations dans la performance linguistique » (Burt & Dulay 1981 : 189).

Il ne me semble pas nécessaire de revenir sur la *monitor theory* de Krashen (cf. 2.2.1). Je préfère plutôt attirer l'attention sur le caractère très global de ce modèle. Les flèches y relient pratiquement tout à tout et l'on y cherche en vain des précisions quant à la nature exacte ou à l'importance relative des influences qu'exercent les facteurs cités sur les « processus internes ». Faut-il prendre ces facteurs comme des variables intervenant de façon identique et avec des degrés d'importance égaux ? Les auteurs ne fournissent aucune réponse à ces questions. Aussi n'est-il pas étonnant de constater que ce modèle n'a jamais servi à aucune recherche expérimentale.

Qu'il me soit permis de présenter, pour terminer, le modèle qui m'a servi de point de départ dans une recherche qui a été évoquée à plusieurs reprises au cours de cet ouvrage (voir Bogaards 1982b et 1986), ainsi que dans d'autres expériences, encore en cours. Il se présente sous forme d'un schéma (voir la figure 6.2).

Dans ce modèle, j'ai retenu la tripartition « apprenant — enseignant — situation » constituant un des fils conducteurs de ce livre. Entre les facteurs, on trouve les trois types de relations suivants :

1. Influence directe (symbolisée par une flèche). S'il y a une flèche entre l'intelligence de l'élève et ses résultats, cela veut dire qu'on suppose (le modèle, comme tout modèle, n'est qu'une hypothèse de travail !) que l'intelligence influe directement sur les variations dans les résultats des élèves ou, en d'autres termes, que les différences au niveau de l'intelligence sont sources des différences individuelles dans les scores obtenus.

2. Interdépendance (symbolisée par une ligne de tirets). On trouve une telle ligne entre l'intelligence des élèves et les activités didactiques de l'enseignant. Ces activités n'ont pas une influence directe sur l'intelligence au même titre que l'intelligence a une influence directe sur les résultats, c'est-à-dire il n'y a pas la même relation causale : les activités didactiques ne sont pas sources de différences individuelles dans le niveau d'intelligence des élèves. Mais il y a bien évidemment une relation entre les deux éléments en question. Et même une relation double. D'une part, l'enseignant doit tenir compte du niveau d'intelligence de ses élèves ; d'autre part, moins l'enseignement est adapté à ce niveau d'intelligence (et il ne l'est vraiment que dans les cas idéaux), plus l'intelligence jouera un rôle important.

Figure 6.2. : Modèle des facteurs déterminant le succès en Lé à l'école.

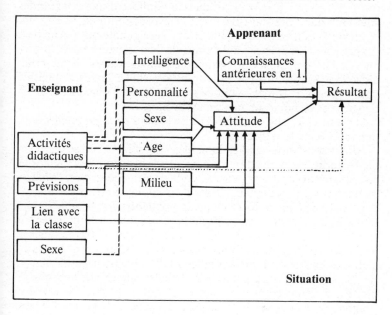

3. Influence qualitative (symbolisée par la ligne pointillée). Cette influence s'exerce entre les activités didactiques et les résultats. Il ne s'agit pas d'une influence directe dans le sens indiqué plus haut puisque ces activités ne sont pas sources des différences individuelles dans les scores obtenus par les élèves. Les activités didactiques de l'enseignant déterminent le type de résultats sollicité des élèves. Un exemple : un enseignant qui a opté pour une méthode traditionnelle proposera d'autres tests à ses élèves qu'un professeur qui ne veut travailler que sur la compétence de communication. Ces choix différents font que les résultats des élèves seront assez différents sur le plan qualificatif ; ce choix, par contre, n'a pas une influence directe sur les scores individuels des élèves.

Pour ce qui est des facteurs retenus dans ce modèle, je crois que les choix s'expliquent suffisamment par les réflexions et les raisonnements présentés dans les pages précédentes. Le cadre de l'expérience était le suivant : les élèves avaient pour langue maternelle le néerlandais. Ils débutaient en français langue étrangère et la plupart d'entre eux n'avaient pas encore eu de cours de langue, mais tous suivaient en même temps des cours d'anglais. Le français, langue obligatoire, est perçu comme une langue difficile dont l'utilité pratique est estimée plutôt faible, mais dont le statut culturel est assez élevé.

L'établissement scolaire était du type C.E.S. et comptait environ 1 250 élèves. Il se trouvait dans la banlieue d'une des grandes villes de l'ouest des Pays-Bas. Quatre classes comprenant au total 95 élèves âgés d'environ 12 ans et une enseignante ont participé à l'expérience. L'approche didactique de l'enseignante visait en premier lieu la compétence de communication des élèves ; le matériau didactique était d'un type plus traditionnel. Le temps disponible pour ce cours de français était de trois heures par semaine. L'expérience s'est étendue sur une année scolaire.

Les tests et les autres mesures utilisées dans cette expérience sont présentés dans le tableau 6.1.

Afin de vérifier la validité du modèle élaboré, j'ai utilisé une technique statistique permettant de contrôler le bien-fondé des relations causales postulées. Dans cette catégorie de techniques, c'est *l'analyse de parcours* qui, malgré certaines restrictions, convient le mieux.

L'analyse de parcours (en anglais : *path analysis* = analyse des sentiers ou des pistes) est une technique qui, tout en étant basée sur le calcul de corrélations et la régression multiple, diffère essentiellement de ces techniques. Dans le cas des corrélations et de la régression multiple, il s'agit de la **prédiction** d'un phénomène ; l'analyse de parcours, par contre, essaie de trouver une **explication plausible**. La différence entre ces deux objectifs est nette : le nombre d'appareils ménagers dont dispose un sujet a beau prédire son emploi de contraceptifs, cette donnée ne saurait fournir d'aucune façon une explication satisfaisante de son comportement sexuel (cf. Li 1975 : 3-4 ; voir aussi la *Notice sur la statistique*).

L'analyse de parcours connaît deux restrictions importantes. Tout d'abord, il est impossible de déduire, au moyen de cette analyse, des relations causales. Il faut partir d'un modèle élaboré à base de raisonnements *a priori*, pour mesurer ensuite l'importance relative de chacune des relations supposées. L'analyse de parcours ne permet donc pas de développer une théorie ou de la vérifier dans un sens strict ; les données quantitatives fournies par cette analyse ne peuvent que la confirmer dans une mesure plus ou moins grande. La seconde restriction tient au fait que l'influence causale est censée n'opérer que dans une seule direction. Il est donc impossible de prendre en compte les interdépendances du modèle élaboré.

Un modèle simple d'un diagramme de parcours se présente de la manière suivante :

Tableau 6.1 : résumé des variables dans l'expérience.

Variables	Description
1. Intelligence	• QI
2. Personnalité a	• version néerlandaise du HSPQ 2, facteur F: enthousiaste vs introverti
3. Personnalité b	• id., facteur H : timide vs aventureux
4. Personnalité c	• id., facteur I : sensible vs dur
5. Sexe	• garçons = 1, filles = 2
6. Milieu linguistique	• questionnaire comportant des questions sur les langues utilisées à la maison, les programmes radio et télé en L2 écoutés par l'apprenant, etc.
7. Connaissances antérieures en langues	• Questionnaire comportant des questions sur les séjours à l'étranger et la compétence éventuelle dans d'autres langues.
8. Attitude 1	• 17 items du test d'attitude présenté au début de l'année
9. Attitude 2a	• test d'attitude (25 items), facteur a : utilité des L2
10. Attitude 2b	• id., facteur b : plaisir qu'on prend à l'apprentissage des L2
11. Activités didactiques 1	• temps consacré à l'enseignement proprement dit (par classe)
12. Activités didactiques 2	• nombre de questions par minute (par classe)
13. Activités didactiques 3	• jugement de la clarté de l'enseignement par les élèves
14. Prévisions	• prévisions de l'enseignante sur chacun des élèves, recueillies au début de l'année
15. Lien avec la classe	• jugement de l'atmosphère dans la classe par les élèves
16. Critères	• a. test de compréhension orale b. test de grammaire, à choix multiple c. id., mais présenté à un rythme accéléré d. test d'expression écrite

Les variables « X_2 » et « X_3 » sont censées expliquer « X_1 » et en principe elles rendent compte de toute la variance en « X_1 ». Comme il y a toujours une part de hasard et d'incertitude dans les phénomènes et dans les techniques utilisées pour les mesurer, il faut prévoir la variable « u » représentant la variance en « X_1 » qui n'est pas expliquée par « X_2 » et « X_3 » (variable représentant la variance fortuite). Les flèches droites représentent les relations causales. La flèche courbe entre « X_2 » et « X_3 » représente une relation non causale. (Pour plus de détails concernant ce type de modèles, voir Nie & al., 1975 : 383-397 et Van de Geer, 1970-1971).

Un exemple concret peut servir à illustrer ce modèle. Pour une population donnée, on peut supposer que le comportement criminel (« X_1 ») est causé par des attitudes non conformistes (« X_2 ») et la toxicomanie (« X_3 »). On ne suppose pas nécessairement une relation causale entre les attitudes non conformistes et la toxicomanie. En outre, on se rend compte qu'il est impossible de mesurer de façon tout à fait exacte les trois variables en question, et on prévoit donc une variable « u » qui représente l'erreur. On espère que la valeur de « u » sera faible. Comme on peut aussi tenir d'autres raisonnements (par exemple les attitudes non conformistes provoquent le comportement criminel et la toxicomanie), on peut élaborer d'autres modèles. Dans des cas simples, tels que celui de cet exemple, on peut comparer plusieurs modèles et choisir celui qui s'adapte le mieux à la réalité. Dans des cas plus complexes, tels que celui du modèle présenté ici (fig. 6.2), cette possibilité n'existe qu'en théorie (cf. Bentler 1978 : 275).

La figure 6.3 donne une représentation informelle des relations causales et constitue la base de l'analyse de parcours. Là où il n'y a pas de flèches entre les variables, il faut comprendre qu'il peut y avoir des relations : celles-ci sont censées ne pas être de nature causale et ne seront pas analysées.

Les résultats les plus importants sont présentés dans les tableaux 6.2 et 6.3. Ce qui frappe tout d'abord, ce sont les pourcentages de la variance expliquée. Comme on peut le voir, le modèle n'explique que 12 à 34 % de la variance et les valeurs de « u » sont donc élevées. Cela peut signifier deux choses : soit que certains facteurs manquent, soit que la qualité des tests utilisés laisse à désirer. En fait, les deux causes de ces résultats peu satisfaisants sont liées, car, s'il est facile d'énumérer d'autres facteurs intervenant dans l'apprentissage scolaire des L2, il n'est pas toujours aisé de les mesurer de façon adéquate. Pour ce qui est de la fidélité et de la validité des tests utilisés, elles sont en général satisfaisantes, sauf pour les variables « personnalité C », « milieu linguistique » et « compréhension orale ». Il faudra tenir compte de ces données dans les recherches ultérieures.

Figure 6.3 : Représentation des relations causales.

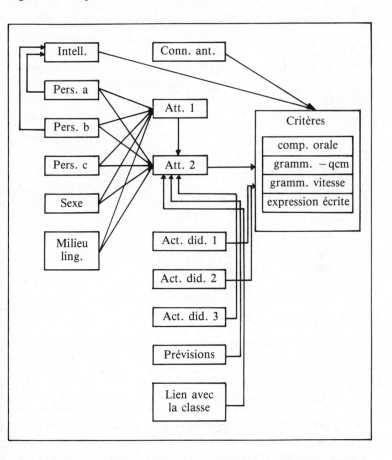

Pour trois ou quatre tests-critères, ce sont les « activités didactiques 1 » (= temps consacré à l'enseignement proprement dit) et « l'attitude 2b » (= plaisir qu'on prend à l'apprentissage des L1) qui ont l'influence la plus notable sur les résultats obtenus. Dans le cas de la compréhension orale, les facteurs les plus importants sont l'intelligence et les connaissances antérieures en langues. Ce dernier fait s'explique par le caractère spécial du test de compréhension orale. De par sa forme, celui-ci sortait du cadre scolaire, ce qui a favorisé les élèves plus intelligents ; à cause de son caractère relativement peu communicatif, il a favorisé les élèves qui avaient déjà appris d'autres langues (en milieu naturel). Pour les autres tests-critères, l'intelligence et les connaissances antérieures en langues étaient de moindre importance. On note, en outre, que les « activités didactiques 2 » (= rythme de travail) et « attitude 2a » (= utilité) jouent un rôle peu important.

Tableau 6.2 : Coefficients de parcours des tests-critères.

Compréhension orale (19 %)		Grammaire-qcm (18 %)	
intelligence	.279*	act. didactiques 1	.350*
conn. antérieures	.225*	attitude 2b	.290*
attitude 2b	.220	act. didactiques 2	− .181
act. didactiques 2	.129	intelligence	− .099
attitude 2a	− .075	conn. antérieures	.069
act. didactiques 1	.031	attitude 2a	.046
Grammaire-vitesse (20%)		**Expression écrite (12 %)**	
act. didactiques 1	.415**	attitude 2b	.263
attitude 2b	.132	act. didactiques 1	.214
conn. antérieures	.118	act. didactiques 2	− .093
intelligence	− .096	conn. antérieures	.075
attitude 2a	− .060	intelligence	− .035
act. didactiques 2	.030	attitude 2a	.015

* = p < .05, ** = p < .01

Les chiffres entre parenthèses donnent les pourcentages de la variance expliquée.

Tableau 6.3 : Coefficients de parcours des tests d'attitude.

attitude 1 (15 %)		attitude 2a (8 %)		attitude 2b (34 %)	
sexe	.361**	prévisions	.188	prévisions	.362**
pers. b	.204	attitude 1	− .142	attitude 1	.335**
pers. c	.090	milieu	.116	pers. a	− .176
pers. a	− .078	pers. c	.115	pers. b	− .102
milieu	.035	pers. b	.080	pers. c	.096
		sexe	.067	sexe	.050
		act. did. 3	− .062	lien classe	.047
		lien classe	.060	act. did. 3	.035
		pers. a	− .058	milieu	.024

* = p < .05, ** = p < .01

Les chiffres entre parenthèses donnent les pourcentages de la variance expliquée.

L'attitude telle qu'elle a été mesurée au début de l'année (« attitude 1 ») est surtout influencée par le sexe : les filles commencent l'apprentissage des L2 avec une attitude nettement plus positive que les garçons. L'attitude mesurée vers la fin de l'année se concentre surtout sur le facteur « plaisir ». Ce plaisir est fortement influencé par les prévisions de l'enseignant et par l'attitude initiale des élèves. La personnalité ne semble pas avoir une influence bien prononcée et on peut dire la même chose à propos des facteurs « milieu linguistique », « lien avec la classe » (= jugement affectif de l'enseignant) et « activités didactiques 3 » (= jugement de la clarté de l'enseignement).

L'expérience que j'ai menée et qui est jusqu'ici unique dans son genre, présente quelques imperfections. Pour cette raison, ainsi que pour d'autres, relevant des limites de la technique statistique utilisée, je fais en ce moment une nouvelle expérience, basée sur le même modèle. Les conclusions générales qu'on peut tirer de l'expérience décrite ici sont donc provisoires. On peut les formuler de la façon suivante :

1. L'intelligence ne joue pas nécessairement un rôle important dans l'apprentissage des L2, à condition que les tests soient adaptés à l'enseignement dispensé, que l'enseignement vise la compétence de communication et que les prévisions de l'enseignant ne défavorisent pas les élèves moins intelligents.

2. L'attitude, définie comme le plaisir qu'on prend à l'apprentissage des L2, influe fortement sur les résultats. Cette attitude dépend surtout des prévisions de l'enseignant sur les apprenants et de l'attitude initiale de ceux-ci.

3. Les apprenants féminins prennent plus de plaisir à l'apprentissage des L2 que les apprenants masculins.

4. Les connaissances antérieures en langues se font surtout valoir quand les tâches à accomplir ont un caractère communicatif plutôt que grammatical (scolaire).

5. Le temps consacré à l'enseignement proprement dit a une influence plus marquée sur les résultats que le rythme de travail.

Je voudrais terminer en signalant **quelques problèmes** auxquels est confronté le chercheur désireux de faire des recherches intégrées dans le domaine de l'apprentissage des L2. Prenant en compte un grand nombre de facteurs représentant aussi bien que possible les caractéristiques essentielles d'une situation d'apprentissage authentique, les recherches intégrées se heurtent à des problèmes spécifiques touchant

– à la nature des facteurs primaires retenus,
– au niveau d'analyse choisi et
– aux instruments de recherche disponibles.

Je consacrerai quelques paragraphes à la discussion de ces problèmes.

Force est de constater tout d'abord — et cela n'étonnera plus après les chapitres qui précèdent — que bien des facteurs intervenant dans le processus d'apprentissage des L2 n'ont pas encore été définis de façon satisfaisante ou ont été insuffisamment l'objet de recherches expérimentales. L'on serait donc tenté de croire qu'il faut attendre des résultats plus définitifs par rapport aux facteurs isolés avant de pouvoir attaquer des recherches d'un type plus général. Ce serait là, cependant, faire preuve d'une vision trop atomiste de la réalité de l'apprentissage. On peut être convaincu que, étudiés isolément, les facteurs pertinents ne livreront pas toutes leurs richesses, mais risquent plutôt de devenir des éléments trop absolus et de dégénérer, par là même, en caricatures.

Les études concernant les facteurs isolés doivent être complétées, par conséquent, par des recherches d'un type plus global. Celles-ci ne peuvent aboutir, bien évidemment, que si elles sont fondées sur des notions de départ bien claires. Mais en même temps, elles donnent lieu à des précisions quant à la place et à l'importance relative de ces facteurs dans le réseau complexe des influences mutuelles. C'est en profitant d'un va-et-vient constant entre l'étude de facteurs isolés et l'examen de situations authentiques que la recherche en didactique des langues peut espérer trouver des réponses aux questions que lui pose la psychologie différentielle.

Le deuxième point concerne le niveau d'analyse qu'impose l'étude des situations concrètes. Ces situations ne permettent pas toujours au chercheur d'étudier tout ce qui pourrait l'intéresser. D'une part, des éléments comme les processus cognitifs ne se manifestent pas dans le déroulement normal d'une classe de langue ; pour décrire ce genre de mécanismes microscopiques, il faut des instruments moins grossiers que ceux utilisés à l'enregistrement des conduites globales dans des situations authentiques. D'autre part, il n'est pas toujours possible de recueillir toutes les données souhaitées. Etant donné que les situations authentiques de classe sont très sensibles à toute influence venant de l'extérieur, le chercheur doit autant que possible demeurer à distance : la présence d'observateurs ou d'appareils enregistreurs ainsi que les demandes trop fréquentes d'informations peuvent facilement fausser l'image sur laquelle doit se fonder l'analyse du chercheur. On retrouve ici le fameux paradoxe de l'observateur, bien connu des sociolinguistes.

A l'opposé des expériences réalisées en laboratoire, les recherches intégrées ont pour mission de faire ressortir les lignes de force présentes dans les situations normales. Malgré leur part d'imprécis, due aux restrictions qu'impose l'approche choisie, elles complètent utilement les résultats fournis par les recherches menées en vase clos. En outre, elles peuvent mener de façon plus directe à des recommandations utilisables dans la pratique quotidienne.

Le dernier point sur lequel il faut attirer l'attention dans ce cadre a trait aux moyens techniques qui sont à la disposition du chercheur. Jusqu'ici, ce sont surtout les calculs de corrélations et quelques analyses de données qui ont atteint une certaine notoriété parmi les didacticiens des L2. Bien que d'une importance essentielle à beaucoup de niveaux de la recherche expérimentale, ces techniques sont incapables de fournir des réponses aux questions les plus intéressantes que se posent ceux-ci, et notamment à celles concernant les situations d'apprentissage authentiques. Il faut donc aller à la recherche d'instruments plus sophistiqués, non seulement dans le domaine de la statistique, où ce sont par exemple les modèles de type causal qui ouvrent des perspectives intéressantes, mais encore dans tous les autres domaines des sciences sociales où la sensibilité aux questions épistémologiques semble être mieux développée qu'en didactique des langues. Sinon, nous risquons de tourner en rond et de ne pas accomplir la tâche de la linguistique appliquée telle qu'elle a été formulée au début de ce chapitre. Espérons que d'ici dix ans nous nous trouverons plus près de la solution des problèmes évoqués dans le présent ouvrage.

7. Notice sur la statistique

Ludwig von Beethoven, le grand compositeur allemand, naquit sous le signe du sagittaire. Il en est de même de César Franck, d'Hector Berlioz, de Carl Maria von Weber, de Donizetti et de Sibelius. Notons, en outre, que Frank Sinatra et Edith Piaf étaient des sagittaires. Cela nous permet sans aucun doute d'affirmer qui *certains* sagittaires sont doués pour la musique. Mais, est-ce qu'il est permis d'en conclure que *les* sagittaires sont musiciens ? Certainement pas. D'une part, il serait facile de citer les noms d'un grand nombre de compositeurs ou de chanteurs nés sous d'autres signes zodiacaux ; d'autre part, la majorité des sagittaires ne fait absolument pas preuve de dons musicaux particuliers.

La décision d'accepter ou non la vérité d'un énoncé général dépend dans une certaine mesure d'arguments quantitatifs. Evidemment, il faut définir d'abord ce qu'on entend par « dons musicaux » et déterminer si on considère les sagittaires comme un groupe homogène ou si on y distingue plutôt des sous-classes. Mais une prise de position à l'égard de ces deux questions « théoriques » ne suffit pas pour trancher sur la vérité de l'énoncé général formulé plus haut. Pour savoir si, en règle générale, les sagittaires sont musiciens, il faut aussi procéder à des calculs et à des décomptes.

C'est dans la solution de problèmes de ce genre que la statistique peut rendre des services fort utiles. Basée sur des principes arithmétiques élémentaires ou s'appuyant sur des théories mathématiques sophistiquées, elle est là, au service des chercheurs, que ceux-ci soient mathématiciens, sociologues, psychologues, littéraires ou didacticiens. Je tiens à souligner le caractère subalterne des techniques statistiques. Appliquées de façon appropriée, elles ne peuvent que soutenir ou contredire la valeur générale d'une thèse. Elles ne sont, en elles-mêmes, ni vraies, ni fausses, comme aucune technique ne saurait l'être. Tout comme c'est le cas de la scie et du marteau pour le charpentier, la statistique permet au chercheur de parvenir à des buts pratiques. Celui-ci n'est pas tenu de se contenter de belles théories ; il peut également vérifier ses hypothèses sur des données concrètes.

Comme, dans cet ouvrage, je me suis servi de certains termes statistiques familiers aux psychologues mais moins utilisés par les didacticiens des L2, je crois utile d'apporter quelques explications. Celles-ci auront nécessairement un caractère intuitif et non technique. Pour de plus amples renseignements, indispensables à tous ceux qui veulent acquérir des connaissances moins superficielles, je renvoie à Reuchlin (1976) et à Lagarde (1983).

La notion de corrélation

Prenons comme point de départ les données factices présentées dans le tableau 1. Ces données concernent six sujets ayant passé chacun quatre épreuves pour lesquelles ils ont obtenu des notes (sur vingt). La première épreuve était une dictée dont les résultats classent les sujets de A à F dans un ordre décroissant, A ayant obtenu le meilleur résultat et F le résultat le plus faible.

Tableau 7.1 : Résultats obtenus à quatre épreuves par six élèves.

Sujets	Dictée	Expr. orale	Compr. orale	Mathématiques
A	18	12	18	8
B	16	16	16	10
C	14	16	14	12
D	12	10	12	14
E	10	8	10	16
F	8	12	8	18

Quelle est la correspondance entre les résultats obtenus à la dictée et ceux des autres épreuves ? Comparons d'abord la dictée au test de compréhension orale. Le sujet A a obtenu 18 points aux deux épreuves ; on met la lettre A à l'endroit correspondant dans la matrice de la figure 1. On procède de la même façon pour les autres sujets. Il se trouve que les points marqués par les lettres se situent sur une ligne droite divisant l'angle droit des deux axes matricielles en deux parties égales. Entre les deux séries de résultats, il existe une corrélation parfaite notée 1.00 (ou parfois, 1,00, ou encore + 1.00).

Considérons maintenant la corrélation entre la dictée et l'épreuve de mathématiques. En procédant de la même façon que tout à l'heure, nous obtenons de nouveau une ligne droite, mais cette fois-ci elle part dans un autre sens (figure 2). Cette corrélation, également parfaite, est notée - 1.00 (ou - 1,00).

Les deux cas présentés sont assez exceptionnels : on ne rencontre que rarement des tests totalement identiques ou diamétralement opposés. Le plus souvent, les corrélations se trouvent quelque part entre + 1.00 et - 1.00. La comparaison de la dictée avec le test d'expression orale fournit un exemple approprié. Comme on le voit (figure 3), les points marqués par les lettres ne présentent pas une

Au lieu de la notion de prédiction, l'on rencontre souvent le terme **explication**, par exemple dans une phrase comme : « la proportion de la variance de *y* expliquée par *x* est de 81 % ». La **variance**, qui disposition régulière et il n'est pas possible de tirer une ligne simple les reliant. En statistique, cependant, il existe des techniques permettant de construire cette ligne et de calculer sa valeur. La ligne de la figure 3 passe tant bien que mal à égale distance entre les points marqués, représentant ainsi une corrélation de .49 (ou 0,49).

Figure 7.1 : Dictée × Compréhension orale.

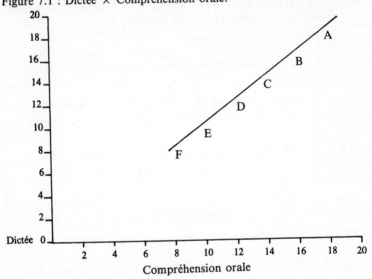

Figure 7.2 : Dictée × Mathématiques.

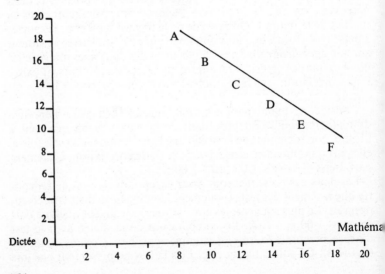

164

Figure 7.3 : Dictée × Expression orale.

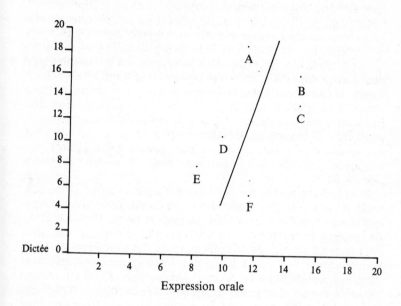

Corrélation, prédiction et explication

La corrélation ou, plus officiellement, le coefficient de corrélation est un chiffre indiquant **le degré de correspondance entre deux
séries d'observations**. Dans le cas de la dictée et des tests de compréhension et de mathématiques, cette correspondance est totale : à
partir des résultats obtenus à la dictée, on peut prédire ceux obtenus aux deux autres épreuves. Il faut préciser tout de suite que la
notion de **prédiction** est employée ici dans un sens très restreint,
qui n'a rien à voir avec l'idée de prophétie. Elle n'implique aucune
chronologie : on peut prédire des faits ultérieurs tout aussi bien que
des résultats simultanés ou même antérieurs aux données servant
de point de départ. Cela revient à dire qu'on peut prédire les résultats en mathématiques à partir des notes obtenues à la dictée aussi
bien que l'inverse.

Le degré d'exactitude de la prédiction dépend de l'importance
de la corrélation. Quand celle-ci s'élève à 1.00 (+ 1.00 ou - 1.00),
comme dans notre exemple, la prédiction est à cent pour cent. Quand
le coefficient de corrélation est de .90, il est possible de prédire
.90 x .90 = 81 % des résultats. Avec une corrélation de .49, la valeur
de la prédiction se monte à quelque 24 %. On comprend aisément
qu'à partir des notes données pour la dictée, il est presque impossible de prédire celles pour l'expression orale, ou l'inverse.

donne une indication de la dispersion des observations autour de la moyenne, définit globalement le champ des variations observées. Une série de données dont la moyenne se situe à 20 et dont la variance est de 10, est bien plus hétérogène qu'une série de données présentant la même moyenne mais une variance de 5. Dans la première série, les extrêmes sont beaucoup plus éloignés les uns des autres (et de la moyenne) que dans la seconde. La **covariation** qu'il peut y avoir dans deux séries d'observations se traduit dans le coefficient de corrélation et est égale au carré de ce coefficient. Comme c'était le cas pour la prédiction, le x et l'y de la phrase citée plus haut sont interchangeables. La covariation ou, plus exactement, la proportion de la variance de la dictée expliquée par les résultats obtenus au test d'expression orale est aussi grande que celle de ce test expliquée par les notes données pour la dictée, à savoir $.49^2 = 24 \%$.

Il sera clair que le terme explication n'a pas sa signification normale. Aussi ne saurait-on assez souligner qu'**une corrélation n'explique jamais rien**. Un exemple peut éclaircir ce point. Depuis le début de ce siècle, le nombre d'automobiles n'a cessé d'augmenter. Pendant cette même période, la taille moyenne des Européens s'est également accrue. Il y a sans aucun doute une certaine covariation et donc une corrélation entre ces deux phénomènes. Pourtant, aucune causalité simple ne se présente : la taille des Européens n'explique nullement le nombre croissant des voitures, l'inverse étant tout aussi peu probable. Quand, entre deux phénomènes (a et b), il existe une corrélation, a peut avoir une influence sur b ou b sur a, tandis qu'il est également possible que a et b soient tous les deux influencés par c (ou par c et d etc.). En d'autres termes, **au lieu d'expliquer, une corrélation demande toujours à être expliquée**. Comme il a été dit plus haut, une corrélation fait état d'une certaine correspondance, d'une relation non spécifiée entre deux séries d'observations. Intéressante ou non, l'interprétation de cette relation ne peut exister que dans l'esprit du chercheur et n'est jamais fournie par la corrélation même.

Tout en ne suggérant aucune explication, les corrélations peuvent attirer l'attention sur des relations inattendues ou inaperçues et constituent en tant que telles un instrument heuristique fort important. Là où les corrélations étaient attendues, comme c'est le cas de la dictée et du test de compréhension orale, une explication plausible ne semble pas difficile à trouver : dans les deux épreuves, on fait appel aux mêmes aptitudes linguistiques. On dit souvent, dans ce genre de cas, que les deux tests mesurent (partiellement) la même chose.

En règle générale, les statisticiens fournissent avec le coefficient de corrélation, une estimation de la probabilité du caractère systématique de la correspondance étudiée. Si une corrélation est **significative**, cela veut dire que la relation qui a été trouvée entre deux séries d'observations, a un caractère non fortuit, ou, en d'autres termes, qu'il est probable, jusqu'à un certain degré, que cette relation réapparaîtra lorsqu'on étudie d'autres séries d'observations du même type. Une telle relation n'est pas un simple effet du hasard, dû aux particularités de l'échantillon étudié, mais présente un caractère structural. Le plus souvent, on distingue deux niveaux de probabilité : 5 % et 1 %. Une corrélation significative au niveau 5 % (noté p = .05) est une corrélation qui a une chance de 5 sur 100 de devoir être attribuée à des causes purement fortuites ou occasionnelles. Dans le cas d'une corrélation significative au niveau 1 % (noté p = .01) ou à un niveau inférieur (noté p < .01), cette chance est de 1 sur 100 au maximum. Le seuil de probabilité retenu relève du choix du chercheur.

La régression multiple

La régression multiple est une technique qui est basée sur le calcul de corrélation et qui n'en est, en fait, qu'une application répétée. Pour bien des problèmes, il ne suffit pas d'examiner la relation entre deux facteurs, le réseau des variables impliquées étant beaucoup plus complexe. C'est pour étudier ce genre de cas qu'a été élaborée la régression multiple. Cette technique permet, pour un nombre déterminé de variables, de dégager un ordre d'importance ; elle donne pour chaque variable x la proportion de la variance y qu'elle explique. Ainsi, il est possible de trouver les facteurs prédisant le mieux tel résultat ou telle série d'observations.

Pour mieux comprendre les principes de cette technique, il est utile d'étudier le cas suivant. Si on veut savoir quels sont les facteurs les plus importants déterminant le niveau des revenus des Français, on peut rassembler, pour un échantillon représentatif, des données concernant le type de travail, la classe sociale, la formation (générale ou professionnelle), le sexe, l'âge, etc. La variable à expliquer est le salaire, et les variables susceptibles de fournir une explication partielle sont les facteurs sur lesquels ont été rassemblées les données. Il est probable qu'on trouve des corrélations plus ou moins importantes entre la variable à expliquer et chacune des autres variables. Comme il existe également des corrélations assez fortes entre la plupart des variables explicatives, on ne peut cependant pas comparer tout simplement entre elles ces corrélations (ni surtout les additionner !). C'est grâce à la technique de la régression multiple qu'on est à même de procéder à une telle comparaison et de connaître l'ordre d'importance d'un nombre déterminé de facteurs pouvant expliquer un phénomène donné.

L'analyse factorielle

Si, confronté à un grand nombre de données, on veut savoir quels éléments vont ensemble, on a recours à l'analyse factorielle. Cette technique, qui considère chaque donnée comme un point définissant une dimension dans un espace multi-dimensionnel, permet de grouper les éléments (facteurs, variables, réponses données à un questionnaire, etc.) présentant les covariations les plus importantes. Les valeurs calculées sont présentées comme des coefficients de corrélation. Etant donnée le caractère théorique des calculs effectués — il s'agit effectivement de corrélations entre corrélations auxquelles on impose une certaine structure — l'on a coutume de ne prendre en considération que les valeurs les plus élevées et de se méfier des valeurs basses.

Ici encore, un exemple concret peut aider à faire mieux comprendre ce dont il est question. Dans une recherche portant sur l'attitude à l'égard de l'enseignement des langues, un test a été proposé à un groupe de débutants (Bogaards & Duijkers 1983). Ce test se composait de vingt-cinq énoncés du type suivant :
- Il est très important d'apprendre des langues étrangères.
- J'aime bien apprendre des langues étrangères.
- Il faudrait consacrer moins d'heures aux langues étrangères.

Les sujets devaient indiquer, au moyen d'échelles à cinq points (tout à fait d'accord... pas du tout d'accord), dans quelle mesure les énoncés traduisaient leurs idées. L'analyse factorielle a ensuite calculé le degré de correspondance entre les réponses données à chacun des énoncés du test par chacun des élèves et celles données à tous les autres. En comparant ainsi toutes les réponses individuelles, l'analyse factorielle a permis de dégager deux tendances (ou facteurs) : l'une regroupait les items où il était question de *l'utilité* de l'apprentissage des langues, l'autre couvrait ceux concernant *le plaisir* qu'on prend à cet apprentissage (cf. aussi Bogaards 1986 et, dans le paragraphe 4.2.3, le passage sur « l'évaluation »). C'est de cette façon que cette analyse peut contribuer à une meilleure compréhension de notions qui, sans elle, risqueraient de rester purement intuitives.

Bibliographie

Abé, D., Gremmo, M.J. (1981), Apprentissage autodirigé : quand les chiffres parlent, *Mélanges CRAPEL 1981*, 3-32, (4.2.2).

Abé, D., Gremmo. M.J. (1983), Enseignement/apprentissage : vers une redéfinition du rôle de l'enseignement, *Mélanges CRAPEL 1983*, 103-117 (4.1) (4.3).

Ackerman, Th.J. (1972), Teacher attitudes, aptitude and motivation, *in* D.L. Lange, Ch.J. James (eds.), *Foreign language education : A reappraisal*, Skokie (Ill.) : National Textbook Co, 35-59 (4.1).

Ajzen, I., Fishbein, M. (1980), *Understanding attitudes and predicting social behavior*, Englewood Cliffs, New Jersey : Prentice-Hall (3.3.1).

Allwright, R.L. (1975), Problems in the study of teachers' treatment of learner error, *in* M.K. Burt, H.C. Dulay (eds.), *New Directions in second language learning, teaching and bilingual education*, Washington D.C. : TESOL, 96-109 (4.2.3).

Angiolillo, P.F. (1942), French for the feeble minded : an experiment, *Modern Language Journal 26*, 266-271 (3.2.2).

d'Anglejan, A. (1978), Language learning in and out of classrooms, *in* J.C. Richards (ed.), *Understanding second and foreign language learning. Issues and approaches*, Rowley (Mass.) : Newbury House, 218-237 (2.4).

d'Anglejan, A., Renaud, C. (1985), Learner characteristics and second language acquisition : a multivariate study of adult immigrants and some thoughts on methodology, *Language Learning 35*, 1-19 (6).

Anisfeld, M., Lambert, W.E. (1961), Social and psychological variables in learning Hebrew, *Journal of Abnormal and Social Psychology 63*, 524-529 (3.2.2).

Anisfeld, M., Bogo, N., Lambert, W.E. (1962), Evaluational reactions to accented English speech, *Journal of Abnormal and Social Psychology 65*, 223-231 (3.3.4).

Arendt, J.D. (1967), Predicting success in foreign language study : A study made in selected Minneapolis schools from 1963 to 1964, *Dissertation Abstracts 28*, 4869A-4970A, Minnesota (3.6.2).

Asher, J.J. (1972), Children's first language as a model for second language learning, *Modern Language Journal 56*, 133-139 (4.2.3).

Asher, J.J., García, R. (1969), The optimal age to learn a foreign language, *Modern Language Journal 53*, 334-341 (3.5.2).

Asher, J. Price, B.S. (1967), The learning strategie of the total physical response : some age differences, *Child Development 38*, 1219-1227 (3.5.2) (3.5.3).

Ausubel, D.P. (1964), Adults versus children in second language learning : psychological considerations, *Modern Language Journal 48*, 420-424 (4.2.2).

Baddeley, A.D. (1976), *The psychology of memory*, New York : Harper and Row (2.1.5).

Bailey, L.G. (1975), An observational method in the foreign language classroom : a closer look at interaction analysis, *Foreign Language Annals 8*, 335-344 (4.4.1).

Bartley, D.E. (1970), The importance of the attitude factor in language dropout. A preliminary investigation of group and sex differences, *Foreign Language Annals 3*, 383-393 (3.6.2).

Bautier-Castaing, E.(1982), L'authentique désauthentifié : la situation scolaire de productions langagières, *Etudes de Linguistique Appliquée 48*, 80-90 (4.2.3).

Bautier-Castaing, E. (1984), Pouvoir décrire pour enseigner et apprendre, *Etudes de Linguistique Appliquée 53*, 34-46 (4.2.2).

Bautier-Castaing, E., Hébrard, J. (1980), Apprendre une langue seconde ou continuer à apprendre à parler en apprenant une langue seconde ? Une réponse psycholinguistique, *in* R. Galisson (éd.), *Lignes de force du renouveau actuel en D.L.E.*, Paris : Clé International, 49-81 (3.8.1).

Bennett, N. (1976), *Teaching styles and pupil progress*, London : Open Books (4.2.1).

Bentler, P.M. (1978), The interdependence of theory, methodology, and empirical data : causal modeling as an approach to construct validation, *in* D.B. Kandel (ed.), *Longitudinal research on drug use : empirical findings and methodological issues*, New York : John Wiley, 267-302 (6).

Besse, H., Galisson, R. (1980), *Polémique en didactique. Du renouveau en question*, Paris : Clé International (4.2.2).

Bialystok, E. (1983), On learning language form and language function, *Interlanguage Studies Bulletin 7*, 54-70 (4.2.3).

Bialystok, E., Fröhlich, M. (1978), Variables of the classroom achievement in second language learning, *Modern Language Journal 62*, 327-336 (3.8.1).

Bialystok, E., Fröhlich, M. (1980), Oral communication strategies for lexical difficulties, *Interlanguage Studies Bulletin 5*, 3-30 (3.8.2).

Bibeau, G. (1983), La théorie du moniteur de Krashen. Aspects critiques, *Bulletin de l'ACLA 5/1 (2.2.1)*.

Birkmaier, E.M. (1966). *Extending the audio-lingual approach : some psychological aspects, in* E.W. Najam, C. Hodges (eds.), *Language learning. The individual and the process*, The Hague : Mouton, 122-138 (4.3).

Boekaerts, M. (1977), De struktuur van het geheugen : een onderzoek naar de individuele organisatieprincipes bij leerlingen van de basisschool, *in* M. Spoelders (ed.), *Pedagogische psycholinguïstiek*. Handelingen van een colloquium georganiseerd te Gent op 25 en 26 november 1976, R.U. Gent, 217-235 (2.1.5).

Boekaerts, M. (1978), *Towards a theory of learning based on individual differences*, Tilburg (thèse) (3.4.3).

Bogaards, P. (1980), L'aptitude à l'apprentissage des langues étrangères, mythe ou réalité ?, *Le français dans le monde 150*, 45-49 (3.1.2).

Bogaards, P. (1981), Interactie-analyse en het observeren van vreemdetalenonderwijs, *Levende Talen 359*, 146-165 (4.4.1).

Bogaards, P. (1982a), Ideeën over onderwijs, methode en de behandeling van fouten in het vreemde-talenonderwijs, *Levende Talen 371*, 299-309 (4.2.3) (4.3).

Bogaards, P. (1982b), *Moderne vreemde talen op school, Een studie betreffende de determinanten van succes bij het leren van Frans in de brugklas*, Harlingen : SVO-Flevodruk (3.2.2) (3.6.3) (4.3) (6).

Bogaards, P. (1984), Attitudes et motivations : quelques facteurs dans l'apprentissage d'une langue étrangère, *Le français dans le monde 185*, 38-44, 103-104 (4.3).

Bogaards, P. (1986), Quelques facteurs intervenant dans l'apprentissage des langues à l'école, *in* A. Giacomi, D. Véronique (eds.), *Acquisition d'une langue étrangère. Perspectives et recherches*, Actes du 5e Colloque International, Aix-en-Provence 1984, Aix-en-Provence : Publ. Université de Provence, 827-844 (3.2.2) (3.7) (4.3) (6).

Bogaards, P., Duijkers, T. (1983), Nadere onderzoekingen naar de Taal Attitude Schaal, *Toegepaste Taalwetenschap in Artikelen 17*, 132-150 (3.6.2) E.

Bosco, F.J., Di Pietro, R.J. (1970). Instructional strategies : their psychological and linguistic bases, *International Review of Applied Linguistics 8*, 1-19 (4.2.1).

Bourgain, D. (1978), Attitudes et apprentissage, *in* V. Ferenczi (ed.), *Psychologie, langage et apprentissage*, Paris : CREDIF, 65-84 (3.3.2).

Bouton, C. (1979), *La linguistique appliquée*, Paris : P.U.F., (Que sais-je ? 1755) (2.3.2).

Brega,E., Newell, J.M. (1967), High-school performance of FLES and non-FLES students, *Modern Language Journal 51*, 408-411 (3.6.1).

Brière, E.J. (1978), Variables affecting native Mexican children's learning Spanish as a second language, *Language Learning 28*, 159-174 (3.5.2) (3.6.1) (3.7).

Brodkey, D., Shore, H. (1976), Student personality and success in an English language program, *Language Learning 26*, 153-162 (3.4.2).

Brophy, J.E., Good, T.L. (1970), Teachers' communication of differential expectations for children's classroom performance, *Journal of Educational Psychology 61*, 365-374 (4.3).

Brown, H.D. (1973), Affective variables in second language acquisition, *Language Learning 23*, 231-244 (3.4.2) (3.4.3) (3.4.4).

Brown, H.D. (1977), Cognitive and affective charactéristics of good language learners, *in* C.A. Henning (ed.), *Proceedings of the Los Angelos second language research forum*, Los Angelos, 349-354 (3.4.3).

Brown, H.D. (1981), Affective factors in second language learning, in J. Alatis & al. (eds.), *The second language classroom : Directions for the 1980's,* Oxford : OUP, 113-129 (3.4.4).

Burstall, C. (1975), Factors affecting foreign language learning : a consideration of some recent research findings, *Language Teaching and Linguistics Abstracts 8*, 5-25. (Aussi *in* V. Kinsella (ed.), *Language Teaching and linguistics : surveys*, Cambridge : CILT, 1978, 1-21) (3.6.1) (3.6.2) (3.7) (4.3) (5.1).

Burstall, C. (1977), Primary French in the balance. *Foreign Language Annals 10*, 245-252 (3.5.2).

Burt, M., Dulay, H. (1981), Optimal language learning environments, *in* J. Alatis & al. (eds.), *The second language classroom : Directions for the 1980's* Oxford : OUP, 177-192 (3.7) (4.2.3) (5) (5.1) (6).

Busch, D. (1982), Interversion-extraversion and the EFL proficiency of Japanese students, *Language Learning 32*, 109-132 (3.4.2).

Carroll, J.B. (1962), The prediction of succes in intensive foreign language training, *in* R. Glaser (ed.), *Training research and education*, New York : Univ. of Pittsburgh Press, 87-136 (3.1.2) (3.2.2) (6).

Carroll, J.B. (1963), A model of school learning, *Teachers College Record 64*, 723-733 (6).

Carroll, J.B. (1967/1968), Foreign language proficiency levels attained by language majors near graduation from college, *Foreign Language Annals 1*, 131-151 (3.6.1) (3.7).

Carroll, J.B. (1973), Implications of aptitude test research and psycholinguistic theory for foreign language teaching, *International Journal of Psycholinguistics 2*, 5-14 (3.1.2).

Carroll, J.B. (1979a), Psychometric approaches to the study of language abilities, *in* C.J. Fillmore & al. (eds.), *Individual differences in language ability and language behavior*, New York : Academic Press, 13-31 (3.1.2) E.

Carroll, J.B. (1979b), Twenty-five years of research on foreign language aptitude, *in* K.C. Diller (ed.), *Individual differences and universals in language learning aptitude*, Rowley (Mass.) : Newbury House, 83-118 (3.1.1) (3.1.2) (3.1.3).

Carroll, J.B., Sapon, S.M. (1959), *Modern language aptitude test* (manual), New York : The Psychological Corporation (3.1.2) (3.6.2).

Carton, F.M. (1983), Pour une didactique des stratégies conversationnelles, *Mélanges CRAPEL 1983*, 53-102 (3.8.1).

Chastain, K. (1969), Prediction of success in audiolingual and cognitive classes, *Language Learning 19*, 27-39 (3.1.2).

Chastain, K. (1975), Affective and ability factors in second language acquisition, *Language Learning 25*, 153-161 (3.4.2).

Chastain, K., Woerdehoff, F. (1968), A methodological study comparing the audio-lingual habit theory and the cognitive code-learning theory, *Modern Language Journal 52*, 268-279 (4.2.1).

Chaudron, C. (1977), A descriptive model of discourse in the corrective treatment of learners' errors, *Language Learning 27*, 29-46 (4.2.3).

Claessen, J.F.M., van Galen, A.M., Oud-de Glas, M.M.B. (1978), *De behoeften aan moderne vreemde talen. Een onderzoek onder leerlingen, oud-leerlingen en scholen*, Studies over het onderwijs in de moderne vreemde talen deel IV, Nijmegen : ITS (3.6.2).

Clark, H.H., Clark, E.V. (1977), *Psychology and language*, New York : Harcourt (3.8.1).

Clem, O.M. (1925), Latin prognosis : a study of the detailed factors of indivual pupils, *Journal of Educational Psychology 16*, 160-169 (3.2.2).

Clément, R.C., Smythe, P.C., Gardner, R.C. (1976), Echelles d'attitudes et de motivations reliées à l'apprentissage de l'anglais, langue seconde, *Canadian Modern Language Review 33*, 5-26 (3.3.2).

Cloos, R.I. (1971), A four-year study of foreign language aptitude at the high school level, *Foreign Language Annals 4*, 411-419 (3.1.2) (3.6.1) (3.6.2) E.

Cohen, A. (1984), Studying second-language learning strategies : how do we get the information ?, *Applied Linguistics 5*, 101-112 (3.8.2).

Cohen, A.D., Hosenfeld, C. (1981), Some uses of mentalistic data in second language research, *Language Learning 31*, 285-314 (3.8.2).

Connell, Ph., McReynolds, L. (1981), An experimental analysis of children's generalization during lexical learning : comprehension or production, *Applied Psycholinguitics 2*, 309-332 (3.5.2).

Cook, V. (1977), Cognitive processes in second language learning, *International Review of Applied Linguistics 15*, 1-20 (2.1.5) (3.5.3).

Cook, V.J. (1981-1982), Second language acquisition from an interactionist viewpoint, *Interlanguage Studies Bulletin 6*, 93-111 (5).

Corder, S.P. (1980a), Que signifient les erreurs des apprenants ?, *Langages 57*, 9-15 (4.2.3).

Corder, S.P. (1980b), Dialectes idiosyncrasiques et analyse d'erreurs, *Langages 57*, 17-28 (4.2.3).

Corder, S.P. (1981), *Error analysis and interlanguage*, Oxford : OUP (3.8.1) E.

Coste, D. (1981), Synthèse et prolongements de la discussion : gérer l'apprentissage, les conditions des choix, *Champs Educatifs 3*, 97-100 (4.1) E.

Coste, D. (1984), Les discours naturels de la classe, *Le Français dans le monde 183*, 16-25 (4.2.3).

Craik, F.I.M., Lockhart, R.S. (1972), Levels of processing : a framework for memory research, *Journal of Verbal Behavior 11*, 671-684 (2.1.4).

Cronbach, L.J., Snow, R.E. (1977), *Aptitudes and instructional methods. A handbook for research on interactions*, New York : Irvington (3.1.3) (4.2.2) (4.4.2) (5.1).

Cross, D. (1983), Sex differences in achievement, *System 11*, 159-162 (3.6.1) E.

Cummins, J. (1981), Age on arrival and immigrant second language learning in Canada : a reassessment, *Applied Linguistics 2*, 132-149 (3.5.2) (3.5.3) E.

Curtiss, S., Fromkin, V., Krashen, S., Rigler, D., Rigler, M., (1974), The linguistic development of Genie, *Language 50*, 528-554 (3.5.1).

Dabène, L. (1984), Pour une taxinomie des opérations métacommunicatives en classe de langue étrangère, *Etudes de Linguistique Appliquée 55*, 39-46 (4.2.3).

Dalgalian, G. (1984), Importance de l'initiative des élèves dans la communication en classe de langue, *Etudes de Linguistique Appliquée 55*, 9-18 (4.2.3) (4.4.1).

Davies, N.F. (1983), The receptive way to active learning, *System 11*, 245-248 (4.2.3).

Dexter, E.S. (1934), Pitch discrimination and French accent on the high school level, *Journal of applied psychology 18*, 717-720 (3.2.2).

Dexter, E.S., Omwake, K.T. (1934), The relation between pitch discrimination and accent in modern languages, *Journal of applied psychology 18*, 267-271 (3.2.2).

Diller, K.C. (1976), Criteria for adapting language teaching methods to the learning styles and abilities of students, *Proceedings 4th International Congress of Applied Linguistics*, vol. 3, Stuttgart, 341-351 (4.2.2).

Disick, R.S. (1972), Developing positive attitudes in intermediate foreign language classes, *Modern Language Journal 56*, 417-420 (4.3).

Doca, G. (1981), *Analyse psycholinguistique des erreurs faites lors de l'apprentissage d'une langue étrangère. Applications au domaine franco-roumain*, Bucarest-Paris : Publications de la Sorbonne (3.8.3).

Dufeu, B. (1983), La psychodramaturgie linguistique ou l'apprentissage de la langue par le vécu, *Le français dans le monde 175*, 36-45 (3.4.4).

Dulay, H., Burt, M. (1974), Errors and strategies in child second language acquisition, *TESOL Quarterly 8*, 129-136 (4.2.1).

Dulay, H., Burt, M. (1977), Remarks on creativity in language acquisition, *in* M. Burt, H. Dulay, M. Finocchiaro (eds.), *Viewpoints on English as a second language*, New York : Regents, 95-126 (4.2.3).

Dulay, M., Burt, M. (1978), Some remarks on creativity in language acquisition, *in* W.C. Ritchie (ed.), *Second language acquisition research. Issues and applications*, New York : Academic Press, 65-89 (4.2.3) (6).

Eddy, F.D. (1968), Motivate who ?, *in* S. Newell (ed.), *Dimension : Language'68*, Proceeding of the 4th Southern Conference on Language Teaching, New Orleans, 1-5 (3.3.3).

Ekstrand, L.H. (1976), Age and length of residence as variables related to the adjustement of migrant children, with special reference to second language learning, *Proceedings 4th International Congress of Applied Linguistics*, vol. 3, Stuttgart, 179-198 (3.5.1).

Ekstrand, L.H. (1979), Replacing the critical period and optimum age theories of second language acquisition with a theory of ontogenetic development beyond puberty, *Educational and psychological interactions n°69*, Lund : Malmö School of Education (3.5.1) (3.5.3).

Ekstrand, L.H. (1980), Is there an optimal age to become bilingual ?, *in* J.P. van Deth, J. Puyo (eds.), *Langues et coopération européenne. Actes du colloque international*, Strasbourg, Palais de l'Europe, 17-20 avril 1979, Paris : CIREEL, 261-266 (3.5.2) (3.5.4).

Ervin-Tripp, S.M. (1974), Is second language learning like the first ? *TESOL Quarterly 8*, 111-127 (3.5.2) (3.5.3).

Eysenck, M.W. (1977), *Human memory : Theory, research and individual differences*, Oxford : Pergamon (2.1.5).

Faerch, C., Kasper, G. (1980), Processes and strategies in foreign language learning and communication, *Interlanguage Studies Bulletin 5*, 47-118 (3.8.1).

Faerch, C., Kasper, G. (1980a), Stratégies de communication et marqueurs de stratégies, *Encrages 1980*, 17-24 (3.8.2).

Faerch, C., Kasper, G. (1984) Two ways of defining communication strategies, *Language Learning 34*, 45-64 (3.8.2).

Fanselow, J.F. (1977), Beyond RASHOMON — conceptualizing and describing the teaching act, *TESOL Quarterly 11*, 17-93 (4.2.3).

Fathman, A. (1975), The relationship between age and second language productive ability, *Language Learning 25*, 245-253 (3.5.2).

Fathman, A. (1976), Variables affecting the successful learning of English as a second language, *TESOL Quarterly 10*, 433-441 (5.1).

Feenstra, H.J. (1969), Parent and teacher attitudes : their role in second-language acquisition, *Canadian Modern Language Review 26*, 5-13 (3.7).

Fishbein, M., Ajzen, J. (1975), *Belief, attitude, intention and behavior : An introduction to theory and research*, Reading (Mass.) : Addison-Wesley (3.3.1) (3.3.3).

Fishman, J.A. (1966), The implications of bilingualism for language teaching and language learning, *in* A. Valdman (ed.), *Trends in language teaching*, New York : McGraw-Hill, 121-132 (3.5.3) (4.2.2).

Florès, C. (1982), *La mémoire*, Paris : P.U.F., (Que sais-je ? 350) (2.1.5).

Frauenfelder, U., Porquier, R. (1979), Les voies d'apprentissage en langue étrangère, *Working Papers on Bilingualism 17*, 37-64 (3.8.1) (3.8.3) (4.2.3) (6).

Frick, T., Semmel, M.I. (1978), Observer agreement and reliabilities of classroom observational measures, *Review of Educational Research 48*, 157-184 (4.4.1).

Fromkin, V., Krashen, S., Curtiss, S., Rigler, D., Rigler, M. (1974), The development of language in Genie : a case of language acquisition beyond the « critical period », *Brain and Language 1*, 81-107 (3.5.1).

Gagnon, M. (1976), L'attitude de l'adolescent francophone à l'endroit de la culture anglaise, *Canadian Modern Language Review 32*, 267-282 (3.6.2) (3.7).

Gaies, S. (1983), The investigation of language classroom processes, *TESOL Quarterly 17*, 205-217 (4.2.3) (4.4.2).

Galloway, L.M. (1981), The convolutions of second language : a theoretical article with a critical review and some new hypotheses towards a neuropsychological model of bilingualism and second language performance, *Language Learning 31*, 439-464 (3.4.3) (3.5.3).

Gaonac'h, D. (1982), *Contribution de la psychologie cognitive à l'analyse des processus d'acquisition d'une langue étrangère*, Poitiers : Laboratoire de Psychologie (2.2.2).

Gaonac'h, D. (1987), *Théories d'apprentissage et acquisition d'une langue étrangère*, Paris : Crédif-Hatier (coll. LAL) (2.1.5) (3.4.1).

Gardner, R.C. (1966), Motivational variables in second language learning, *in* E.W. Najam, C. Hodges (eds.), *Language learning : the individual and the process*, The Hague : Mouton, 24-44 (3.7).

Gardner, R.C. (1973), Attitudes and motivation : their role in second language acquisition, *in* J.W. Oller & J.C. Richards (eds.), *Focus on the learner*, Rowley (Mass.) : Newbury House, 235-245 (3.7).

Gardner, R.C. (1980), On the validity of affective variables in second language acquisition : conceptual, contextual, and statistical considerations, *Language Learning 30*, 255-270 (3.3.1).

Gardner, R.C., Lambert, W.E. (1972), *Attitudes and motivation in second language learning*, Rowley (Mass.) : Newbury House (3.2.2) (3.3.2) (3.3.4).

Gary, J.O. (1978), Why speak if you don't need to ? The case for a listening approach to beginning foreign language learning, *in* W.C. Ritchie (ed.), *Second language acquisition research. Issues and implications*, New York : Academic Press, 185-199 (4.2.3).

Gayle, G. (1982), Identifying second-language teaching styles : a new approach to an old problem, *Canadian Modern Language Review 38*, 254-261 (4.4.1).

Genesee, F. (1976), The role of intelligence in second language learning, *Language Learning 26*, 267-280 (3.2.2).

Genesee, F. (1978), Individual differences in second-language learning, *Canadian Modern Language Review 34*, 490-504 (4.2.2).

Geschwind, N. (1973), The brain and language, *in* G.A. Miller (ed.), *Communication, language and meaning. Psychological perspectives*, New York : Basic Books, 61-72 (3.5.1).

Girard, D. (1972), *Linguistique appliquée et didactique des langues*, Paris : A. Colin-Longman (4.2).

Girard, D. (1974), *Les langues vivantes*, Paris : Larousse (4.2.1).

Grandcolas, B. (1984), Voulez-vous converser avec moi ?, *Etudes de Linguistique Appliquée 55*, 68-75 (4.2.3).

Green, P. (1975), Aptitude testing — an on-going experiment, *Audio-Visual Language Journal 12*, 205-210 (3.2.2).

Gregg, K.R. (1984), Krashen's monitor and Occam's razor, *Applied Linguistics 5*, 79-100 (2.2.1).

Guiora, A.Z. (1972), Construct validity and transpositional research : Toward an empirical study of psychanalytic concepts, *Comprehensive Psychiatry 13*, 139-150 (3.4.4).

Guiora, A.Z., Acton, W.R. (1979), Personality and language behavior : a restatement, *Language Learning 29*, 193-204 (3.4.4).

Guiora, A.Z., Brannon, C.L., Dull, C. (1972a), Empathy and second language learning, *Language Learning 22*, 111-130 (3.2.2) (3.4.4).

Guiora, A.Z., Beit-Hallahmi, B., Brannon, C.L., Dull, C.Y., Scovel, T. (1972b), The effects of experimentally induced changes in ego states on pronunciation ability in a second language : An exploratory study, *Comprehensive Psychiatry 13*, 421-428 (3.4.4).

Guiora, A.Z., Paluszny, M., Beit-Hallahmi, B., Catford, J.C., Cooley, R.E., Dull, C.Y. (1975), Language and person-studies in language behavior, *Language Learning 25*, 43-61 (3.4.4) (3.5.3).

Guiora, A.Z., Acton, W.R., Erard, R., Strickland jr., F.W. (1980), The effects of benzodiazepine (valium) on permeability of language ego boundaries, *Language Learning 30*, 351-363 (3.4.4).

Gumperz, J.J. (1981), *Discourse strategies*, New York : Holt, Rinehart and Winston (3.8.1).

Hall, C.S., Lindzey, G. (1978), *Theories of personality*, New York : John Wiley (3.4.1).

Halliday, M., McIntosh, A., Strevens, P. (1964), *The linguistic sciences and language teaching*, London : Longman (4.2.1).

Hamayan, E.V., Tucker, G.R. (1980), Language input in the bilingual classroom and its relationship to second language achievement, *TESOL Quarterly 14*, 453-468 (4.2.3).

Hamayan, E.V., Genesee, F., Tucker, G.R. (1977), Affective factors and language exposure in second language learning, *Language Learning 27*, 225-241 (3.4.2).

Hancock, C.R. (1972), Student aptitude, attitude and motivation, *The ACTEFL Review of foreign language education*, 127-155 (3.1.3).

Hancock, C.R. (1977), Second language study and intellectual development, *Foreign Language Annals 10*, 75-81 (3.2.2).

Hansen, J., Stansfield, C. (1981), The relationship of field dependent-independent cognitive styles to foreign language achievement, *Language Learning 31*, 349-367 (3.4.3).

Hansen, L., Robertson, L. (1984), Influences in the development of children's language attitudes, *ITL Review of Applied Linguistics 65*, 93-105 (3.6.3) (3.7).

Heilenman, L.K. (1981), Do morphemes mature ? The relationship between cognitive maturation and linguistic development in children and adults, *Language Learning 31*, 51-65 (3.5.3).

Henmon, V.A.C. et autres (1929), *Prognosis Tests in the modern foreign languages*, New York : Macmillan (3.1.1) (3.2.2).

Hoefnagel-Höhle, M. (1977), Het belang van de taalomgeving bij tweede taalverwerving, in C. Snow (ed.), *Buitenlandse kinderen op Nederlandse scholen*, Amsterdam, Publ. van het Instituut voor Algemene Taalwetenschap, nr. 16, 24-40 (3.5.3).

Holec, H. (1981), A propos de l'autonomie : quelques éléments de réflexion,

Etudes de Linguistique Appliquée 41, 7-23 (4.2.2).

Holley, F., King, J.M. (1975), Imitation and correction in foreign language learning, *in* J. Schumann, N. Stenson (eds.), *New frontiers in second language learning*, Rowley (Mass.) : Newbury House, 81-89 (4.3).

Hulstijn, J.H. (1982), *Monitor use by adult second language learners*, Amsterdam (thèse) (2.2.1) (3.4.3).

Hutt, C. (1972), *Males and females*, Harmonds Worth : Penguin Books (3.6.2).

Ingram, E. (1964), Age and language learning, *in* B. Libbish (ed.), *Advances in the teaching of modern languages 1*, Oxford : OUP, 18-24 (3.7).

Jakobovits, L.A. (1970), *Foreign Language Learning, A Psycholinguistic analysis of the issues*, Rowley (Mass.) : Newbury House (3.2.2) (3.3.4) (3.5.2) (4.1).

Jarvis, A.G. (1968), A behavioral observation system for classroom foreign language skill acquisition activities, *Modern Language Journal 52*, 335-341 (4.4.1).

Jones, R.A. (1977), *Psychological, social and personal factors in second language acquisition*, Unpublished M.A. thesis, U.C.L.A. (4.4.2).

Jones, W.R. (1949), Attitudes towards Welsh as a second language. A preliminary investigation, *British Journal of Educational Psychology 19*, 44-52 (3.6.2) (3.7).

Jordens, P. (1977), Rules, grammatical intuitions and strategies in foreign language learning, *Interlanguage Studies Bulletin 2*, 5-76 (3.8.2).

Kellerman, E. (1977), Towards a characterisation of the strategy of transfer in second language learning, *Interlanguage Studies Bulletin 2*, 58-145 (3.8.2).

Kellerman, E. (1980), Œil pour œil, *Encrages 1980*, 54-63 (3.8.2).

Knibbeler, W. (1975), *Persoonsvariabelen bij het leren van een vreemde taal, onderzoek naar het leraarloze taalleren bij volwassenen*, Nijmegen : KUN (3.5.2).

Krashen, S.D. (1973), Lateralization, language learning, and the critical period. Some new evidence, *Language Learning 23*, 63-74 (3.5.1).

Krashen, S.D. (1975), The critical period for language acquisition and its possible bases, *in* D. Aaronson, R.W. Rieber (eds.), *Developmental psycholinguistics and communication disorders*, New York : New York Academy of Sciences, 211-224 (3.5.1) (3.5.3).

Krashen, S.D. (1977), The monitor model for adult second language performance, *in* M. Burt, H. Dulay, M. Finocchiaro (eds.), *Viewpoints on English as a second language*, New York : Regents, 152-161 (2.2.1).

Krashen, S.D. (1979), A response to McLaughlin, « The monitor model :

some methodological considerations », *Language Learning 29*, 151-167 (2.2.1).

Krashen, S.D. (1981), *Second language acquisition and second language learning*, Oxford : Pergamon (3.4.2) (4.2.3).

Krashen, S.D., Terrell, T.D. (1983), *The natural approach. Language acquisition in the classroom*, Oxford : Pergamon (4.3) (5.2).

Krohn, D. (1981), Leistungshemmende Faktoren im Englisch-unterricht - eine Reflexion empirischer Befunde aus dem 5./6. Schuljahr, *in* W. Kühlwein, A. Raasch (eds.), *Sprache : Lehren und Lernen*, Tübingen : G. Narr, 114-124 (3.2.2).

Lagarde, J. de (1983), *Initiation à l'analyse des données*, Paris : Bordas-Dunod (7).

Lambert, W.E., Klineberg, O. (1967), *Children's view of foreign peoples. A cross-national study*, New York : Appleton Century Crofts (3.7).

Lambert, W.E., Macnamara, J. (1969), Some cognitive consequences of following a first-grade curriculum in a second language, *Journal of Educational Psychology 60*, 86-96 (3.2.2).

Lambert, W.E., Seligman, C.R., Tucker, G.R. (1972), The effects of speech style and other attributes on teachers attitudes toward pupils, *in* A.S. Dil (ed.), *Language, psychology and culture*, Stanford : Stanford Univ. Press, 338-350 (4.3).

Lamy, A. (1983), Conceptualisation et pédagogie de la faute : cinq exemples, *Le français dans le monde 174*, 60-63 (4.2.3).

Lanchec, J.Y. (1976), *Psycholinguistique et pédagogie des langues*, Paris : P.U.F. (3.2.2).

Langouet, G. (1979), Technologie de l'éducation et démocratisation de l'enseignement : deux méthodes d'enseignement des langues vivantes, *Etudes de Linguistique Appliquée 35*, 58-77 (3.6.1) (3.7) (4.2.1).

Lapkin, S., Swain, M., Kamin, J., Hanna, G. (1983), Late immersion in perspective : The Peel study, *Canadian Modern Language Review 39*, 182-206 (5.1) (5.2).

Lenneberg, E. (1967), *Biological foundations of language*, New York : John Wiley (3.2.2) (3.5.1).

Le Ny, J.F. (1979), *La sémantique psychologique*, Paris : P.U.F. (Intr.) (2.1.3).

Levelt, W.J.M. (1976), Skill theory and language teaching, *in* A. Valdman (ed.), *Studies in second language acquisition*, Bloomington, 53-70 (2.3.1).

Levin, L. (1972), *Comparative studies in foreign language teaching. The GUME project*, Göteborg : Allfota i Göteborg AB (4.2.2).

Li, C.C. (1975), *Path analysis — a primer*, Pacific Grove, California : Boxwood Press (6).

Liski, E., Puntanen, S. (1983), A study of the statistical foundations of group conversation tests of spoken English, *Language Learning 33*, 225-246 (3.6.1).

Long, M.H. (1980), Inside the « black box » : methodological issues in classroom research on language learning, *Language Learning 30*, 1-42 (4.4.1) (4.4.2) (6).

Lucas, E. (1976), Error treatment in the E.S.L. classroom, *Proceedings 4th*

International Congress of Applied Linguistics, vol. 2, Stuttgart, 315-327 (4.2.3).

Ludwig, J.M. (1979), The cognitive method and error analysis, Foreign Language Annals 12, 209-212 (4.2.3).

Ludwig, J.M. (1983), Attitudes and expectations : A profile of female and male students of college French, German and Spanish, Modern Language Journal 67, 216-227 (3.6.2).

Lukmani, Y.M. (1972), Motivation to learn and language proficiency, Language Learning 22, 261-273 (3.3.2).

Luria, M.A., Orleans, J.S. (1928), Luria-Orleans Modern Language Prognosis Test, Yonkers-on-Hudson (NY) : World Book Co (3.1.1).

Mackey, W.F. (1965), Language teaching analysis, London : Longman (4.2.1).

Mackey, W.F. (1976), Bilinguisme et contact des langues, Paris : Klincksieck (6).

Macnamara, J. (1976), Comparison between first and second language learning, Die Neueren Sprachen 75, 175-188 (3.5.3).

McDonald, P.F., Sager, J.C. (1975), Beyond contextual studies. Considerations of language aptitude and motivation in advanced language teaching, International Review of Applied Linguistics 13, 19-34 (3.4.2).

McLaughlin, B. (1978), The monitor model : some methodological considerations, Language Learning 28, 309-332 (2.2.1) (2.3.2) (3.8.3).

McLaughlin, B. (1980), Theory and research in second language learning : an emerging paradigm, Language Learning 30, 331-350 (6).

Medley, D.M., Mitzel, H.E. (1963), Measuring classroom behavior by systematic observation, in N.L. Gage (ed.), Handbook of Research on Teaching, Chicago : Rand McNally, 247-328 (4.4.1).

Mierke, K. (1969), Die Grundtypen and Sonderformen der geistigen Begabung, in H.R. Lückert (ed.), Begabungsforschung und Bildungsförderung als Gegenwartsaufgabe, München, Basel, 105-127 (3.1.3).

Miller, G.A.(1974), Le nombre magique sept plus au moins deux : Sur quelques limites de notre capacité à traiter l'information, in J. Mehler, G. Noizet, (eds.), Textes pour une psycholinguistique, Paris-La Haye : Mouton, 337-364 (2.1.1).

Miller, G.A., Galanter, E., Pribram, K.H. (1960), Plans and the structure of behavior, New York : Holt, Rinehart and Winston (3.8.1).

Moody, R. (1976), Student achievement and student evaluations of teaching in Spanish, Modern Language Journal 60, 454-463 (4).

Morgan, W.J. (1953), A clinical approach to foreign language achievement, Georgetown University Monograph Series Language and Linguistics 4, 15-21 (3.2.2).

Moskowitz, G. (1965), The fearsome foreign language hour, French Review 38, 781-786 (4.3).

Moskowitz, G. (1976), The classroom interaction of outstanding foreign language teachers, Foreign Language Annals 9, 135-157 (4) (4.1) (4.4.2).

Moskowitz, G., Benevento, J., Furst, N. (1973), Interaction in the foreign-language class, in J.W. Dodge (ed.), Sensitivity in the foreign-language classroom, New York (Northeast conference on the teaching of foreign languages), 13-57 (4.4.1).

Mühle, G. (1969), Definitions - und Methodenprobleme der Begabtenforschung, *in* H. Roth (ed.), *Begabung und Lernen*, Stuttgart : Deutscher Bildungsrat, 69-97 (3.1.3).

Mueller, T.H. (1971), The effectiveness of two learning models, *in* P. Pimsleur, T. Quinn (eds.), *The psychology of second language learning*, Cambridge : Cambridge University Press, 113-122 (4.2.1).

Mueller, T.H. (1974), Student withdrawels in an individualized French course, *International Review of Applied Linguistics 12*, 248-251 (4.2.2).

Naiman, N., Fröhlich, M., Stern, H.H., Todesco, A. (1978), *The good language learner*, Toronto : Ontario Insitute for Studies in Education (3.4.2) (3.4.3) (3.8.3) (4.3).

Neufeld, G.G. (1973), Personality and foreign-language learning, *in* G. Bibeau (ed.), *Canadian association of applied linguistics, 3rd annual meeting, Proceedings may 1972*, Québec, 91-103 (3.3.4).

Neufeld, G.G. (1977), Language learning ability in adults : a study on the acquisition of prosodic and articulatory features, *Working Papers on Bilingualism 12*, 45-60 (3.5.2) (3.5.3).

Neufeld, G.G. (1978), A theoretical perspective on the nature of linguistic aptitude, *International Review of Applied Linguistics 16*, 15-25 (3.5.1) (3.5.3).

Nie, N.H., Hull, C.H., Jenkins, J.G., Steinbrenner, K., Bent, D.H. (1975), *Statistical package for the social sciences*, New York : McGraw-Hill (6).

Noizet, G. (1980), *De la perception à la compréhension du langage. Un modèle psycholinguistique du locuteur*, Paris : P.U.F. (2.1.5).

Nord, J.R. (1980), Developing listening fluency before speaking : an alternative paradigm, *System 8*, 1-22 (4.2.3).

Nuttin, J. (1980a), *Théorie de la motivation humaine. Du besoin au projet d'action*, Paris : P.U.F. (3.3.1).

Nuttin, J. (1980b), *La structure de la personnalité*, Paris : P.U.F. (3.4.1).

Oléron, P. (1982), *L'intelligence*, Paris : P.U.F. (Que sais-je ? 210) (3.2.1)

Oller, J.W., Perkins, K. (1978), Intelligence and language proficiency as sources of variance in selfreported affective variables, *Language Learning 28*, 85-97 (3.3.2).

Oyama, S. (1976), A sensitive period for the acquisition of a nonnative phonological system, *Journal of Psycholinguistic research 5*, 261-283 (3.5.2).

Oyama, S. (1978), The sensitive period and comprehension of speech, *Working Papers on Bilingualism 16*, 1-17 (3.5.2).

Painchaud-LeBlanc, G. (1979), Quelques caractéristiques du comportement linguistique des apprenants lents, *Working Papers on Bilingualism 18* 1-23 (3.8.3).

Palmberg, R. (1981-1982), Non-native judgements on communicative efficiency : an experiment in communication strategies, *Interlanguage Studies Bulletin 6*, 79-92 (3.8.2).

Palmberg, R. (1983), On the relationship between communication strategies and learning strategies, *in* J. Fisiak (ed.), *Papers and studies in contrastive linguistics 17*, 93-99 (3.8.1).

Papalia, A. (1973), An assessment of attitudes and behaviors of foreign language teachers, *Foreign Language Annals 7*, 231-237 (4.4.2).

Papalia, A. (1977), Teachers' attitudes toward current trends in foreign language instruction, *Canadian Modern Language Review 33*, 344-347 (4.3).

Patkowski, M.S. (1980), The sensitive period for the acquisition of syntax in a second language, *Language Learning 30*, 449-472 (3.5.2).

Payne, D.A., Vaughn, H.A. (1967), Forecasting Italian language proficiency, *Modern Language Journal 51*, 3-6 (3.1.2).

Paulston, C.B. (1982), *Swedish research and debate about bilingualism*, Stockholm : National Swedish Board of Education (5).

Penfield, W., Roberts, L. (1959), *Speech and brain-mechanisms*, Princeton : Princeton University Press (3.5.1).

Pica, T. (1983a), The role of language context in second language acquisition, *International Studies Bulletin 7*, 101-123 (2.2.2).

Pica, T. (1983b), Adult acquisition of English as a second language under different conditions of exposure, *Language Learning 33*, 465-497 (2.2.2).

Pidgeon, D.A. (1970), *Expectation and pupil performance*, Stockholm : Almqvist-Wiksell (3.2.1) (5.1).

Pimsleur, P. (1963), Predicting success in high school foreign language courses, *Educational and psychological measurement 23*, 349-357 (3.1.2).

Pimsleur, P. (1964), *The Pimsleur Aptitude Battery*, New York : Harcourt, Brace and World (3.1.2).

Pimsleur, P. (1966), Testing foreign language learning, *in* A. Valdman (ed.), *Trends in language teaching*, New York : McGraw-Hill, 175-214 (3.1.2).

Pimsleur, P., Stockwell, R.P., Comery, A.L. (1962a), A study of foreign language learning ability, *Journal of Educational Psychology 53*, 15-26 (3.1.2) (3.6.1).

Pimsleur, P., Mosberg, L., Morrison, A.L. (1962b), Student factors in foreign language learning, *Modern Language Journal 46*, 160-170 (3.2.2) (4.3).

Pimsleur, P., Sundland, D.M., McIntyre, R.D. (1964), Under-achievement in foreign language learning, *International Review of Applied Linguistics 2*, 113-150 (3.2.2) (4.3).

Politzer, R.L. (1970), On the use of aptitude variables in research in foreign language teaching, *International Review of Applied Linguistics 8*, 333-340 (3.1.3).

Politzer, R.L., Weiss, L. (1969), Developmental aspects of auditory discrimination, echo response and recall, *Modern Language Journal 53*, 75-85 (3.5.2) (3.6.1).

Politzer, R.L., Weiss, L. (s.d.), *The successful foreign language teacher*, Philadelphia (Penns.) : Center for Curriculum Development (3.6.1) (4.1).

Porquier, R. (1984), Communication exolingue et apprentissage des langues, *Encrages 1984,* 17-47 (4.2.3).

Porquier, R., Frauenfelder, U. (1980), Enseignants et apprenants face à l'erreur, ou de l'autre côté du miroir, *Le français dans le monde 154*, 29-36 (4.2.3).

Postovsky, V.A. (1977), Why not start speaking later ? *in* M. Burt, H. Dulay, M. Finocchiaro (eds.), *Viewpoints on English as a second language*, New York : Regents, 17-26 (4.2.3).

Powell, R., Littlewood, P. (1983), Why choose French ? Boys' and girls' attitudes at the option stage, *British Journal of Language Teaching 21*, 36-39, 44 (3.6.2).

Ramírez, A.G., Politzer, R.L. (1978), Comprehension and production in English as a second language by elementary school children and adolescents, *in* E. Hatch (ed.), *Second language acquisition. A book of Readings*, Rowley (Mass.) : Newbury House, 313-332 (3.5.2) (3.5.3).

Raupach, M. (1983), Analysis and evaluation of communication strategies, *in* C. Faerch & G. Kasper (eds.), *Strategies in interlanguage communication*, London/New York : Longman, 199-209 (3.8.2).

Reibel, D.A. (1971), Language learning strategies for the adult, *in* P. Pimsleur, T. Quinn (eds.), *The psychology of second language learning*, Cambridge : Cambridge University Press, 87-96 (3.8.3).

Reuchlin, M. (1981), *Psychologie*, Paris : P.U.F. (2.1.5) (3.3.1) (3.4.1) (3.4.3).

Reuchlin, M. (1982), *Précis de statistique*, Paris : P.U.F. (7).

Reynolds, A.G., Flagg, P.W. (1977), *Cognitive psychology*, Cambridge (Mass.) : Winthrop (3.5.1).

Rivers, W.M. (1976), Individualized instruction and cooperative learning : some theoretical considerations, *in Proceedings 4th International Congress of Applied Linguistics*, vol. 3, Stuttgart, 437-454 (3.8.1).

Rivers, W.M. (1978), Language learning and language teaching — any relationship ?, *in* W.C. Ritchie (ed.), *Second language acquisition research Issues and implications*, New York : Academic Press, 201-213 (4.1).

Robinett, B.W. (1977), Characteristics of an effective second language teacher, *in* M. Burt, H. Dulay, M. Finocchiaro (eds.), *Viewpoints on English as a second language*, New York : Regents, 35-44 (4.3).

Robinson, W.P. (1971), Social factors and language development in primary school children, *in* R. Huxley, E. Ingram (eds.), *Language acquisition : models and methods*, New York : Academic Press, 49-66 (3.6.3)

Rosansky, E.J. (1975), The critical period for the acquisition of language Some cognitive development considerations, *Working Papers on Bilingualism 6*, 92-102 (3.5.1) (3.5.3).

Rosenthal, R., Jacobson, L. (1968), *Pygmalion in the classroom*, New York Holt, Rinehart and Winston (Trad. française éd. Flammarion) (4.3).

Roth, H. (ed.) (1969), *Begabung und Lernen*, Stuttgart : Deutscher Bildungsrat (3.1.3) (6).

Rubin, J. (1975), What the « good language learner » can teach us, *TESOL Quarterly 9*, 41-51 (3.8.1).

Rubin, J. (1981), Study of cognitive processes in second language learning *Applied Linguistics 2*, 117-131 (3.8.3).

Sampson, G.P. (1982), Converging evidence for a dialectical model of function and form in second language learning, *Applied Linguistics 3*, 1-28 (3.5.2).

Samuels, D.D., Griffore, R.J. (1979), The Plattsburgh French language immersion program : its influence on intelligence and self-esteem, *Language Learning 29*, 45-52 (3.2.2).

Scarcella, R.C., Higa, C. (1981), Input, negotiation and age differences in second language acquisition, *Language Learning 31*, 409-437 (3.5.3).

Scherer, G., Wertheimer, M. (1964), *A psycholinguistic experiment in foreign language teaching*, New York : McGraw-Hill (3.6.2) (3.7) (4.2.1).

Schneider, W., Shiffrin, R.M. (1977), Controlled and automatic human information processing : I. Detection, search and attention, *Psychological Review 84*, 1-66 (2.3.2).

Schneiderman, E.I. (1983), The modified stage hypothesis : some possible implications, *Language Learning 33*, 333-341 (3.5.3).

Schumann, J.H. (1975), Affective factors and the problem of age in second language acquisition, *Language Learning 25*, 209-235 (3.4.4) (3.5.3).

Schumann, J.H. (1978), Social and psychological factors in second language acquisition, in J.C. Richards (ed.), *Understanding second and foreign language learning*, Rowley (Mass.) : Newbury House, 163-178 (6).

Schumann, J.H., Holroyd, J., Campbell, R.N., Ward, F.A. (1978), Improvement of foreign language pronunciation under hypnosis : a preliminary study, *Language Learning 28*, 143-148 (3.4.4).

Schütt, H. (1974), *Fremdsprachenbegabung und Fremdsprachenleistung ; ein Beitrag zum Problem der prognostischen Gültigkeit von Fremdsprachenbegabungstests*, Frankfurt, Berlin, München : Diesterweg (3.1.2) (3.1.3).

Scovel, T. (1969), Foreign accents, language acquisition, and cerebral dominance, *Language Learning 19*, 245-253 (3.5.1).

Seliger, H.W. (1977), Does practice make perfect ? A study of interaction patterns and L2 competence, *Language Learning 27*, 263-278 (3.8.1).

Seliger, H.W. (1978), Implications of a multiple critical periods hypothesis for second language learning, in W.C. Ritchie (ed.), *Second language acquisition research. Issues and implications*, New York : Academic Press, 11-19 (3.5.1).

Seliger, H.W., Krashen, S.D., Ladefoged, P. (1975), Maturational constraints in the acquisition of second language accent, *Language Sciences 36*, 20-22 (3.5.2).

Selinker, L., Lamendella, J.T. (1978), Two perspectives on fossilization in interlanguage learning, *Interlanguage Studies Bulletin 3*, 143-191 (3.2.2).

Shiffrin, R.M. (1975), Short-term store : the basis for a memory system, in F. Restle, R.M. Shiffrin, N.J. Castellan, H.R. Lindman, D.B. Pisoni (eds.), *Cognitive theory* (vol. 1), Hillsdale (NJ) : Erlbaum, 193-218 (2.1.2).

Shiffrin, R.M., Schneider, W. (1977), Controlled and automatic human information processing : II. Perceptual learning, automatic attending, and a general theory, *Psychological Review 84*, 127-190 (2.3.2).

Simon, A., Boyer, E.G. (1974), *Mirrors for behavior III : An anthology of classroom observation instruments*, Philadelphia (Penns) : Communication Materials Center, Wyncote and Research for Better Schools (4.4).

Smith, A.N. (1971), The importance of attitude in foreign language teaching, *Modern Language Journal 55*, 82-88 (3.3.3).

Smith, P.D. (1969), The Pennsylvania foreign language research project : teacher proficiency and class achievement in two modern languages, *Foreign Language Annals 3*, 194-207 (4.1).

Smith, P.D. (1970), *A comparison of the cognitive and audiolingual approaches to foreign language instruction*. Philadelphia (Penns.) : Center for curriculum development (3.2.2) (3.6.1) (3.6.2) (4.2.1).

Snow, C.E. (1977), *Psycholinguïstiek voor linguïsten*, Amsterdam : Publikaties van het Instituut voor Algemene Taalwetenschap, nr.14 (3.5.3).

Snow, C.E., Hoefnagel-Höhle, M. (1978), Age differences in second language acquisition, *in* E. Hatch (ed.), *Second language acquisition. A book of readings*, Rowley (Mass.) : Newbury House, 333-344 (3.5.2).

Snow, C.E., Hoefnagel-Höhle, M. (1982), School-age second language learners' access to simplified linguistic input, *Language Learning 32*, 411-430 (4.2.3).

Snow, R.E. (1969), Unfinished Pygmalion, *Contemporary Psychology 14*, 197-199 (4.3).

Solmecke, G., Boosch, A. (1981), *Affektive Komponenten der Lernerpersönlichkeit und Fremdsprachenerwerb*, Tübingen : G. Narr (3.2.2) (3.4.2).

Stevick, E.W. (1976), *Memory, meaning and method. Some psychological perspectives on language learning*, Rowley (Mass.) : Newbury House (2.1.5) (3.4.2) (4.3).

Stoddard, G.D. (1925), *Iowa Placement Examinations*, Series FAI, Revised, State Univ. of Iowa (3.1.1).

Stoel, W.G.R. (1983), *Schoolkenmerken en het gedrag van leerlingen in het voortgezet onderwijs*, Haren : RION, interimrapport 0610 (5.1).

Suter, R.W. (1976), Predictors of pronunciation accuracy in second language learning, *Language Learning 26*, 233-253 (3.3.3) (3.6.1).

Swain, M. (1978), Home-school language switching, *in* J.C. Richards (ed.), *Understanding second and foreign language learning. Issues and approaches*, Rowley (Mass.) : Newbury House, 238-250 (2.4).

Swain, M., Burnaby, B. (1976), Personality characteristics and second language learning in young children : a pilot study, *Working Papers on Bilingualism 11*, 15-128 (3.4.2).

Tarone, E.E. (1978a), The phonology of interlanguage, *in* J.C. Richards (ed.), *Understanding second and foreign language learning. Issues and approaches*, Rowley (Mass.) : Newbury House, 15-33 (3.5.3).

Tarone, E.E. (1978b), Conscious communication strategies in interlanguage : a progress report, *in* Brown, Yorio & Crymes (eds.), *On TESOL'77 : Teaching and learning ESL*, Washington D.C., 194-203 (3.8.2).

Tarone, E.E. (1980), Communication strategies, foreigner talk and repair in interlanguage, *Language Learning 30*, 417-432 (3.8.2).

Taylor, B.P. (1974), Toward a theory of language acquisition, *Language Learning 24*, 23-35 (3.5.1) (3.5.2).

Taylor, B.P. (1975), The use of overgeneralisation and transfer strategies by elementary and intermediate students of ESL, *Language Learning 25*, 73-107 (3.8.2).

Taylor, L.L., Guiora, A.Z., Catford, J.C., Lane, H.L. (1969), The role of personality variable in second language behavior, *Comprehensive*

Psychiatry 10, 463-474 (3.4.4).

Thiele, A., Scheibner-Herzig, G. (1978), Untersuchungen zu Fremdsprachenleistung und Schülerpersönlichkeit, *in* A. Melezinek (ed.), *Technis-
che Medien im Sprachunterricht*. Referate des internationalen wissens-
chaftlichen Symposiums 1978 in Klagenfurt, Konstanz : Reihe Unter-
richtstechnologie/Mediendidaktik, 23-37 (3.4.2).

Thogmartin, C. (1982), Age, individual differences in musical and verbal
aptitude, and pronunciation achievement by elementary school children
learning a foreign language, *International Review of Applied Linguistics 20*, 66-72 (3.5.2).

Thorndike, R.L. (1968), Review of *Pygmalion in the classroom, American
Educational Research Journal 5*, 708-711 (4.3).

Titone, R. (1968), *Teaching languages : An historical sketch*, Washington :
Georgetown Univ. Press (4.2.1).

Tucker, G.R., Hamayan, E., Genesee, F.H. (1976), Affective, cognitive
and social factors in second language acquisition, *Canadian Modern Language Review 32*, 214-226 (3.4.2).

Valdman, A. (1983), Toward a modified structural syllabus, *in* T.J.M.
van Els, L.K. Engels (eds.), *Notional-functional syllabuses in language
learning*, Toegepaste Taalwetenschap in Artikelen, Special 1, 26-52 (4.2.3)
(5.2).

Valette, R.M. (1968), Testing and motivation, *in* S. Newell (ed.), *Dimension : Languages 68*, ACTFL 1968, 65-69 (3.1.2) (3.2.2).

Van Abbé, D. (1976), Ladies prefer languages : why not gentlemen, *Audio
Visual Language Journal 14*, 43-48 (3.6.3).

Van de Geer, J.P. (1970-1971), Techniques d'équations linéaires dans la
recherche en sciences sociales, *Bulletin de psychologie 289*, XXIV-5-6,
305-330 (6).

Van der Geest, T. (1981), Geschlechtsunterschiede : sprechen und denken ;
Emotionen und Beziehungen, *Toegepaste Taalwetenschap in Artikelen
10*, 20-50 (3.6.3).

Van Parreren, C.F. (1983), Primacy of receptive skills in foreign language
learning, *System 11*, 249-253 (4.2.3).

Vocolo, J.M. (1967), The effect of foreign language study in the elementary school upon achievement in the same foreign language in the high
school, *Modern Language Journal 51*, 463-469 (3.6.1).

Von Elek, T., Oskarsson, M. (1973a), *A replication study in teaching foreign
language grammar*, Gothenburg (4.2.1).

Von Elek, T., Oskarsson, M. (1973b), *A follow-up study in teaching foreign
language grammar*, Gothenburg (4.2.1).

Von Wittich, B. (1962), Prediction of success in foreign language study,
Modern Language Journal 46, 208-212 (3.2.2).

Wagner-Gough, J., Hatch, E. (1975), The importance of input data in second
language acquisition studies, *Language Learning 25*, 297-308 (4.2.3).

Walsh, T.M., Diller, K.C. (1981), Neurolinguistic considerations on the optimum age for second language learning, *in* K.C. Diller (ed.), *Individual differences and universals in language learning aptitude*, Rowley (Mass.) : Newbury House, 3-21 (3.5.1) (3.5.3).

Weiss, R. (1969), Das Verhältnis von Schulleistung und Intelligenz, *in* H.R. Lückert (ed.), *Begabungsforschung und Bildungsförderung als Gegenwarts-aufgabe*, München, Basel, 280-318 (3.1.3).

Wesche, M.B. (1979), Learning behaviours of successful adult students on intensive language training, *Canadian Modern Language Review 35*, 415-430 (3.8.3).

Wesche, M.B., Edwards, H., Wells, W. (1982), Foreign language aptitude and intelligence, *Applied psycholinguistics 3*, 127-140 (3.1.3).

Westgate, D. (1979), Professional attitudes of language teachers, *Audio Visual Language Journal 17*, 13-17 (4.3).

Westphal, M.E., Leutenegger, R.R., Wagner, D.L. (1969), Some psychoacoustic and intellectual correlates of achievement in German language learning of junior High School students, *Modern Language Journal 53*, 258-266 (3.2.2) (3.6.1).

William, S.M. (1976), Interaction analysis and achievement. An experiment, *in* J.R. Green (ed.), *Foreign-language Education Research. A book of readings*, Chicago : Rand McNally, 153-165 (4.4.2).

Wode, H. (1981), *Learning a second language.I. An integrated view of language acquisition*, Tübingen : G. Narr (2.2.2) (5) (6).

Wolters, G. (1983), *Episodic memory. Encoding distinctiveness and memory performance*, Leiden (thèse) (2.1.5).

Yamada, J., Takatsuka, S., Kotake, N., Kurusu, J. (1980), On the optimum age for teaching foreign vocabulary to children, *International Review of Applied Linguistics 18*, 245-247 (3.5.2).

Zeeman, A. (1982), Production and achievement strategies in Dutch learners of English as a foreign language, *Interlanguage Studies Bulletin 6*, 88-108 (3.8.2).

Titres parus dans la même collection

Cette collection a été dirigée jusqu'en 1984 par H. Besse et D. Coste ; depuis cette date, elle est dirigée par H. Besse et E. Papo (École Normale Supérieure de Fontenay-Saint-Cloud - CREDIF).

Linguistique textuelle et enseignement du français. *H. RÜCK (traduit de l'allemand et présenté par J.-P. COLIN)*

Des éléments d'initiation à la linguistique textuelle et à sa mise en œuvre possible dans divers aspects de la classe de français langue étrangère. Quelques pistes nouvelles pour l'emploi didactique des textes.

Langue maternelle et langues secondes. Vers une pédagogie intégrée. *E. ROULET*

Développer la compétence de communication par une extension active et réfléchie des capacités langagières : une approche intégrée qui met en cause les cloisonnements habituels entre pédagogie de la langue maternelle et pédagogie des langues secondes.

Analyse socio-linguistique de la communication et didactique. Application à un cours de langue : *De Vive Voix. G. GSCHWIND-HOLTZER*

Quelle place l'enseignement des langues fait-il aux diverses composantes de la communication ? Une description socio-linguistique des situations et dialogues d'un cours audio-visuel.

Langage et communications sociales. *C. BACHMANN ; J. LINDENFELD : J. SIMONIN, préface de J.-C. CHEVALIER*

Une introduction systématique et critique aux travaux récents sur la place du langage dans les communications sociales (Hymes, Goffman, Labov, Bernstein, etc.).

Description, présentation et enseignement des langues. *Sous la direction de R. RICHTERICH et H. G. WIDDOWSON*

Rencontre d'anglophones et de francophones pour un colloque de linguistique appliquée sur la description et la présentation pédagogique des langues : progression, manuels, interaction langagière, etc.

Une approche communicative de l'enseignement des langues. *H. G. WIDDOWSON, traduit de l'anglais et annoté par K. et G. BLAMONT*

Ouvrage considéré comme un « classique » dès sa parution originale en anglais. Rigoureux et didactique, il fait des propositions concrètes pour une « approche communicative » qui prenne pleinement en compte le linguistique.

D'autres voies pour la didactique des langues étrangères. *Sous la direction de R. GALISSON*

Des voies à « rouvrir », des voies à « élargir », des voies à « ouvrir »... De la réhabilitation de la pédagogie en didactique des langues étrangères aux interrogations sur l'informatique et les langages documentaires dans leurs relations possibles à l'enseignement des langues.

Littérature et classe de langue — français langue étrangère. *Sous la direction de J. PEYTARD*

Un livre qui interroge et s'interroge sur la présence insistante des produits littéraires dans le domaine du français langue étrangère. Pourquoi le texte littéraire ? Quelle est sa place et sa fonction ? Comment le situer sémiotiquement sans oublier la didactique ?

Grammaires et didactique des langues. *H. BESSE et R. PORQUIER*

Fait le point sur l'enseignement/apprentissage des régularités morphosyntaxiques et discursives d'une langue étrangère, en traitant, à partir d'observations et d'exemples concrets, de la connaissance grammaticale, des pratiques et des exercices grammaticaux, ainsi que des grammaires d'apprentissage.

Pour un apprentissage interactif des langues. *L. SCHIFFLER (traduction de J.-P. COLIN)*

A partir d'une analyse socio-psychologique du rôle de l'interaction sociale dans l'acquisition des langues, cet ouvrage propose une approche de l'enseignement/apprentissage, en contexte scolaire, centrée sur l'apprenant et les interactions dans le groupe-classe.

Vers la compétence de communication. *Dell H. HYMES (traduction de F. MUGLER)*

Deux inédits (à un chapitre près) de celui qui est considéré comme « l'inventeur » de la notion de compétence de communication. Il y critique le modèle Chomskyen et son propre modèle *(speaking)* en en proposant une actualisation.

Interaction et discours dans la classe de langue. *C. KRAMSCH*

Une synthèse très actualisée des travaux et expériences portant sur la communication et les interactions en classe de langue, et illustrée par de multiples pratiques et exercices interactifs en anglais allemand et français.

La fuite du sens — La construction du sens dans l'interlocution. *B.N. GRÜNIG et R. GRÜNIG*

Un essai — abondamment exemplifié — sur l'articulation théorique de la diversité des contraintes qui pèsent sur la production et l'interprétation du dire, et qui sont souvent plus conflictuelles que ne le supposent nombre d'hypothèses actuelles. Un modèle pragmatique complexe en ce qu'il tente d'intégrer l'ensemble des processus qui sont à l'œuvre dans l'interlocution, et un modèle ouvert sur ce qu'il y a d'illimité et de proliférant dans la construction du sens.

Argumentation et conversation — Éléments pour une analyse pragmatique du discours. *J. MOESCHLER*

Une introduction à la pragmatique conversationnelle qui présente les résultats — illustrés par l'étude de nombreux exemples — de la recherche récente en pragmatique, argumentation et conversation, avant de proposer une analyse du rôle que joue l'argumentation dans la dynamique de la conversation.

Évaluation de la compétence communicative en langue étrangère. *S. BOLTON*

Une synthèse sur la typologie des tests et l'évolution des critères docimologiques compte tenu de la prise en compte, dans l'enseignement-apprentissage, de la pragmatique et de la compétence de communication.

Théories d'apprentissage et acquisition d'une langue étrangère. *D. GAONAC'H*

Une synthèse des théories psychologiques de l'apprentissage qui ont marqué la didactique des langues étrangères durant les cinquante dernières années (associationnisme et behaviorisme, néo-behaviorisme et théories médiationnelles. Gestalt-Psychologie et théories cognitives, psycholinguistique et études sur l'acquisition des langues).

Une approche ethnographique de la communication - Rencontre en milieu parisien. *Geneviève-Dominique de SALIN*

A la lumière de l'anthropologie culturelle américaine (D. Hymes, J. Gumperz, E. Goffman, E.T. Hall), cet ouvrage propose une étude de cette communication qu'est la rencontre, courte cérémonie rituelle, qui préside à toutes nos interactions face à face.

Aptitude et affectivité dans l'apprentissage des langues étrangères. *Paul BOGAARDS*

Cet ouvrage étudie les principaux facteurs intervenant dans le processus d'apprentissage des langues étrangères, qu'ils dépendent de l'apprenant, de l'enseignant ou de certains aspects de la situation dans laquelle il s'inscrit.

Imprimerie Nouvelle, Saint-Jean-de-Braye – 8384
Dépôt légal n° 8010 – Février 1988
Imprimé en France